Edvard
MUNCH
PORTRETTER

Edvard

MUNCH PORTRETTER

ARNE EGGUM

Med forord av
Alf Bøe

Munch-museet

Labyrinth Press

Denne katalogen er utgitt i forbindelse med utstilling i
Munch-museet 23. januar - 3. mai 1994
i anledning av 50-års dagen for Edvard Munchs død.

Utstilling og katalog er kommet i stand takket
være støtte fra:

Det kgl. Utenriksdepartement, Oslo
Det kgl. Kulturdepartement, Oslo
Idemitsu Kosan Co. Ltd., Tokyo
J. L. Tiedemanns Tobaksfabrik, Oslo
Quorum AS v/Jon Chr. Brynildsen, Oslo
C. Tennant Sons & Co. AS, Oslo

UTSTILLING
Hovedansvarlig: ArneEggum
Prosjektmedarbeider: Iris Müller-Westermann
Utstillingsassistent: Inger Gogstad
Tidligere medarbeidere: Kari Steen, Bodil Stenseth
Restaureringsavd.: Jan Thurmann-Moe, Trond Aslaksby,
Magdalena Ufnalewska
Montering: Hans-Petter Aamodt, Jan O. Aamodt, Mads Olsson

KATALOG:
Redaktør: Sissel Biørnstad
Medarbeidere: Inger Gogstad, Karen Lerheim
Foto: Svein Andersen, Sidsel de Jong (se også s. 320)
Lay-out: Sissel Biørnstad, Arne Eggum, Øivind Pedersen
Omslag: Øivind Pedersen
Produsert i regi av Labyrinth Press

ISBN 82-7393-025-4
ISBN 82-525-2790-6 (Kunstboklubben)

FORORD

Da Edvard Munch døde 23. januar 1944, hadde den største del av hans livsverk vært ivaretatt av ham selv under meget enkle forhold på hans eiendom Ekely. I dag er samlingen endelig sikret forsvarlig oppbevaring og presentasjon i et museum som i utvidet og forbedret stand blir innviet på samme dato et halvt hundreår senere. Til samme tid presenterer Munch-museet en stor minneutstilling over Edvard Munchs portretter, ledsaget av en bredt anlagt, opplysende katalog. Her legges for første gang frem dokumentasjon for en ny, bred sektor av kunstnerens verk.

Vi har fått hjelp til denne utstilling fra mange hold. Vår varme takk går til alle – offentlige institusjoner som private – som gjennom generøse utlån har gjort det mulig for oss å gi bredde til mønstringen: Selv om hovedparten av de 266 utstilte verk kommer fra Munch-museets egne samlinger, er hele 66 utlånt fra andre. Fortegnelsen på s. 319 viser at de er fraktet hit fra mange verdens kanter, de fleste naturlig nok fra Norden og fra tysktalende europeiske land, land som til dels har gitt nordmannen en plass i sin egen kunsthistorie.

Museets takk går også til det norske Storting som ved Kulturdepartementets formidling har gitt oss en garanti for forsikringen av de verk som er lånt inn fra samlinger utenlands. Den støtte som budsjettet herved har fått, har vært avgjørende for å gjennomføre utstillingen. Museet takker likeledes Utenriksdepartementet for støtte til forarbeidet og trykking av katalogen, og endelig går museets varme takk til sponsorene som har støttet opp om prosjektet; det dreier seg både om gamle og nye venner.

Som sjef for institusjonen er det meg også en glede å uttrykke anerkjennelse for den iver og glød som er nedlagt av alle som har arbeidet utstillingen frem under ledelse av førstekonservator Arne Eggum. Utstillingen bygger på undersøkelser blant annet av personalhistoriske forhold som har vært drevet ved Munch-museet allerede lenge før min tid, undersøkelser som under forberedelsen av utstillingen er utvidet og drevet med større intensitet. Bibliotek, restaureringsavdeling og fotoatelier har alle ytet sitt

samtidig som en ekstra belastning er blitt lagt på museets øvrige administrasjon i en periode hvor vi også har hatt annet å tenke på i forbindelse med gjennomføring og ferdigstillelse av byggearbeider i museet.

Så om selve utstillingen: Disse portrettene gir en usedvanlig verdifull innfallsvinkel for studiet av personen Edvard Munch og av hans kunst. De utgjør for det første en meget betydelig del av hans verk: Av en samlet produksjon – vi taler her om arbeider på lerret – på ca. 1.850 verk, utgjør portrettene et antall i størrelsesorden ca. 220. Legges grafikk og skisser til, blir tallet langt høyere. Dertil kommer at portrettmaleriet i aller snevreste forstand, slik vi viser det her på utstillingen, bare utgjør en del av det vi kunne kalle Edvard Munchs personifiserte menneskeskildring: Museet har tidligere i en egen utstilling med tilhørende publikasjon trukket frem hans årelange arbeid med profesjonelle modeller; dertil må vi også huske at Edvard Munch er en av disse kunstnere som gjennom et langt liv ustanselig holder speilet opp for sitt eget ansikt, idet han skildrer sin egen tilstand og sin front mot verden: Vi minnes det kjølige, distanserte portrett i trekvart profil – malt med klassiske anstrøk – fra hans første ungdom, senere programportretter som det med sigarett fra 1895 (i Nasjonalgalleriet, Oslo), paradeportrettet fra 1904 av maleren med pensler klar for nye oppdrag, eller den aldrende kunstner i hagen på Ekely i 1926 med åpen skjortekrave i full sol, pensler og palett i hånden, et bilde på vitalitet i konfrontasjon med mulige nye oppgaver. Og ved siden av disse de introspektive – Selvportrett i helvete fra 1903, den dypt deprimerte Munch ved vinen i Weimar 1906, eller de enestående sene portretter fra årene under krigen av en avkreftet olding mellom klokken og sengen eller halvt på vei ut av lenestolen en sen natt på Ekely. Dette materiale er for tiden også under bearbeidelse, og vi håper om ikke altfor lenge å komme tilbake med et oppslag også for dette sentrale stoff.

Grunnlaget for Munchs portrettmaleri ligger i hans interesse for mennesker. Det er vel ingen motsetning i dette at Edvard Munch, som lange perioder av sitt liv hadde vanskeligheter med å omgås sine medmennesker, samtidig eide en stor psykologisk sans som satte ham istand til å slå ned på særtrekk ved modellene som han så klarte å få synliggjort på lerretet. I hans egen samtid som i dag noterer vi kritikernes beundring for den psykologiske personkarakteristikk – i fremstillingen av individuelle særtrekk hos dr. Lindes barn, i Munchs grep om modellens positur og i skildringen av det ytre skall hos så forskjellige personligheter som Walter Rathenau, konsul Sandberg og Torvald Stang. Og persongalleriet er rikt: Det speiler Munchs nærmeste omgangskrets gjennom livet, og reflekterer samtidig gjennom vekslende stadier hans posisjon som kunstner: Innledningsvis den intime krets av familiemedlemmer og kunstnervenner, senere den utvidede krets av intellektuelle og kunstnere i Kristiania og i Berlin, så den store periode etter århundreskiftet og frem til første verdenskrig da portrettene også forteller om en kunstner som har oppnådd en mondén stilling i en begrenset krets av tysk-kontinentale oppdragsgivere. I tillegg finner vi her også den praktfulle serie av helfigurportretter som skildrer hans nære venner, de som hadde stått ham bi og vært hans støtter – «min kunsts livvakt».

Edvard Munchs portrettkunst er nøktern i sin konsentrasjon om hovedsaken, modellen. Tilleggsutstyr forekommer nesten ikke, figurene er nesten uten unntagelse satt inn i abstrakte eller meget sparsomt utstyrte rom: En vegg med en dør, kanskje et hjørne av Munchs eget atelier på Ekely. Karakteristikken slår likevel alltid gjennom med stor kraft. Den er gitt i modellens positur, i kroppens forhold til det mest umiddelbare ytre skall som klærne skaper, i behandling av øyne og hender og i farge: Selv om de fleste portretter er satt på lerretet ved hjelp av undertegning, er det lyssettingen og fargens ofte ganske ukonvensjonelle sammenstilling som gir bildene på en og samme tid deres psykologiske uttrykk og deres skjønnhet som kunstverk.

Det er andre sider ved portrettene: De forteller, som sagt, om posisjon, om bredden i hans kontaktnett da Edvard Munch stod på høyden, om den respekt han nøt som kunstner gjennom de oppdrag som ble gitt ham. Portrettene var også viktige for kunstnerens økonomi. I unge år var det vel ikke rare greiene – det storartede portrett fra 1885 av vennen Jensen-Hjell ble betalt med en middag til to

kroner, men senere ble det bedre: Prisene fra tiden etter århundreskiftet tilsvarer for et enkelt portrett flerfoldige årsgasjer for mange andre borgerlige. Det er klart at dette var viktig, men det er like klart at penger neppe har vært drivkraften. Ikke bare «livvakt»-portrettene ble skapt ut fra helt andre motiver. De ble bare unntaksvis solgt, de fleste forble i kunstnerens eie slik at de den dag i dag beror i Munch-museets samlinger.

Vår utstilling er naturligvis ikke komplett. Det er beklagelig at sentrale verk fra Thielska Galleriet i Stockholm ikke kan vises – det gjelder spesielt det praktfulle helfigurs portrett av Munchs yngre venn Ludvig Karsten og det monumentale av Friedrich Nietzsche; for en vitenskapelig anlagt utstilling planlagt for denne meget spesielle anledning hadde jeg håpet av museet kunne gjort et unntak. Portrettene i vårt hjemlige Nasjonalgalleri er også holdt tilbake, men interesserte kan studere dem på den særutstilling som er arrangert for De olympiske leker av galleriets komplette Munch-samling der de ble oppfattet som uunnværlige.

Til slutt et ord om opplegget for utstillingskatalogen: Det er ukonvensjonelt i den forstand at vi denne gang har latt en utfyllende beskrivelse av hvert bilde i katalogen ligge. Hele dette materiale er isteden trukket inn i Arne Eggums omfangsrike tekst, der han også har funnet plass til et rikt utvalg av stoff fra samtidige kritikker, fra personlige memoarer og andre kilder som samlet gjennom en kronologisk presentasjon gir et rikt bilde med mange streiflys inn i områder som har betydning ikke bare for Edvard Munchs portretter, men for hans kunstneriske virke overhodet: Hans arbeidsmetode, hans plass i samtidens kunstkritikk som slett ikke – selv i hans ungdom – var bare negativ, det rike materiale av kommentarer fra Gustav Schiefler, vennen Ludvig Orning Ravensberg og andre. Studiet av portrettene kaster også usedvanlige streiflys over Munchs arbeidsår som anerkjent kunstner etter hjemkomsten til Norge i 1909, og minner oss om hvilken betydning også hans senere verk ble tillagt av hans samtid.

Alf Bøe
Direktør
Oslo Kommunes Kunstsamlinger

INNHOLD

INNLEDNING

Sent i livet reflekterer Edvard Munch i et av sine mange notater over forholdet mellom maleri og fotografi, mellom det å skape kunstverk og det å male portrettlike bilder. Han dveler også ved distinksjonen mellom hvordan en kunstner oppfatter sitt «portrettoffer», og hvordan denne ønsker at han eller hun selv skal oppfattes:

Man svarer altid – Nei jeg vil ha kunstværk –
– Nu vel – Så må De finde Dem i et kunstværk –
– Men man gjør det ikke – Man vil at maleren skal se som
et Fotografiapparat – Man skal se vedkommende som ved-
kommende vet han er – som han selv i tusende hemmelige
øieblikk – i livets mangehånde anstiftelser har set sig – som
hans Skrædder har set ham – og villet gjøre ham til – som
hans elskede har set ham (- som hans mama har set ham) og
som hans mange kusiner har set ham – Han skal være som
folket har set ham på balustraden – om det er en bekjendt
offentlig mann – Blot ikke som kunstneren ser ham – Blot
ikke det umiddelbare blik som er den første betingelse for
at overhovedet et kunstværk skal kunde gjøres.[1]

«Det umiddelbare blik» han ville feste på lerretet, var for Munch – i Søren Kierkegaards mening – et umiddelbart forhold til noe nærværende og kjent. På mange måter synes det å ha vært en forutsetning for at Munchs portretter skulle lykkes som kunstverk, at han fikk et personlig forhold til de mennesker han avbildet.

Da Munch skrev disse ordene, kunne han se tilbake på et liv som kunstner hvor hans portretter på et par unntak nær gjennomgående var blitt positivt mottatt. Han var ofte av samtidskritikken blitt vurdert som en av sin tids mest betydelige portrettmalere – som den «fødte portrettist». Selv kritikere som for øvrig uttrykte avsky overfor hans eksistensielle motiver, innrømmet stadig uttrykkskraften i hans mest vellykkede portretter. På tross av en ofte provoserende stil og form lyktes det ham således i portrettet å formidle et kunstnerisk uttrykk som traff publikum hjemme. Man skulle derfor tro at Munch ville ha sikret seg sitt levebrød som portrettmaler, men det ble langt fra tilfellet. Det var primært ved å integrere portrettene i sine separatutstillinger gjennom mange år at hans renommé som en portrettets mester ble fundamentert. Dette ledet forbausende nok likevel bare til et relativt lite antall rene portrettbestillinger, både hjemme og ute. I et brev til Pola Gauguin i anledning det denne hadde skre-

vet om Munch og portrettoppdrag i sin biografi over kunstneren i 1933, skriver Munch:

Når De nevner portrætbestillinger eller bestillinger har jeg vel næppe hat fler end 12 bestillinger hele mit liv – Jeg er ingen Zorn – Da jeg trengte bestillinger fik jeg ingen og da jeg ikke trængte dem udførte jeg dem ikke. Nu i 20 år har jeg blot hat 2 bestillinger jeg har udført af portrætter -

Munch malte ikke mange portretter på oppdrag, portretter i den mest tradisjonelle betydning; bilder, myntet på å prege et erindringsbilde av den avbildede og hans sosiale posisjon. Hans portretter formidler først og fremst kunstnerens eget, genuine inntrykk av en person, ikke det bilde oppdragsgiveren ønsket å formidle av seg selv. Selv i de portretter hvor bestilleren så å si ønsket å kjøpe seg en nisje i den berømte kunstners livsverk, finner vi et uttalt psykologisk og personlig aspekt. Munch snarere avslører enn smigrer sine «portrettofre». Han karakteriserte og utleverte andre mennesker like hensynsløst som han utleverte seg selv i sine selvportretter. Med kunstnerens innlevelse hadde han både sympati og forståelse for de fleste menneskelige trekk, hos andre som hos seg selv. Ikke for ingenting var Fjodor Dostojevski en av hans yndlingsforfattere. (Det er mer enn en tanke at hans *Selvportrett med knokkelarm* (1895) tydelig er inspirert av Felix Valottons portrett av den russiske sjelegranskeren.)

For en eventuell oppdragsgiver innebar det dessuten en risiko å bestille et portrett av denne tilsynelatende udisiplinerte kunstnernaturen, hvis kunst var så rotet i det helt personlige. Han hadde ikke som en Matisse eller Picasso utviklet noen entydig stil. Ingen kunne på forhånd kjenne seg trygg på hvordan Munch ville gripe oppgaven an hverken når det gjaldt form eller farger. Ga man ham et portrettoppdrag, var man i alle henseender helt og holdent utlevert på kunstnerens egne premisser – og dessuten til en for sin tid relativt høy betaling! Et eksempel er portrettet av Ludvig Meyers barn (1895). Meyer ble så opprørt over uttrykket i maleriet, og hva han anså som manglende likhet med modellene at han refuserte gruppeportrettet, med det resultat at Munch anla sivilrettslig søksmål. Domsavgjørelsen slo fast at om man bestilte et kunstverk av en så kontroversiell kunstner som Munch, så måtte man ta til takke med resultatet selv om det stred mot alt man hadde ønsket seg.

På tross av en uttalt naturalisme i de aller første portrettene på 1880-tallet aner vi at den unge, følsomme kunstneren tidlig hadde som forsett å gjengi sitt eget, høyst personlige, indre bilde av et individ. Selv som portrettmaler fulgte han således den subjektive siden ved Hans Jægers program om å male ikke bare sitt eget liv, men også sin tids mennesker hensynsløst ærlig. I analogi til tidens mange psykologiserende forfattere, synes Munch alt fra begynnelsen av sin karriere å ha vært opptatt av – i Ibsensk forstand – å avsløre de skjulte sider ved menneskets karakter. Mens det store antall av portrettmalere så sin oppgave i å smigre sitt objekt, var Munchs utgangspunkt gjennomgående pessimistisk i tråd med den filosofiske tradisjonen fra Arthur Schopenhauer. Dypest sett kan man si at følgende utsagn skrevet med lapidarskrift i *Kunskabens træ på godt og ondt* også gjelder hans forhold til sine «portrettofre»:

JEG SER ALLE MENNESKER BAK DERES MASKE SMILENDE, ROLIGE ANSIGTER BLEGE LIG SOM STUNDESLØSE ILER AFSTED EN SNIRKLET VEI HVIS ENDE ER GRAVEN[2]

I begynnelsen av hans karriere var kjernen av Munchs «portrettofre» den nære familie; hans bror, hans søstre, hans far og hans tante, som hadde trådt inn i familien ved morens død. Disse var under flere år lojale gratismodeller. Han malte også flere av sine unge kolleger, men knapt noen av disse malte noe egentlig portrett av ham. Aasta Nørregaards monumentale pastell og Jo Visdals glimrende hode i bronse av den unge kunstneren, begge fra 1885, var et par unntak. Ellers ser vi den unge Munch i et genreportrett av Christian Krohg og som modell til disippelen Johannes i en altertavle av Eilif Petersen.

Etter at Munch var blitt en internasjonal størrelse ved den berømte «skandaleutstillingen» i Berlin i 1892, slo han seg ned i den tyske hovedstaden. Her konsentrerte han seg primært om sine *Livsfrise*-motiver, men gjenga også sine venner fra miljøet rundt August Strindberg og brennevinskneipen Zum schwarzen Ferkel i en serie karakteristiske portretter fra August Strindberg selv (1892) til Dagny Juel (1893) og Stanislaw Przybyszewski (1895), portretter malt i en form for impresjonistisk, skisseaktig stil preget av 1890-årenes melankoli. I de få tilfeller han i denne perioden portretterte fremtredende personligheter innen borgerskapet, tilordnet han seg i en viss grad en kontinental tysk, realistisk tradisjon.

På 1890-tallet skaper Munch også en grafisk serie med portretter av skandinaviske forfattere, alle på eget initiativ, og alle med to nærmest uforenlige målsetninger, å etablere et representativt bilde av en skapende personlighet

og å vitne om et jeg-du forhold mellom kunstner og objekt. Slik pendler Munch i sine portrett – med Ellen Keys ord – mellom det individuelle og det universelle og fra det subjektivt opplevde til det objektivt virkelige.[3] Med tanke på «det objektivt virkelige» kan det nevnes at August Strindberg overfor Adolf Paul angående Munchs «impresjonistisk» malte portrett (1892) av ham, utbrøt: «Jag ger sju i likheten! Det får lov att vara ett stiliserat diktarporträtt! Som Goethes porträtter! Det borde Munch ha begripit!»

Ved århundreskiftet røper Munchs kunst et nytt syn på virkeligheten – han forlater det melankolske uttrykket og spraker til i en livsnær fargekunst. Denne nye holdningen finner vi også i hans portretter, kanskje best representert av det strålende, friske portrettet av Aase Nørregaard (1902), som blir en eksponent for det nye århundredes aktive handlingsmennesker. Et unntak blir imidlertid idéportrettet av Friedrich Nietzsche (1905-1906), malt på oppdrag av den svenske mesenen Ernest Thiel. Munch kjente denne gang sitt objekt kun fra Nietzsches søsters beretninger, fotografier, andre kunstneres avbildninger og ved lesning av dikterfilosofens eget verk. Dette portrettet blir da også malt i en helt egen stil som skiller seg ut fra alt annet i Munchs kunst.

Det var imidlertid først i Weimar omkring 1904-1906, i et miljø som var dominert av et Nietzscheansk kunstnerideal, som fremhevet betydningen av den dionysiske rus for den skapende kunstner, at Munch kunne male portretter ut fra sin egen personlighet som også tilfredsstilte fremstående handlingsmennesker som Harry Graf Kessler, Walter Rathenau og Ernest Thiel. Han forfølger denne stilen også i portrettet av professor Daniel Jacobson som med Jens Thiis' ord «geberder sig lik en Xerxes før Thermopylene»[5], og som i disse portrettfremstillinger av samtidige ser «en apoteosering av modellen, hvori Munchs egne 'overmenneske'-ideer avspeiler sig». Også renessansen blir trukket frem i omtalen av Munchs portretter i tilknytning til hans gjennombruddsutstilling som fasjonabel maler hos Fritz Gurlitt i 1914. F.eks, skriver Fritz Stahl:

Der findes hos Munch ingen forskjel mellem psykologisk og malerisk interesse i mennesket. Maleren ser en personlighetsaabenbaring og det opstaar et billede som sammenfatter den i en fast præget enhet av form, uttryk og farve. Det findes blandt hans figurer dem, som bare kan sættes ved siden av Quatrocentos sterke freskomaleri saa store oa væsentlige staar de der, og med slik utsøkt enkelhet er de malet.[5]

Hjemme igjen i Norge etter år i utlendighet, sammenbrudd og rekonvalesens i København, fortsetter Munch sin serie av helfigurportretter, denne gang med sine gode venner som modeller. Det var hele denne rekken av stående mannlige portretter som Munch senere skulle omtale som «min kunsts livvakt», og som blant andre Curt Glaser så som det fremste vidnesbyrd på den nye skaperkraften i Munchs kunst i det nye århundrede. I likhet med Fritz Stahl knytter Glaser Munchs portretter til renessansekunsten og Andrea del Castagnos kjempemessige skikkelser, og fastslår at «som hos denne skulle de stå i en samlet rekke, hvorved deres skikkelser skulle vinne i storhet ved deres gjensidige påvirkning».[5]

Etter at Munch var ferdig med utsmykningen av Universitets nye festsal i 1916, følger en spennende, men lite påaktet utvikling i hans portrettmaleri. I en periode preges bildene av en gjennomgående dempet brunlig helhetstone, og lerretet organiseres på en måte som bringer i tankene den internasjonale kubismen. Andre arbeider synes å knytte an til de unge tyske ekspresjonistenes djerve og aggressive portretter, slik vi eksempelvis kjenner dem fra Ernst Ludwig Kirchners kunst. Og under 1920-tallet, i en periode hvor Munch etablerte seg med sine nyeste arbeider som en av de sentrale kunstnere på germansk jord, finner vi spennende kontaktflater til den nye, tyske kunstretningen «Neue Sachlichkeit». Slik kan vi følge en kunstnerisk utvikling i Munchs portretter som er i samklang med utviklingen i tidens kunst – en kunst han til dels hadde vært med på å initiere – uten at han taper sin egenart. Den spennende eksperimentering som preger hans portretter så sent som på 1930- tallet, kan synes som en realisering av hva han skriver 28.10.1933:

van Gogh lod i sit korte løb sin flamme ikke slukke – Ild og glød var i hans pensel de få år han brændte sig op for sin kunst – Jeg havde tænkt og villet i mit længere løb og med flere penger til min raadighed som han – ikke la min flamme slukne og med brennende pensel male til det sidste.[7]

Tradisjonen forteller at Munch under prosessen med et portrett i lange perioder kunne male som om modellen ikke var tilstede fysisk sett. Hans ofte siterte og suggestive sats «Jeg maler ikke det jeg ser – men det jeg så» kan derfor sies å gjelde for hans portretter som for hans kunst forøvrig. Når han har dannet seg et bilde, er det det han konsentrerer seg om uten i prinsippet å la seg forstyrre av nye inntrykk, som med nødvendighet trenger seg på under arbeidets gang. Det dreier seg således ikke om noen suksessiv psykologisk avskalling for å nå en kjerne hos den portretterte. Snarere om en introvert leting i egen erindring etter støttepunkter; maleriske ideer og psykologisk forståelse. En fin karakteristikk som speiler denne

oppfattelsen av portrettets raison d'être, gir Harald Hals i *Tidssignaler* allerede i 1895. Han hevder nettopp at Munch fremstiller ikke et menneske slik det «ser ud», men slik det «fortoner sig for vår bevidsthed»:

Ser vi hen paa hans portrætter saa skjønner vi dette lettere. Man har truffet et menneske paa gaden, kanskje lært det nøiere at kjende. Der er et karakteristisk træk i det ansigt; det fæster man sig ved, det slaar imod en ved første øiekast som om hele personen aabenbarede sig deri; man kjender ham eller hende igjen i dette træk, dette udtryk, dette blik, og man ser knapt de enkelte tegninger, nuanser og konturer forøvrigt. Mens en anden maler vilde studere alle disse detaljer, fremstiller Munch for os billedet af vedkommende saaledes som det har dannet sig inde i os. I portrættet af Strindberg finder vi dette bedst.

Det er denne intensitet, denne store umiddelbarhet som for mig gjør Munchs kunst til den kjæreste og den, hvori jeg bedst kjender mig selv igjen, føler min egen pulses banken og mit eget aandedrag.

Mange har også fortalt hvordan Munch under portrettets tilblivelse snakket uavbrutt, at han sprang «kaleidoskopisk» fra det ene emnet til det andre uten å la motparten komme til orde: «Det er bare en mur av ord som jeg bygger op mellem mig og modellen, saa jeg kan få male i fred bak den.»[8] Han var selv fullt klar over denne fremgangsmåten og benyttet den bevisst, både for å kontrollere, forvirre og stimulere objektet som han gjerne serverte årgangschampagne mens han selv nød landsöl: «Jeg ved med mig selv at jeg bruger talen instinktivt som forsvar – når jeg taler lægger jeg beslag på den jeg er sammen med – har ham ligesom tilfange.»

Den påtagelige, vedvarende intensitet med hvilken Munch skapte grafiske utgaver av sine «portrettofres» hoder kan vekke forundring. En rekke av disse – primært litografier – solgte han knapt noen eksemplarer av. Det betegnende er at så mange av dem er utført i nærmest identisk form og størrelse som modellenes hoder i de malte portrettene. Det kan tenkes at Munch etter at han var ferdig med portrettet, skapte et slikt litografi, kanskje for å ha motivet til salgs, kanskje med tanke på å kunne male en kopi av portrettet på et senere tidspunkt. Men svært ofte – særlig etter århundreskiftet – får vi mistanke om at han benyttet litografiet for mekanisk å overføre portrettlikheten til lerretet som en første opptegning, en teknikk som han først etterlater seg tydelige spor av under arbeidet med portrettet av Fritz Frølich (1931).

Som vi vil se, malte Munch ofte to utgaver av et portrett samtidig og beholdt alltid et eksemplar i egen samling, noe som for øvrig gjør det problematisk å avgjøre hva som skal betegnes som skisser og studier, og hva som er ferdige verk. Denne fremgangsmåten benytter han første gang da han malte portrettet av Walter Rathenau. I denne henseende skiller portrettet seg imidlertid ikke ut fra Munchs øvrige kunst. Det er en prosess som vi må tro også var aktuell da han skapte de mange utgaver av samme motiv til blant annet *Livsfrisen*.

Tenker vi på alle de arbeidene som i forskjellige sammenhenger betegnes som portretter i Munchs kunst, hans selvportrett og portrett av betalte modeller, så er selvfølgelig også disse gruppene med på å prege vår oppfatning av Munch som portrettkunstner. Denne utstillingen konsentrerer seg imidlertid på et snevrere portrett-begrep. Den omfatter portretter av mennesker som kunne tenkes å bli presentert som navngitte personer av Munch selv på en utstilling. En slik avgrensning speiler billedtitlene i utstillingskatalogene fra hans egen tid og i hans notater, som konsekvent skiller mellom portrett og modell. (Enkelte malerier synes å falle mellom to stoler. Maleriet *En familie* (1903) omtales eksempelvis et sted i hans notater under overskriften «Portrett», som *Familien Bock*.)

Et særtrekk ved Munchs kunst er hvordan han benytter seg av identifiserbare personer i komposisjoner som peker ut over portrettet, slik vi f.eks. ser det i *Aften* (1888) og *Inger på stranden* (1889). Vi har derfor tillatt oss å inkludere disse to i utstillingen. Vi har dessuten plassert (utenom katalog) det vi kunne kalle hans erindringsportrett av familien, *Døden i sykeværelset* (1893), som en overgang til den dokumentarutstilling over Munchs liv og virke som museumslektor Marit Lande har montert i Munch-museets kjellersal.

Vi har i Munch-museet tidligere vist omfattende utstillinger av Munch og hans modeller 1912-1943 og av hans mange selvportretter. Hver for seg ga disse utstillingene intime innblikk i Munch som skapende kunstner i dialog med seg selv og sine modeller. Med denne utstillingen har vi ønsket å belyse den mer offisielle siden av hans portrettkunst, så langt begrepet «offisiell» kan appliseres på kunstverk malt av en kunstner med Munchs individualistiske legning og egenart! Bortsett fra en hovedoppgave i kunsthistorie, *The Portrait Art of Edvard Munch* (Indiana University 1965), en interpreterende tekst skrevet av Munch-forskeren Reinhold Heller, har Munchs portretter ikke tidligere vært gjenstand for en systematisk, vitenskapelig behandling. For å oppnå en samlet fremstilling av Munchs utvikling som portrettkunstner, har jeg i tekster valgt å omtale og avbilde de viktigste verker som ikke er med på utstillingen.

Utstillingen slik den nå foreligger, er skreddersydd til Munch-museets hovedsaler og har for øvrig også til for-

mål å vise et stort antall kunstverk fra Munch-museets magasiner, som ikke har vært utstilt offentlig etter Munch-museets innvielse i 1963, og i visse tilfeller aldri vært vist for publikum utenfor Munchs eget atelier. Både for å stille Munch-museets portretter i relieff, og for å fylle ut den egne samlingen, har vi lånt inn et betydelig antall bilder fra museer og private eiere i inn- og utland. Vi håper derved å presentere alle aspekter av Munchs virke som portrettmaler. Noen verker har ikke latt seg oppspore, andre er ikke tatt med fordi det rår en viss usikkerhet om autentisiteten. (Det gjelder eksempelvis et noe skissepreget portrett av Otto Linthoe fra 1888, som Munch selv ervervet fra en kunsthandler på 1930-tallet fordi han ikke ønsket at det skulle attribueres ham. Munch skal ha malt et mislykket portrett av Linthoe samtidig med at Thorvald Torgersen også malte et til oppdragsgiverens fulle tilfredshet.)

I enkelte tilfeller har eiere av forskjellige grunner vegret seg for å låne ut sine bilder, men stort sett har vi fatt låne de malerier vi har ønsket til utstillingen. Det er imidlertid to beklagelige unntak. De sentrale portrettene som befinner seg i Thielska Galleriet i Stockholm og Nasjonalgalleriet i Oslo mangler. Vidtgående sikringstiltak binder maleriene til veggene i Thielska Galleriet, og Nasjonalgalleriet har ønsket å markere sin betydelige Munch-samling i forbindelse med vinterolympiaden på Lillehammer ved å vise alle hans malerier samlet.

Men ved å bringe frem i lyset et vell av malerier som publikum ikke kjenner fra før, så har vi den tro og det håp at utstillingen vil føye seg inn i rekken av andre store temautstillinger som har vært montert i Munch-museet i årenes løp. Vi ønsker stadig å bringe i fokus nye sider av kunstneren Edvard Munchs pulserende, kunstneriske nerve. For hver ny oppgave avslører han oftes en ny og uventet bruk av de kunstneriske virkemidlene; form, farge og penselstrøk med hvilke han søker å levendegjøre sitt motiv. Det er vårt håp at publikum på denne måten kommer nærmere – ikke bare essensen i kunstverkene – men også selve den kunstneriske prosess.

1. Munch-museet, uregistert notat.
2. Munch-museet T 2547.
3. Ellen Key i *Der Insel*, 1899-1900, s. 184.
4. *Dagbladet* 21.7.1921.
5. Berliner Tageblatt 2. 2. 1914, gjengitt i Verdens Gang 9. 2. 1914 av Karl Konow
6. Curt Glaser, *Edvard Munch*, Berlin 1922, s. 137
7. Munch-museet T 2748, s. 135.
8. Christian Gierlöff i *Kunst og Kultur*, 1913–1914, s. 109.

Fig. 1
Fra Edvard Munchs hjem i Thorvald Meyers gate 48, 1877
Tegning. Munch-museet

1882 – 1890

NATURALISME OG IMPRESJONISME

FAMILIE OG VENNER

I mange av Edvard Munchs barnetegninger finner vi miniatyr-kopier av portrettene av hans oldeforeldre, sognepresten Peter Munch og hans hustru Christine født Storm, portretter som faren hadde arvet. Portrettene er utført av Peder Aadnes, en av sin tids mest betydelige norske portrettmalere. Disse to portrettene var de eneste kunstverk av noen betydning som hang i Munchs barndomshjem. De er avbildet i en rekke av de skissene Munch tegnet fra hjemmet (fig. 1), og ble senere også integrert i flere arbeider som fikk tittelen *Sønnen*, hvor Edvard Munchs alter ego sitter sammensunket i en sofa med en symbolsk skygge som knytter ham til slektsportrettene, i en åpenbar henspeiling på hvordan Osvald i Henrik Ibsens skuespill *Gengangere* fikk sin skjebne bestemt av slektsarven. Da Munch malte og tegnet sine nærmeste, sin far, sin tante, sine søsken og seg selv i familiehjemmet, inkluderte han stadig disse gedigne borgerlige familieportrettene som markerte familiens posisjon, hengende i sentrum av dagligstuen over biedermeiersofaen.

Portrettet stod kanskje også i fokus i den spirende kunstnerens sinn ettersom hans tippoldefar, maleren Jacob Munch, hadde vært Norges første betydelige, profesjonelle portrettkunstner. Han hadde for øvrig vært elev av den store David i Paris og senere vært med i Thorvaldsens krets i Roma. I Norge ble han særlig kjent som «portrettmaleren for slekten fra 1814, Eidsvoldsmennene, de gamle generalers og godseieres portrettist», og han malte det store representasjonsbilde av Carl XIV Johans kroning til slottet.

Hvorom allting er, så avanserte Munch hurtig frem i klassene på Den Kongelige Tegneskole (som hans tippoldefar hadde vært med på å opprette), og gikk nærmest rett inn i figurklassen hvor man tegnet og malte modeller. Hans lærer var Julius Middelthun, også en kunstner som førte videre den klassisistiske arven fra Thorvaldsen, en arv som tydelig speiler seg i Edvard Munchs første selvportrett (1881-1882, fig. 2) og i de tidligste portrettene av hans søster **Laura Munch** (1880-1881, kat. 1 og 1883, kat. 3).

Men Munch kom snart under innflytelse av det naturalistiske formspråket som preget samtidens ledende portrettmaler Christian Krohgs kunst og den yngre, mer følsomt søkende maleren Hans Heyerdahls bilder. Deres stil hadde stor betydning for Munchs første figurfremstillinger gjennom det meste av 1880-tallet; et utgangspunkt han til dels tilpasset seg, til dels revolterte mot. Men mens Hans Heyerdahls spor i sterkere grad kan sees i modellstudiene, er Christian Krohgs innflytelse den dominerende når det gjelder portrettet i snevrere forstand.

Et av de første portrettene Munch malte er av faren **Christian Munch** (1881, kat. 2). Det er et fint studert, lite maleri som røper naturalistiske komposisjonsideer; det tilsynelatende tilfeldige billedutsnittet med den avskårne bordplaten til venstre og kommoden til høyre liksom presser faren innover i billedrommet. Både når det gjelder måten å gjengi motivet på og kolloritten, er den unge Munch utvilsomt inspirert av Christian Krohg.

Andreas Singdahlsen (1883, kat. 5) tilhørte kretsen av den åtte år yngre Munchs studiekamerater som hadde leiet atelierer i 1882-1883 i «Pultosten», et atelierfellesskap som Christian Krohg, nylig tilbake fra et lengre opphold i Paris med en frisk og fornyet teknikk og fargebruk inspirert av den franske impresjonismen, sluttet seg til for å veilede de yngre på frivillig basis. En påskrift på baksiden av portrettet av Singdahlsen lyder: «Er malt av Edvard Munch og Christian Krohg i fellesskap.» Det har

Fig. 2
Selvportrett, 1881-1882
Munch-museet

nerte han det malte portrett i sin motsetning til det detaljerte «fotografiporträtt»:

Porträttets uppgift är återgifvandet af ett bestämdt menskligt ansigtes, genom dess drag, färg och uttryck uppenbarande, andliga innehåll. Det är alltså ett ansigtes sanna väsen, porträttet skall återgifva, ej dess tillfälliga drag: att «träffa» är sålunda endast då porträttets högsta uppgift, när i detta «träffande» karakterens väsentlige uppenbarelse är inbegripen.[1]

Vi tvinges i Munchs bilder, i motsetning til 1880-tallets øvrige norske portrettmalere, til å stille oss overfor personligheter hvor den psykologiske karakteristikken overskygger fornemmelsen av portrettlikhet. Dette er kanskje spesielt tydelig i hans selvportrett fra 1886 (Nasjonalgalleriet, Oslo) og i portrettet av søsteren, *Inger i sort* (1884, fig. 3), som av samtiden ble oppfattet som «hesslig». Så uvant var man åpenbart med å la det menneskelige bak de ytre trekkene trenge igjennom masken.

Et ganske lite portrett av komponisten **Hjalmar Borgstrøm** (ant. 1883, kat. 6) synes å indikere at Munch tidlig hadde denne ambisjonen «å trenge igjennom masken». Da det lille maleriet ble solgt fra Henrik Lunds dødsbo i 1937, ble det hevdet at det fremstilte: «Hjalmar Borgstrøm som modell til Osvald i Ibsens *Gengangere*.» Dette fremgår også av Ludvig Ravensbergs dagbok, hvor det heter: «Munchs ungdomsvenn ... Borgstrøm ... blev dog engang af Munch malet som grønbleg og mager Osvald.»[2] Den skissepregede malemåten, den frekt røffe utformingen av musikerens hender indikerer en lynrask utførelse. Portrettet har vært antatt utført i annen halvdel av 1880-tallet, men referansen til Ibsens *Gengangere* kan tyde på en tidligere datering. Ibsens *Gengangere* ble oppført kun en gang i Kristiania på 1880-tallet, i oktober 1883, da den første oppførelsen fant sted i Møllergaten Theater med svensken August Lindbergs private turnéteater. Det er bevart et fotografi som viser Lindberg som Osvald, sammensunket og med hengende hode i sluttscenen, som på et forunderlig vis speiler Munchs portrett av Hjalmar Borgstrøm.[3] Munch fremstilte således Osvaldskikkelsen i et venneportrett lenge før sceneskikkelsen ble formulert som hans alter ego.

Full av inntrykk fra samtidens internasjonale portrettkunst og tradisjonen fra Velazquez og Rembrandt til Manet etter sin første studiereise på kontinentet i 1885, malte Munch i all hast et helfigurportrett av vennen og maleren **Karl Jensen-Hjell** (1885, kat. 8), et bilde som kort etter skulle markere seg som et kontroversielt bravur-nummer på Høstutstillingen. Karl Jensen-Hjell var da et ganske ubeskrevet blad som først året etter gjorde seg bemerket som kunstner. Han var allerede merket av den tuberkulose som førte til hans død tre år senere, bare 26 år gammel. Han er imidlertid fremstilt som en arrogant posør med en forsoffen eleganse der han støtter seg på

siden alltid vært et problem å skille ut hva i tegning og malerisk utførelse som skyldes de respektive mestere. Det er vanlig å betone at Christian Krohgs funksjon i atelierfellesskapet var å gi de yngre korrektur, altså en ren lærerfunksjon. I det perspektivet er det rimelig å anta at det er Munch som har bygget opp det følsomme ansiktet, hvor et melankolsk gemytt stråler ut på tross av de massive ansiktstrekkene, og at det er han som er ansvarlig for den uttalte naturalistiske formgivningen av den kommende landskapsmaleren fra enkle, trauste kår som nettopp hadde påbegynt sin utdannelse. Og da skyldes kanskje de røffe, kryssende strøk over hår og øre Christian Krohgs korrekturpensel som også synes å ha lagt igjen flekker på nese og bart. Selv om Munch aldri skjuler at han oppfattet seg som elev av Krohg, så betoner han senere i livet at Krohg kom til «Pultosten» helt og holdent på eget initiativ, og at innflytelsen mellom de unge og den eldre gikk begge veier. Det er rimelig å tro at Singdahlsen ble forært sitt portrett som en gjenytelse for å ha sittet modell. Bildet kom til Oslo kommune som testamentarisk gave fra kunstnerens enke, fru Aagot Singdahlsen, i 1948.

Mens det naturalistiske portrettet i kjølvannet av Christian Krohg alt mer ble bestemt av øyeblikkets kategori hvor det tilfeldige fikk en egenverdi, søker Munch tidlig etter karakter, etter psyken til de han avbilder. Munch kan i en eller annen forstand og med mange forbehold ha knyttet seg til den norske professor i kunsthistorie, Lorentz Dietrichson, som fra sitt konservative ståsted ønsket mer ånd og substans i tidens naturalistiske maleri. I sin normgivende *Estetik och Konsthistoria* defi-

stokken og med sigar i en behansket hånd. En sosialt sett ubetydelig mann i en dress som kunne tyde på at kunstneren «sannsynligvis ikke hadde vært av klærne om natten». At Munch har latt seg inspirere av Manets *Filosofen* er en rimelig antagelse. Men Skandinavias dengang kanskje mest særpregede kunstner, Ernst Josephson, hadde også malt venneportrett i helfigur. Særlig interessant i denne sammenhengen er portrettet av den rike, dengang ukjente maleren Carl Skånberg (1880, fig. 4), som for øvrig inkorporerer Josephsons nylig assimilerte inntrykk fra Velazquez og den moderne franske naturalismen. Med sin dvergskikkelse lett støttet på stokken og med sigarett i hånden dominerer Skånberg rommet omkring seg. I likhet med portrettet av Jensen-Hjell er det ikke helt entydig om opphavsmannen har hatt til hensikt å skape en karikatur av eller en hommage til den avbildede verdensmann og flanør.

Portrettet av Jensen-Hjell fikk bred omtale i aviskritikken, stort sett hoderystende negativ, men med en undertone av usikkerhet fordi bildet samtidig så åpenbart røpet kunstnerens talent. En kritiker ser bildet som en «kaad Spøg, en Karikaturpræstasjon» utført av en maler som med god grunn kan kalles «Det Hæsliges Maler»:

... thi et værre Misbrug af Pensel og Farver skal man visstnok lede forgjæves efter. Det er Indpressionismen i sin yderste yderlighed, en Satire saa god som nogen – og som saadan betragtet forhaabentlig ikke uden sin Nytte. Det er virkelig ikke muligt at bære sig for Latter ligeoverfor dette al Beskrivelse trodsende «Portræt» med sine løierlige klatter, af hvilke den hvide, som skjuler hele det ene Øie og skal betyde refleksen fra Lorgnetglaset, er noget af den kuriøseste man kan se.[4]

Aftenposten varierer temaet slik:

Det er ikke engang rigtig undermalet, men raat opklasket på Lærredet, og ser nærmest ud til at være gjort med forskjellige Farveklatter som har ligget igjen paa Paletten. I Vedkommendes Ansigt har diverse af disse Klatter fundet Plads, deriblandt en stor hvid Plet der figurerer som det ene Øie, som kunstneren har sløifet, for i sit impressionistiske Effektjageri at give os den hvide Reflex fra Lorgnetglaset i Stedet. Dette er Impressionismens Yderlighed. Kunstens Vrængebilde. Som en Karikatur har Billedet oppnaaet at faa Folk til at le, og det er jo muligt at det alene har været Hensigten. Men paa samme Tid har det vakt Forargelse, en Forargelse som ogsaa rammer den Jury, der har ladet et saadant Billede slippe frem til en Udstilling.[5]

Munch selv kommenterte senere omstendighetene omkring bildet i flere notater. Den mest omfattende redegjørelse finner vi i et brevutkast til Jens Thiis, skrevet i tilknytning til at denne i sin biografi om Edvard Munch hadde betegnet Karl Jensen-Hjell som «meget gavmild»:

Da jeg som fattig fyr havde malt portrættet fik jeg en

Fig.3
Inger i sort, 1884
Nasjonalgalleriet, Oslo

middag for 2 kroner for portrættet. Da Thaulow vilde kjøbe det for 200 kroner (for mig en redning) nægtet den forholdsvis rike Jensen at la billedet sælge enda dette var almindeligt brug i sligt tilfælde –

Hvorfor betalte han mig ikke de 200 kr.

Når Thaulow bare byr 200 sa han foragtelig så lar jeg det ikke sælge.

Da han var død tog Dedichen billede med den begrunnelse at han havde mundtligt testamenteret det.

– Portrætet af Jensen Hjell blev antat til Høstudstillingen udelukkende ved Fritz Thaulows påståenhed – Werenskiold kom rasende til mig og sa: Det skulde aldri været antat.

Jens Thiis betoner for øvrig at den sterke motstanden mot maleriet skyldes at det var det første portrett i hel, naturlig størrelse som ble vist offentlig etter at Christian Krohg hadde utstilt det representative helfigurportrettet av statsråd Johan Sverdrup på den første Høstutstillingen

Fig. 4
Ernst Josephson: **Landskapsmaleren Carl Skånberg**, 1880

i 1882. Portretter i hel, naturlig størrelse ble av samtiden oppfattet som like verdige som de monumentale helfigur-skulpturer av landets ledende personligheter, som fra nå av tok til å pryde bybildet. Portrettet av Jensen-Hjell, som for øvrig hang på en fremtredende plass på Høstutstillingen, synes å ha blitt oppfattet som en bevisst provokasjon, ifølge Jens Thiis «en utfordring til publikum og den imbecile kritikk» som man derved «satte i raseri». Der han sto «med en holdning og mine som en *grande* av Spania, storsnutet og spotsk og med et frekt lysglimt i lorgnetten», møtte portrettet publikums fordommer om tidens «hovne og umedgjørlige» kunstnere.[6]

På samme utstilling hang også Christian Krohgs mesterlige, nærmest impresjonistiske portrett i Manets stil av den anerkjente landskapsmaleren *Gerhard Munthe i Grand Café* (1885), «distingvert, i pels, på social høide med bourgeoisiet, overlegen, selvsikker, elegant». Oscar Thue karakteriserer portrettet med rette «som et av de mest impresionistiske av alle Krohgs figurbilder».[7] Munchs nære kontakt med Krohg på denne tiden dokumenteres blant annet av at Krohg avbildet Munch sammen med Kalle Løchen i maleriet *Et hjørne av mitt atelier* vinteren 1885. Munch var også tilstede under Krohgs forberedelser til sitt hovedverk *Albertine hos politilegen* (1886-87). Vi må derfor tro at Munch har malt sitt helfigurportrett av Karl Jensen-Hjell ikke bare under inntrykk av kunstlivet i Paris og tradisjonen fra Velazquez til

Manet, men også bevisst har søkt å finne sin selvstendige form i samme hjemlige løp som det hans læremester Christian Krohg ledet an.

Samtidig med portrettet av Jensen-Hjell maler Munch dobbeltportrettet *Tête-à-Tête* (1885, kat. 9), hvor Karl Jensen-Hjell dampende på en snadde bøyer seg frem mot en sjarmerende, smilende, ung kvinne som så åpenbart nyter situasjonen; hun synes nærmest beruset av mannen, av tobakksrøken og av pjolteren. Det har vært hevdet at kvinnen er Munchs søster Inger, men det er vanskelig å se noen portrettlikhet mellom de to, og det synes lite trolig at den strenge, alvorlige og pietistiske Inger gjemmer seg bak denne muntre og sorgløse Kristiania-piken. Den impresjonisme som så sterkt ble kritisert i helfigurportrettet av Jensen-Hjell, er imidlertid i dette bildet langt mer radikalt utviklet. Samtidig har forankringen i kunstens historie tydeligvis forflyttet seg fra Velazquez til Rembrandt. Fra en dunkel atmosfære henter det innfallende lyset frem ansikter, hender, glass og den slingrende tobakksrøken. Dette mørket har en rik, variert malerisk behandling; et atmosfærisk substrat med sin egenverdi. Men det er en typisk Krohgsk naturalisme som preger utformingen av figurene. I det suggestive stemningsbildet av *Christian Munch og Karen Bjølstad ved kaffebordet* (1883, kat. 4) hadde Munch også tidligere gitt luften og røken en stofflig karakter, men var da faktisk langt mer eksperimentell og dristig i komposisjon og fargebruk. Innholdsmessig viser de to bildene en kontrast som opptok Munch i disse årene; den melankolske og pietistiske stemningen hjemme kontra det løsslupne og amoralske bohemlivet.

Det klare dagslys preger derimot Munchs portrett av **Klemens Stang** (1885, kat. 11), som må være malt omtrent samtidig med portrettet av Jensen-Hjell. Det speiler med sin lysere og friskere koloritt i enda høyere grad Velazquez og den franske impresjonistiske skole i portrettkunsten. Klemens Stang støtter seg til noe som ligner en gjerdemur og holder på en lett elegant måte om hodet på langpipen mens han med et skjevt smil, med flosshatten godt plantet ned i pannen, møter oss med blinkende øyne bak brilleglassene. I 1885 gjorde den begavede Klemens Stang seg ferdig med juridisk embetseksamen, og det var kanskje som nybakt jurist at han lot seg fremstille av den jevnaldrende maleren. Munch malte for øvrig senere også venneportrett av hans to brødre, oberst Georg Stang (1889, fig. 5) og sorenskriver Torvald Stang (1909, kat. 87).

Også fra 1885 stammer det karakteristiske portretthodet av malervennen, hans fjerne slektning, **Jørgen Sørensen** (fig. 6), som Munch allerede hadde stiftet bekjentskap med sommeren 1881 da de malte samme motiv «af nogle gamle gårder bag Gaustad». Munch har fremstilt det vakre hodet med de store, «sjelfulle» øyne på en måte som har fått Pola Gauguin til å sammenstille dette bildet og portrettstudien av Betzy Nilsen (1887, Nasjonalgalleriet,

Fig. 5
Georg Stang, 1889
Epstein Collection, USA

Fig. 6
Jørgen Sørensen, 1885
Nasjonalgalleriet, Oslo

Oslo): «Det er som han har sett dødens skygge falle på dem begge. Hadde sykdom gitt disse øinene det uttrykket han kanskje men forgjeves hadde søkt hos sig selv?»[8] Munch har for øvrig malt vennen i en impresjonistisk inspirert manér som tydelig bygger på et studium av modellen ifølge naturalismens lære. Men på en måte som også bringer i tankene Hans Heyerdahl, den kunstner som Munch senere mente hadde betydd mer for ham enn Christian Krohg. Sommeren 1885 hadde da også Munch omgåttes Heyerdahl i Åsgårdstrand og inngående blitt innført i hans maleteknikk.

En lignende malemåte som den Munch utprøver i portrettet av Jørgen Sørensen finner vi også i hans portrett av broren **Andreas Munch** (1885, kat. 13), et av hans mest fascinerende portretthoder fra 1880-tallet, samt i portrettet av faren, korpslege **Christian Munch** (1886, kat. 14), der han sitter og røker på sin langpipe. Både faren og broren figurerer i en rekke dels genrebetonte fremstillinger fra denne tiden; de var åpenbart velvillige modeller. Bare av broren finnes det seks malerier fra omkring første halvdel av 1880-tallet. Forholdet de to brødrene imellom synes å ha vært meget godt. De delte værelse mens Andreas studerte og Edvard tegnet og malte, begge forberedende sine respektive yrkeskarrierer. Mens sykdom hadde ødelagt alle Edvards muligheter til en akademisk karriere, var det broren som fylte den rollen i familien – han fulgte i farens spor og studerte medisin. I portretthodet er Andreas sett rett en face med et intenst blikk og et fremtredende hakeparti som synes å utstråle stor viljestyrke. Munnen med den markerte, blodfulle underleppen er imidlertid konsipert slik at den psykologiske karakteristikken blir flertydig, som om en understrøm av uro også bestemmer personligheten.

Når vi studerer de to portrettene litt nærmere, ser vi at der er en viss samklang mellom dem. Begge de avportretterte holder høyre hånd knyttet opp mot ansiktet – Andreas fatter om jakkeslaget og faren om langpipen. Bildene har dessuten et relativt likeartet format. Korpslege Christian Munch er omtrent like langt fra pensjonsalderen som Andreas er fra sin embetseksamen, og kanskje Munch nettopp har villet fokusere på kontrasten mellom ungdom og alderdom, og at Andreas skulle gå inn i farens rolle som lege.

Et av hovedverkene blant venneportrettene fra denne tiden er det karakterfylte halvfigurportrettet av landskapsmaleren **Thorvald Torgersen** (1886, kat. 15), som tilhørte Munchs vennekrets på 1880- og 1890-tallet. Han står med jakken åpen og den ene hånden stukket inn i veståpningen, den andre skjult i bukselommen. Tross et ganske ordinært utseende med brede, buskete øyenbryn og en imponerende, preussisk bart, utstråler modellen en reseptiv følsomhet. Hans høyre ansiktshalvdel som ligger nærmest lysinnfallet, fremstilles følgeriktig flatere mens hans venstre side brytes opp gjennom det rike spill av farget lys og farget skygge. Dette flerdimensjonale, psykologiske uttrykket som preger den tilforlatelige fremtoningen, betinges kanskje først og fremst av hvordan Munch har gitt hver av ansiktshalvdelene sitt pregnante uttrykk, en formel han senere skulle variere gang etter gang i sitt virke som portrettkunstner.

Den frihet Munch utfoldet i den psykologiske karakteristikken av Thorvald Torgersen og i det maleriske foredraget er trolig betinget av at han tidligere hadde malt to komplementerende studiehoder (fig. 7 og 8, s. 38) av samme modell, begge fint gjennomførte, konsekvent og sikkert oppbygde i den naturalistiske stil. En stil som vi gjerne tillegger den direkte innflytelsen fra Christian Krohg på «Pultosten» høsten 1882, selv om Munch senere betonet at iallfall ett av disse bildene «var malt før Krohg meldte sig ind på vort atelier (Jeg meldte mig ikke ind hos ham).»[9] I disse studiene møter vi en langt yngre mann fremstilt uten pretensjoner om utdypende psykologisk karakteristikk, og vi må spørre oss om hva i det nye uttrykket i portrettet fra 1886 som skyldes utviklingen i Munchs beherskelse av de maleriske virkemidlene og hva som skyldes at modellen er blitt fire år eldre.

Vi vet svært lite om hva som i de enkelte tilfeller foranlediget Munch til valg av modell for sine venneportrett. Malerne han avbildet var aktive som landskapsmalere og hørte til den samme kretsen som lik han selv, tok opp penselen omkring 1880 da naturalismens program ble markedsført av lederskikkelser som Fritz Thaulow og Christian Krohg, og fra 1882 av supplert med impresjonismens teori, først brakt til torgs i den offentlige debatt av Erik Werenskiold. Ingen av de andre i kretsen malte portrett av Munch og heller ikke av hverandre. Venneportrettet ble slik sett Munchs spesielle metier som, når vi bortser fra de to tidlige portretthodene av Thorvald Torgersen og portrettet av Andreas Singdahlsen, alle er preget av en malerisk koloritt som fanger lysets spill og skiftninger på en måte som kanskje vitner om at Munch i portrettet bevisst ville overføre naturalismens og impresjonismens palett, og derved bringe fornyelse til denne eldste og mest konservative genre i kunsten.

IMPRESJONISTISKE KVINNEPORTRETT

Hovedverket blant Munchs kvinneportrett på 1880-tallet er utvilsomt portrettet av søsteren, *Inger i sort* (1884, fig. 3), som ble utstilt på Verdensutstillingen i Antwerpen i 1885, for deretter å vekke harme og indignasjon hos publikum på Høstutstillingen i Kristiania 1886. Munchs tydelige intensjoner om å la portrettet romme en psykologisk karakteristikk fikk publikum og kritikken til å se kvinnefremstillingen som ytterst provokativ, som til og med ga assosiasjoner til Louise Michel, den kjente og beryktede franske anarkisten. «Det værste som man

kunde si om en kvinde», som Munch sa ved en senere anledning.

Også tanten var en ofte benyttet modell for rene portrettfremstillinger. Hun ble familiens kvinnelige overhode da moren døde. Hun skal ha avslått et «glimrende ekteskapstilbud» fordi hun følte søsterens familie som sin forpliktelse, og hun skal ha avslått et ekteskapstilbud fra Christian Munch fordi hun, ifølge Inger, ikke ville bli en stemor for barna. Tante Karen var en praktisk og sterk kvinne som holdt familien sammen gjennom alle år.

I portrettet av tanten **Karen Bjølstad** (1888, kat. 18) ser vi en kombinasjon av portrett og friluftsmaleri som vi knapt tidligere har sett i Munchs kunst. Den rakryggete kvinnen sitter utenfor huset i Vrengen som familien leiet som sommersted dette året. Hun er malt strengt en face med hendene samlet i fanget. Håret med den markerte midtskill er strengt gredd inn til hodet. Hun er kledd i en mørk, rutet kjole med en krave som er fattet sammen med en stor brosje samt forkle. I portrettet unnslipper hun ikke den rolle hun spilte som trofast husholderske. Det er tydeligvis høysommer; hun er gjengitt i et vakkert motlys, der hun sitter badet i reflekser fra sollyset som også faller over den friskt malte bakgrunnen; den hvite husveggen i sterk forkortning til venstre og den frodige vegetasjonen til høyre. Mot den solfylte naturen fremtrer hun som den monolittiske støtte hun var for familien. Det går for øvrig tydelige tråder fra denne fremstillingen til apoteoseringen av moderskikkelsen i *Alma Mater* i Universitetets Aula. En annen fremstilling av henne, sittende i en gyngestol hvilende ut etter dagens dont, gir også Munch et utgangspunkt for en ypperlig studie i motlyseffekter, men her transcenderer han portrettfremstillingen til et rent stemningsbilde.

Foruten de mange familieportrettene finnes det bevart tre små portretter, eller kanskje heller portrettstudier, fra annen halvdel av 1880-tallet av tre unge kvinner, alle med nærmest identisk format og malt med en dus palett på en måte som får bildene til å klinge sammen. Det er portrettene av Dagny Bohr Konow, Charlotte (Meisse) Dørnberger og Aasta Carlsen (senere Aase Nørregaard).

Portrettet av **Dagny Bohr Konow** (kat. 10) er høyst trolig utført mens Munchs familie bodde sammen med familien Deberitz på Grønlien i Borre sommeren 1886. Dagny Bohr var i begynnelsen av 30-årene, var nylig blitt enke, men giftet seg igjen senere i 1886 med Einar Konow. Inger Munch forteller om maleriet som forble i Munchs eie:

Da vi bodde på Grønlien hos Deberitz, kom Hans Heyerdahl til oss med den vidunderlige fru Bohr, hun bodde et stykke fra oss. Edvard var hos henne et par gange og malte henne. Det blev et helt åndeagtigt ansigt.[10]

Det var for øvrig gjennom Hans Heyerdahl at Munch var blitt nærmere kjent med Milly Thaulow (f. Ihlen) i

Åsgårdstrand det foregående året, kvinnen som skulle gjøre sånt dypt inntrykk på ham, og som han omtaler i sine litterære notater som «fru Heiberg». Ifølge de samme notatene dukker det opp en kvinne han kaller «fru M.» i Åsgårdstrand sommeren 1886. Hun opptrer her i noen scener som tredje part under den endelige oppløsningen av forholdet mellom Munch og «fru Heiberg». Til slutt er han «bare sammen med 'fru M.' og begynner å male hennes portrett».[11] Dette skulle indikere at bak «fru M.» skjuler seg Dagny Bohr, ettersom vi bare kjenner til dette kvinneportrettet fra denne sommeren.

Portrettet av **Charlotte Dørnberger** (1889, kat. 21) speiler en tidlig forelskelse i den unge kunstnerens liv. Etter en kunstnerfest på Slagen, ble Munch liggende syk i tre uker, fra desember 1888 til januar 1889, i den velstående bryggerieier Johan Christoffer Dørnbergers hjem i Tønsberg. Det var også hjemmet til maleren og vennen Karl (Palle) Dørnberger.

Under disse ukene utviklet det seg en hemmelig romanse mellom rekonvalesenten og «frøkenen», Karl Dørnbergers søster Charlotte Marie, kalt Meisse, som varte utover våren 1889. Det er bevart 18 brev fra den 21 år gamle Meisse Dørnberger til den nå 25 år gamle maleren samt to brevutkast fra Munch til Meisse. Hennes brev forteller om en livlig og sprudlende kvinne og om en meget interessert mann. De møtes av og til i hemmelighet for Meisses mor, som tydeligvis har sine anelser, enten i Åsgårdstrand eller på forskjellige steder i Kristiania. Et avsnitt fra ett av Meisses brev gir et lite inntrykk av den unge piken:

– Tusind tak for den vakre halvmånen, jeg titter på den ret som det er i skuffen. Bare ikke de bæsterne fortæller at vi har vært i Å. så er alt heldigt overstået. Jeg er meget glad, fordi jeg fik se og være sammen med dig. – Lev så inderlig vel du, jeg skriver med blyant, fordi jeg røgte en cigaret med opium, som jeg fik av Jappe og den har gjort, at jeg sætter blækklatter på papiret.

Portrettet er malt i egenartede, glødende farger og fremstiller Meisse en face sittende i en høyrygget stol med sjal om halsen og med håret oppsatt med en sløyfe. Hun ser oss respektive maleren rett i øynene med lett åpen munn og lysende fortenner, noe som gir henne et snev av koketteri. Ansiktsformen er imidlertid mer karakteristisk og levende enn vakker. Hvor bildet ble malt vites ikke, men det forble i Munchs eie livet igjennom. Etter Munchs død foræret Munchs søster Inger det til familien Dørnberger «som takk for familiens storartethet mot Edvard ... da han ble pleiet på det beste».

Studerer vi det beskjedne portrettet av **Aasta Carlsen** (1883?, kat. 7) faller det i øynene hvor følsomt hennes ansikt med de fyldige leppene er fremstilt, og hvor sikkert Munch har malt henne som en ung, tillitsfull kvinne som samtidig er noe tilbakeholden; hennes hender er fremstilt

som nærmest abstrakte, lukkede former. Bak henne på veggen tegner seg en skygge som gjentar kroppens form, en for Munch karakteristisk fremstilling. Dette skyggemotivet arbeidet han med i flere tegninger fra slutten av 1880-tallet, og han skulle senere variere det gang på gang i sentrale kunstverk. På baksiden av et fotografi som Wilse tok på 1920-tallet av det lille portrettet, har Munch skrevet at det trolig ble malt i 1883, noe som for øvrig kan stemme med den blekrosa koloritten som også preger noen av hans landskapsbilder fra dette året. Aasta Carlsen var i så fall kun 15 år gammel da bildet ble malt.

Også i den lille tegningen av en smilende Aasta Carlsen stående i hatt og drakt og med veske i hånden varieres skyggemotivet (kat. 154). Både den unge kvinnens utseende og selve tegningens strek peker imidlertid på at skissen stammer fra annen halvdel av 1880-tallet. Hun kom inn på Den Kongelige Tegneskole i 1887, debuterte på Høstutstillingen 19 år gammel i 1888, ble med i kretsen omkring Edvard Munch og regnet seg som hans elev. Det utviklet seg til et varmt vennskap mellom de to, et vennskap som ifølge Munchs senere nedtegnelser også resulterte i en romanse. I 1889 giftet hun seg imidlertid med juristen Harald H. Nørregaard som også hørte til Munchs venner, og tok navnet Aase Nørregaard. (Trolig valgte hun navnet Aase for å skille seg ut fra den samtidige malerinnen Aasta Nørregaard.) Romansen mellom Munch og Aasta Carlsen fikk dermed en brå avslutning. I St. Cloud, et halvt års tid senere, skriver Munch romantiske brev til henne, hvor han forteller om sin ensomhet: «Hvor mange aftener jeg har sat alene ved vinduet og ærgret meg over at De ikke var her så vi kunne sammen beundre scenen utenfor i måneskinnet –.» I sine litterære nedtegnelser dveler han ved savnet av henne, og beskriver blant annet siste gang de traff hverandre før hun giftet seg:

De valgte at gå til byen forat være så længe sammen som muligt –

De gik op i den lille grønne kafeen ved bækkelagets Station –

De sad tæt ind til hverandre –

Værten stod ved siden – og smilte til

Han tror vi er gifte sa hun – og lo – Da må vi si du –

La os få en øl sa hun –

Vore hænder mødtes så ofte når vi tog vore glas –

Vi måtte igjen gå – hun ble træt – Jeg gik forat få tag i en vogn – gik op i en station i nærheden. Han så hende så tydelig

Da han gik ned af bakken stod hun mod gjærdet ryggen vendt til ham – med bøiet hode – Hun stod urørlig i tanker, da han var ved siden af hende og han talte til hende så hun op – med et distrait udtryk som optat af sine tanker – og der var tårer i øinene –

Aldrig hadde hun været så skjøn – som hun stod der bleg og trist – med noget håbløst i blikket –

Fig. 9
Edvard Munch, Aasta Carlsen og Torvald Stang, ant. 1889
Foto: Frøling & Co, Kristiania

Vi så en stund på hverandre – uden at si noget – Han hadde denne stund en følelse som gled nu fra ham hans livs største lykke – [12]

Munch beskriver også selve vielsen i kirken, hvor han sammen med vennen Torvald Stang, som også var meget betatt av den unge kvinnen, var tilstede. De tre lot seg for øvrig fotografere sammen før Aasta giftet seg (fig. 9). Munch skriver:

Hvorfor faen skulde hun gifte sig hyggeligere pike findes ikke –

Og den varme mannen

Vi var ved kirken – en hel del nyskjerrige – beglodde de som steg ud af vognene

Der er hun – vi så en høi dame stige ud – det måtte være hende

Vi går ind –

Vent til alle er inde –

Vi sang os ind – åpnet døren der gled lydløst igjen efter os – Vi hørte præstens akompagnerende stemme på alteret – Vi gik på tåspidserne og med hatten i hånd bort i en mørk krog bak en pille

Der knelede de begge to ved alteret – hun i sin sorte kjole som han kjendte så godt – et solstreif faldt på det lyse håret – De var lige høie

Den blege fyren bag pillen spurte sig om han ikke burde ha været der ved hendes side [13]

Det er liten grunn til å tvile på at Munchs tekster speiler faktiske hendelser, og at tanker om ekteskap mellom ham og Aasta Carlsen hadde stått for ham som en mulighet. Munchs litterære opptegnelser synes innholdsmessig alltid å være bundet til faktiske opplevelser.

Han bevarte et varmt forhold til Aase Nørregaard livet igjennom, og han skulle komme til å portrettere henne flere ganger senere. Hun døde 39 år gammel av lungebetennelse, og Munch skrev til sin venn Harald Nørregaard: «Du ved jeg ved hva du har tabt.»

SKIKKELSER FRA BOHEMMILJØET

Etter nærmest et detektivarbeid av høyesterettsadvokat Rolf Løchen lyktes det ham i 1972 å komme frem til at et monumentalt maleri som gikk under navnet *Skipsrederen*, faktisk var et portrett av **Fredrik Lidemark** (1885, kat. 12).[14] Hans familiebakgrunn er en historie i seg selv. Etter at hans mor var blitt enke og satt igjen med ti uforsørgede barn, var hun villig til å bli husbestyrerinne på en storgård mot at bonden og skogeieren sørget økonomisk for de ti barna. Da skogeieren døde i 1881, viste det seg at han hadde holdt ord, hvert av barna arvet 50.000 kroner, noe som tilsvarte omtrent 20 normale årsgasjer for en embetsmann. To av brødrene, Ole og Fredrik, kom så «muntre og livsglade» til Kristiania til «en intens livsførsel».

Tilbake etter en tur til Paris fikk brødrene ideen å la seg male i full figur iført sine oppsiktsvekkende lyse klær, dagens Parisermote, av sine jevnaldrende venner Edvard Munch og Kalle Løchen. Dette var i 1885. Den eldste av brødrene, Ole Lidemark, ble malt av Kalle Løchen (fig. 10), og den yngste, Fredrik, av Edvard Munch. Begge maleriene ble utført i en stil som speiler den hypermoderne franske portrettkunsten, men viser tydelig to forskjellige personligheter. Kalle Løchens modell er tilknappet i frakk og bowlerhatt, og er malerisk sett behandlet sammen med veggen bak seg. Skikkelsen er noe konservativt avskåret nedentil. Munch derimot har slått opp et langt større lerret og plassert Fredrik Lidemark poserende i full legemsskikkelse på en stor, åpen gulvflate mot en vegg med en markert dørflate. Med sin lyse, skimrende koloritt og den levende tekniske utførelsen er portrettet åpenbart direkte påvirket av fransk kunst, særlig påtagelig speiles innflytelsen fra Manet. Portrettet er likefullt helt Munchsk. Det avbilder skikkelsen i et ganske frekt perspektiv, liksom stående på et skrånende scenegulv, en formel Munch skulle variere i flere av sine senere helfigurportretter. Fredrik Lidemark står med hendene flott plantet i frakkelommene med bena i et skrittmotiv som gir skikkelsen liv og bevegelse. Ansiktet under den høye flosshatten er levende og karakteristisk.

Munch kan godt ha vært sympatisk innstilt til Fredrik Lidemark som individ, men uttrykker likevel i likhet med portrettet av Jensen-Hjell en viss, dårlig skjult ironi. Slik erter Munch såvel publikum som oppdragsgiver, og det på en måte som publikum oppfatter som en fornærmelse mot god tone og smak, og oppdragsgiveren trolig som smiger og ros. Mens Munch i portrettet av Jensen-Hjell betonet det atmosfæriske mørket hvor lyset fanger opp ansiktet og hendene mot en mørk fond, fremstiller han i portrettet av Fredrik Lidemark et lysskimrende billedrom utfra motsatte maleriske prinsipper, der flater står mot flater, gjerne lyst mot lyst som frakken mot veggen, eller mørkt mot mørkt som buksene mot gulvet. Måten å organisere billedrommet, som skulle bli et bærende formalt mønster i Munchs portrettkunst, peker også mot romorganiseringen i hans særpregede gruppeportrett av familien, *Døden i sykeværelset* (1893).

Året etter, i 1886, emigrerte begge brødrene til Marseille hvor de startet opp som skipsredere, derav tittelen *Skipsrederen*. Den eldste broren etablerte seg etterhvert, mens den yngre, som «ranglet og drakk» mer enn han arbeidet tross all støtte og hjelp fra broren, til slutt endte sine dager ukjent og fattig på et sjømannshjem i Australia. Maleriet av ham forble hos en annen bror i Norge, men ble solgt på 1920-tallet. Ifølge tradisjonen malte Munch også et helfigurportrett av broren Ole, som imidlertid ble brent da det var blitt sterkt beskadiget på grunn av vanskjøtsel.

En helt annen type tenksomme individer, alle med preg av å ha sine røtter plantet i borgerskapet, gir gruppeportrettet av **Knud Knudsen, Bernt Anker Bødtker Hambro og Johan Michelsen** (1887, kat. 16), kalt *Jus* (også utstilt under tittelen *Litterater*).To av dem, trolig alle tre, var kjente som unge radikalere med kontaktflate til Kristiania-bohemen og Hans Jæger. Kanskje var det politiske aspektet en medvirkende årsak til at bildet virket så provoserende da det ble utstilt på Høstutstillingen i 1887. Den frie paletten, motivet og at det var malt av den ytterst kontroversielle Edvard Munch, som også ble oppfattet som sosialist og anarkist, ble iallfall tema i aviskritikken.

I «Jus» har han gjort en tragikomisk Situasjon. Tre unge Mænd sidder omkring et Bord, fordybede i Lesningen af et vanskeligt juridisk Spørsmål. Hjerneanstrængelsen lader til at være for stærk for den der sidder i Midten, det stirrende, tomme Blik røber, at Situationen ikke er uden Fare for hans mentale Tilstand. Billedet er kanskje tenkt som en Advarsel mod det juridiske Studium i disse Tider, da der er saadan Oversvømmelse af Jurister. De tre Ansigter og Lampekuppelen staar foresten svært godt sammen; med et Par Øine, en Nese og en Mund vilde Lampekuppelen være et ligesaa lyst Hoved som de andre

Fig. 10
Kalle Løchen: **Ole Lidemark**, 1885
Bymuseet, Oslo

tre. At Hr. Munch ved et saadant spøgefuldt Billede tildels har taget det noget overfladisk med Tegningen, kan ikke undre nogen. Som en fornøielig Parodi på en ikke ganske ukjent klattemaner har Munch frembragt Glandslyset paa sin ene Jurists Næsetip ved Anbringelse af en Farveklat af slige Dimensioner, at den kaster Skygge. Et Glandslys, der kaster Skygge – i Sandhed et interessant episk fenomen.[15]

De tre mennene sitter rundt et bord hvor det ligger en god del bøker. En face i sentrum sitter Bernt Anker Bødtker Hambro (1862-1889), som ble cand.jur. det påfølgende året. Som gutt hadde han fått en skjorteknapp i lungen; denne plaget ham til stadighet og voldte til slutt hans tidlige død. Populært gikk han under navnet «Hambro med knappen».

Mannen lengst til høyre er Johan Collett Michelsen, en bror av statsminister Christian Michelsen. Han studerte jus og litteratur, var ivrig medlem av Studentersamfundet og var med i Kristiania-bohemen. Han ble etterhvert sterkt alkoholisert og døde i 1901. Christian Michelsen tilla Hans Jæger skylden for brorens alkoholisme.

Mannen i profil til venstre er høyst sannsynlig juristen

Fig.11
Den første pjolteren, 1907
Munch-museet

Knud Knudsen. Han hadde våren 1880 vært med på å stifte den radikale studentforeningen *Fram*, en forløper til Kristiania-bohemen (som først profilerte seg fra 1882). Knud Knudsen tok sin juridiske embetseksamen allerede i 1884. Da bildet ble malt i 1887 var Knudsen fullmektig hos advokat Ramm i Kristiania, men han var kjent som en juridisk kapasitet og kan ha drevet manuduksjon med sine bare ett år yngre venner.[16]

Jus representerer både en vanskelig komposisjons-form, gruppeportrettet, og et vanskelig motiv; hvordan en tanke speiles i forskjellige temperamenter samtidig. På en malerisk spennende måte forplanter lyset seg fra den runde lampen ut i rommet og beskriver runde former i lys og skygge. Andre former blir formulert ved lysets reflek-ser, som flasken og glasset på vegghyllen til venstre i bak-grunnen. Man kan her se et forsøk på å orientere seg til-bake til tradisjonen etter Rembrandt, som jo var en mes-ter i fremstillinger av «lys og idé» i sine gruppeportretter. Det fremgår da også av nøkkelromanen *Kjærka. Et Atelier-interiør* at Munch alias Nansen, sommeren 1887 hadde hatt store planer om et gruppeportrett fra det akademiske miljøet:

Nansen tog det flot, gik omkring og hadde ikke tid til at reise noen steder iaar, han; ret nu hver dag skulde han gaa i vei med et stort, et væggestort billede – en obduktion-scene. Han vilde male det oppe på hospitalet, og han hadde allerede talt med flere medicinere, som skulde staa model.[17]

Vi kan ut fra dette anta at maleriet *Jus* har en lignende bakgrunn, at Munch har hatt en idé om et gruppeportrett hvor et juridisk problem var det sentrale motiv slik obduksjonen var det for medisinerne. Et aspekt ved Munchs presentasjon av dette bildet på Høstutstillingen, kan ha vært at han også ville fortelle at han maktet å skape gruppeportrett, at han var åpen for slike oppdrag.

Et annet gruppeportrett fra samme tid, som saktens overskred grensen mellom portrett og genrefremstilling, var *På hybelen* (1887–1888), hvor Munch hadde obser-vert noen venner rundt drikkebordet, deriblant student Holmsen og forfatteren Axel Maurer. Maurer overtok maleriet for fem kroner, men tilbød Munch halvparten av summen han fikk da han senere solgte bildet. Da maleriet ble utstilt på den skandinaviske utstillingen i København 1888 ble det for øvrig omtalt som det mest radikale male-riet på hele utstillingen. Bildet gikk tapt ved et skipsforlis i 1907, men motivet er kjent fra raderingen *Kristiania-boheme I* og fra en ny versjon malt senere, som har fått tittelen *Den første pjolteren* (1907, fig. 11).

Maleren **Karl Johannes Andreas Adam Dørnberger** (1889, kat. 22), kalt Palle blant venner, hadde stort sett oppholdt seg i Paris siden 1882 hvor han blant annet hadde vært elev av Adolphe William Bouguereau og Robert-Fleury ved Académie Julian, to av de mest mar-kante, glatte salongmalerne i Paris. Han hadde imidlertid utviklet en fri stil preget av brede penselstrøk og hadde deltatt på Høstutstillingen siden 1887.

I desember 1888 var han sammen med Munch blitt invitert til Sven Jørgensen i Slagen som holdt selskap for en rekke kunstnere. De drakk utover natten og køyet ved fire-tiden. Sven Jørgensen, som tilhørte en klikk kunstnere som nå motarbeidet Edvard Munch, rev den sovende Munch ut av sengen. Det oppstod et skikkelig slagsmål som endte med at de tilstedeværende måtte legge seg imellom. Munch forteller at da de neste dag gikk tilbake til Tønsberg «puffet Dørnberger mig uti en frossen skvulp så jeg stod med fødderne ned i det iskolde vand – Slik måtte jeg gå hjemover i et par timer – Det var bare kaadhed af Dørnberger – Det var ikke no rart at jeg blev syg efter al den molest så svag min helse da var – merkelig jeg stod det over».[18]

Munch fikk kjærlig stell i familien Dørnbergers skjød (se også omtalen av Meisse Dørnberger) og kom seg etter noen ukers sykeleie. Fra en av Munchs opptegnelser kan vi lese hvordan Dørnberger kommenterer hans utseende under klimaks av sykdommen:

Palle glaner. Han ser forfærdelig ud hr. doctor.

Doctoren nikker. Øienbrynene generte mig stadig.

Han er forfærdelig malerisk alle fladerne i ansigtet sier så Palle idet han tar mig ved næsen og vrir på hovedet.

Jeg er for trætt til at be ham la være.

Han er jo aldeles fordreiet i trækkene. Han ser forfærdelig dårlig ud, sier doctoren høitidelig og rolig.[19]

En liten tegnet skisse fra Dørnbergers hånd fremstiller *Munch efter Sygdommen -89* (fig. 12) sittende konsentrert med tegneblokken på fanget. Vi må anta at det ikke var så lenge etter at Munch tok til å male sin venn Palle og at denne således er fremstilt i barndomshjemmet, elegant moteriktig iført flosshatt og med spaserstokk i hånden, slik også tidens kontinentale motemalere likte å opptre. Vi står overfor en mann med et temperament «fylt til randen av barokke indfald og pludselige indskydelser, som han hverken kan eller vil mestre», og vi ser av mavemålet at bryggerieier-sønnen også satte pris på brygg av den art faren produserte. Samtidig fanger Munch inn en undertone av uro og ensomhet som preget den rastløse hyperaktivitet som kjennetegnet Karl Dørnberger, men gir også fremstillingen et anstrøk av velvillig ironi.

Dørnberger står tydeligvis i en døråpning hvor lyset, som strømmer inn fra venstre, reflekteres i dørbladet hvis lysende flate i sterk forkortning skaper en markant kontrast til det svarte i flosshatten. Ut fra denne hovedkontrast er billedplanet bygget opp i et spekter av plan som betegner klart definerte valører. I det rektangulært avgrensete lyshavet til venstre aner vi i bakgrunnen nok en døråpning, og på gulvet som opptar halve billedflaten ser vi noen filleryer. Ytterst til venstre anes en form som indikerer et flygel. På den mørke veggen, som ligger i skyggen bak den lysende dørflaten, er det antydet et landskapsmaleri i bred ramme. Det nye i portrettet av Dørnberger er den konsekvente konstruksjonen. Det gjelder ikke bare oppbyggingen av kroppen med partier av paral-

Fig. 12
Karl Dørnberger: «**Munch efter Sygdommen -89**», 1889
Nasjonalgalleriet, Oslo

lelt løpende penselstrøk, som på en nesten Cézanne-aktig måte murer opp figuren, men også den nesten abstrakt-impresjonistiske organiseringen av selve billedrommet. Det perspektiviske rommet den portretterte er stilt inn i, har når det gjelder de formale hovedtrekkene klare likheter med Munchs portrett av Fredrik Lidemark, men med den påtagelige forskjell at Munch i trekvart-portrettet av Palle Dørnberger på en helt annen måte har bygget opp figuren til en kompakt form, stilt opp mot en lysdirrende impresjonistisk inspirert fond.

Et par måneder senere malte Munch det meget kjente portrettet av **Hans Jæger** (1889, fig. 13) sittende en face henslengt i sofaen på forfatteren Haakon Nyhuus' hybel ikledd en sliten frakk og med filthatten ned i øynene. På det enkle bordet foran ham står et halvtømt glass. Måten Hans Jæger liksom presses inn i sofaen av bordet betegner en formal variant av de mange familieportrettene. Portrettet ble vist på Munchs separatutstilling i Studentersamfundets lille sal kort tid etter at det var malt, og det ble fremhevet at Munch tross alle formale feil hadde maktet en «levende og aandfull Karakteristikk» (Aubert), og Krohg finner at Jæger «sidder ligesaa lyslevende oppe i Sofaen i Studentersamfundets lille Sal, som man har seet ham gaa omkring i Gaden». Bildet er blitt kanonisert som et av Munchs absolutt mest betydelige portrett i et utall kontekster, og Jens Thiis karakteriserer det slik:

Billedet viser et intuitivt blikk for personligheden og en makeløs evne til å konsentrere karakteristikken, så å si

Fig. 13
Hans Jæger, 1889
Nasjonalgalleriet, Oslo

smelte den inn i en stemning. ... Som portrett er det Munchs beste.[20]

At den store opprøreren i billedkunsten maler den største opprøreren i litteraturen på et sentralt tidspunkt i begges karriere har også fascinert, men samtidig representerer maleriet et tidsbilde. Det gir med Jens Thiis' ord «ikke bare Hans Jæger selv i en nedstemt stund, men hele åttiårsbohêmens pessimisme og menneskeforakt».

I sin omtale av portrettet i 1889 gir Christian Krohg en inngående karakteristikk av hvordan Munch i radikal forstand hadde gjengitt synsinntrykket; Jægers gamle vår-frakk som i vanlige folks øyne var mørk blå, fremstilte Munch lys blå, og hatten som i vanlig mening var brun, fremstilte Munch som lys rød. Det er tydeligvis solskinnet over skikkelsen som betinger koloritten. Fargenes innvirkning på hverandre når det gjelder fargestyrke og fargekontrast betinger igjen den levende fremstillingen. Det kraftige sidelyset forårsaker et kontrastfylt uttrykk; høyre ansiktshalvdel er skarpt belyst, den venstre ligger i full skygge. Portrettet gir således inntrykk av en motstridende personlighet, men det er også malt av en maler som etterhvert hadde opparbeidet et tvisyn på denne bohemehøvdingen som han skyldte så meget intellektuelt, men som han nå begynte å distansere seg fra. Bildet kan kanskje sees som en form for magisk beherskelse av en dominerende farsskikkelse. I et senere notat, datert september 1891, sier Munch til Jæger:

Du ved du hva? – Jeg tror du ender med at danse kankan på gravene til alle dine venner – de der har drukket sig ihjel – som du har fått til at drikke sig ihjæl –

Jæger lo[21]

Imidlertid er det grunn til å tro at Munch var misfornøyd med maleriet. Jappe Nilssen forteller i et intervju i 1930:

Jeg husker dengang Munch skulde male Jæger. Det skulde foregå hos Haakon Nyhuus, og det blev skaffet et glass til modellen så han kunde sitte stille. Det gik i en flyvende fart, jeg tror Munch malte billedet på to ganger. Da han var ferdig, var han meget misfornøyet. «Nei, det var ikke slik jeg hadde tenkt mig det,» sa han, «hvis jeg bare hadde et lerret, skulde jeg male det en gang til. Den som kan reise syv kroner til et lerret kan få dette billedet.» Vi gjorde alt som stod i vår makt, men det var umulig for noen av oss å oppdrive syv kroner. Noe nytt bilde ble ikke malt, og Munch beholdt det kasserte.[22]

Da Munch i Paris i 1896 skapte en serie litografier av kjente litterære personligheter, overførte han antagelig med utgangspunkt i et fotografi av dette maleriet, det særpregete skjeve hodet til Hans Jæger i en litografisk fremstilling i sort og hvitt (kat. 205) uten å legge noe til eller å trekke noe fra mer enn hva det nye mediet krevde. Og kort før sin død, i sitt trolig aller siste litografi, tegnet Munch nok en gang det samme motivet på en ny litografisk plate, noe som indikerer hvilken betydning denne forunderlige personligheten hadde hatt for utformingen av hans livssyn som i en eller annen forstand hadde preget det meste Munch hadde skapt som kunstner.

MONUMENTALE FAMILIEPORTRETT

På 1880- og 1890-tallet skapte Munch en serie karakteristiske stemningsbilder hvor han tar utgangspunkt i rene portrettfremstillinger, slik vi eksempelvis ser ham benytte portrettet av søsteren Laura i *Aften* (1888, kat. 19), portrettet av søsteren Inger i *Aften. Inger på stranden* (1889, kat. 20), portretter av familiemedlemmene i det praktfulle *Døden i sykeværelset* (1893) samt sin venninne Aase Nørregaard som den sentrale kvinneskikkelsen i *Damene på broen* (1902, kat. 47).

I *Aften* ser vi **Laura Munch** sitte sammensunket iført gul stråhatt trengt ut i bildets venstre forgrunn. Dette er første gang vi møter denne komposisjonsformen i Munchs kunst, en isolert figur i forgrunnen mot et melankolsk landskap som reflekterer figurens sinnsstemning.

Siden skulle han benytte seg av denne formelen utallige ganger, kanskje mest kjent fra de mange utgavene av motivet *Melankoli* (1891). Lauras tankefulle uttrykk speiles av sommerlandskapets vemodige aftenstemning. Koloritten er i hovedtrekkene tidstypisk franskinspirert, en videreføring i impresjonistisk retning av Bastien-Lepages mange gråtonede fremstillinger av enkle mennesker innsluttet i naturen og i seg selv. Den populære naturalisten Bastien-Lepage var den av de franske mestere som flere år etter sin død øvet den sterkeste innflytelse på ungt skandinavisk landskapsmaleri med figurer. I Munchs bruk av kontrasterende farger ser vi imidlertid ansatser til en form for radikalisering i gjengivelsen, som han senere skulle variere i et stort antall av sine portretter. Dette kommer spesielt til uttrykk i den frekke sammenstillingen i bildets sentrale punkt av den gule hatten mot det fiolette ansiktet.

Aften ble utstilt første gang på Høstutstillingen i 1888, og *Aftenposten* skrev:

En i teknisk Henseende endnu lavere Plads indtager E. Munchs «Aften» No. 108, en Pige med et stort violet Ansigt under en gul Straahat, siddende på en blaa Eng udenfor et hvidt Hus. Det hele er saa ubeskrivelig slet i enhver Henseende at det nærmest virker komisk.[23]

Menneskets isolasjon ble atter et tema i et nytt hovedverk som Munch utstilte på Høstutstillingen året etter. Igjen viste han et søsterportrett, denne gang av **Inger Munch**, under samme tittel som året før, *Aften* (1889, kat. 20), som senere også er blitt kalt *Inger på stranden*. Inger sitter i sin hvite kjole på de mangefargete stenene på stranden i Åsgårdstrand med den gule stråhatten mellom hendene og med et stirrende blikk som på samme tid er åpent og innadvendt. Den anelsesfylte naturen synes å tilføre hennes sinn et nærmest poetisk drømmende innhold. Nok en gang stilte publikum og kritikere seg helt uforstående, og *Morgenbladet* omtaler det som «det rene Galemathias». Maleriets bleke og tørre men likefullt glødende fargetone og dets fastfrosne men musikalske uttrykk, tyder på at Munch – som så mange av tidens betydelige malere – var influert av Puvis de Chavannes' maleri.

Høsten 1888 ble Munch oppfordret av familien til å male sin bestefar, den gamle skipper og handelsmann **Andreas Bjølstad** (kat. 17) på dødsleiet. Munch har selv meget detaljert beskrevet hendelsen da den gamle tok imot ham:

Han forsøgte at sidde oppe.

Tante og Pigen fik ham efter store anstrængelser sat op i en stol med puder stablet omkring sig. Han så endnu dårligere ud da Hode sank ned i brystet og man kunde se han havde vanskeligt for at bære øienlågene.

Han rystet lidt på hodet –

Det var mærkelig så træt han var – han vilde tilbage i sengen –

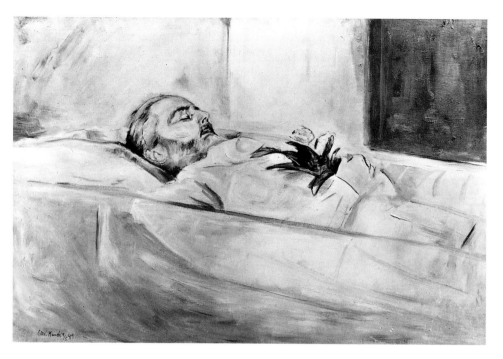

Fig. 14
John Hazeland, 1889
Privat eie

*Aa jeg som var så flink småsnakket han   Det var da
mærkelig at ... skjæbnen skulde hende mig – Kan ikke få
ned mad – hadde så lyst på mad før*
Ja ja kan nok komme mig
Jeg skulde male ham.
*Han vilde pynte sig først. Min tante måtte kjæmme
Håret hans. Han syntes det ikke var tilstrækkelig – glat-
tede med fingrene Hånden skalv og han orket næsten ikke
at holde armen oppe*
*Han fik noget af det samme udtrykket som han havde
på fotografiet der han var så morsk. Men så orket han
ikke længer – det trætte distraite udtrykket kom igjen – og
han faldt i en blund –*
*Han fik smerterne i ryggen vågnet med lissom for-
skræmt udtryk*
Han så mig male.
Hold op med malingen sa han noget hvast.
Jeg pakket hurtig sammen – [24]

Gammelmannshodet i portrettet er nøye studert mens
alt omkring modellen bare har fått et foreløpig oppslag.
Munch fanger opp den gamle stolte mannens ansikt som
på sitt bistre vis vil bevare verdigheten til slutten, men
som på terskelen til døden også får et innadvendt og resig-
nert uttrykk.

Et halvt år senere fikk Munch i oppdrag å male et por-
trett av den nettopp avdøde **John Hazeland** (1889, fig.
14). Fotografier av nettopp avdøde mennesker var en
utbredt genre i 1880-tallets portrettfotografi, men et malt
portrett var nok ikke like vanlig. Ifølge Rolf Stenersen

hadde Munch vært i pengenød, og da John Hazelands
sønner bød ham 10 kroner for å male sin far i Rikshospi-
talets kjeller, slo han til. Munch har selv beskrevet møtet
med den døde:
Der er du –
*Jeg gik ind i lighuset og nærmede mig kisten der stod
lige foran en kristusfigur af gulaktig gibs som udbredte
sine hænder velsignende*
Der lå den døde – hoved afdækket
*Jeg blev først betat af denne underli klamme fornem-
melse man får fra et lig.*
*Så grebes jeg af dette store mægtige alvor der lå over
disse stivnede træk.*
*Hvor deilig dette gamle hode var som det lå der grågult
mod de blåhvide lagen.*
*Den store pande med de sirligt tilbagestrøgne hår den
lige lidt krummede næse der var blit noget spids forud og
den fast sluttede mund der ligesom lukkede for noget
mægtigt gådefuldt –*
En buket af røde og hvide blomster lå på brystet –
Hænderne lå glat ved siden af hinanden –
Han hade ingen gud i livet og ingen gud i døden –. [25]

John Hazeland, opprinnelig engelsk, hadde vært virk-
som i Kristiania som oversetter og kulturdebattør. Selv
sosialist og ateist hadde han oversatt religiøse og okkulte
bøker; John Bunyans *The Pilgrim's Progress* (en av de
mest geniale allegorier i verdenslitteraturen), E.T.A. Hoff-
manns *Lebensansichten des Katers Murr* (et av denne for-
fatterens verk som lot det mest skrekkinnjagende og bur-

leske blandes med dagliglivets hendelser) og Thomas de Quinceys hovedverk *Confessions of an Opium Eater*. Da Munch i ettertid fortalte Rolf Stenersen at han hadde vært redd for at liket skulle røre på seg eller si noe, er det neppe uten foranledning i ideer som modellen hadde hatt i levende live!

Dette bildet kan sees som Munchs definitive farvel med naturalismen som det bærende prinsipp i portrettet, og allerede i *Inger på stranden*, som han malte et par måneder senere, er den musikalske fargevirkningen å forstå i pakt med symbolismen og syntetismen.

1. Lorentz Dietrichson, *Estetik och Konsthistoria*, 1873, s. 417f.
2. Ludvig Ravensbergs dagbok 4.5.1909. Munch-museets arkiv.
3. Se *Norges litteraturhistorie*, red. Edvard Beyer, Oslo, Cappelen, 1975, s. 341.
4. *Dagen* 7.11.1885.
5. *Aftenposten* 5.11.1885.
6. Jens Thiis, *Edvard Munch og hans samtid*, Oslo 1933, s. 106.
7. *Christian Krohg*, utstillingskatalog, Oslo, Nasjonalgalleriet, 1987, s. 168, og Oscar Thue, *Christian Krohgs portretter*, Oslo 1971, s. 20.
8. Pola Gauguin, *Edvard Munch*, Oslo 1933, s. 44.
9. Munch-museet N 37.
10. Om ikke annet er oppgitt, finnes de siterte brev i Munch-museets brevsamling.
11. Munch-museet T 2770.
12. Munch-museet T 2771.
13. Ibid.
14. Se *Byminner*, 1971, h. 4, s. 5f, og 1972, h. 1, s. 35f.
15. *Morgenposten* 20.10.1887.
16. En stor takk til Fredrik Juel Haslund for hjelp med identifikasjonen av de tre personer.
17. Herman Colditz, *Kjærka. Et Atelierinteriør*, Kristiania 1888, s. 124.
18. Munch-museet, «Kunstnervenner».
19. Munch-museet T 2761.
20. Jens Thiis, op.cit., s. 172.
21. Munch-museet T 2760.
22. *Dagbladet* 25.1.1930.
23. *Aftenposten* 5.10.1888. For en fyldig gjennomgang av bildet, se Peter Vergo, *The Thyssen-Bornemisza Collection, Twentieth-century German Painting*, London 1992, s. 186-291.
24. Munch-museet T 2781-at.
25. Munch-museet N 27.

Kat. 1
Laura Munch, 1880-1881
Munch-museet

Kat. 2
Christian Munch i sofaen, 1881
Munch-museet

Kat. 4
Ved kaffebordet, 1883
Christian Munch og Karen Bjølstad
Munch-museet

Kat. 3
Laura Munch, 1883
Munch-museet

Kat. 6
Hjalmar Borgstrøm, ant. 1883
Privat eie

Kat. 9
Tête-à-tête, 1885
Karl Jensen-Hjell og en ukjent kvinne
Munch-museet

Kat. 155
Karl Jensen-Hjell, 1885
Tegning. Munch-museet

Kat. 15
Thorvald Torgersen, 1886
Rolf E. Stenersens gave til Oslo by

Fig. 7
Thorvald Torgersen, ant. 1882
Privat eie

Fig. 8
Thorvald Torgersen, ant. 1882
Nasjonalgalleriet, Oslo

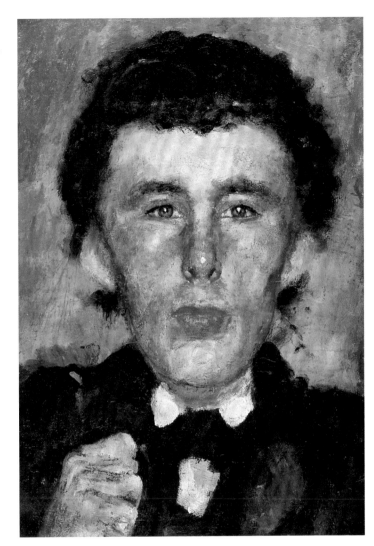

Kat. 14
Christian Munch med langpipe, 1885
Munch-museet

Kat. 21
Charlotte Dørnberger, 1889
Privat eie, Sveits

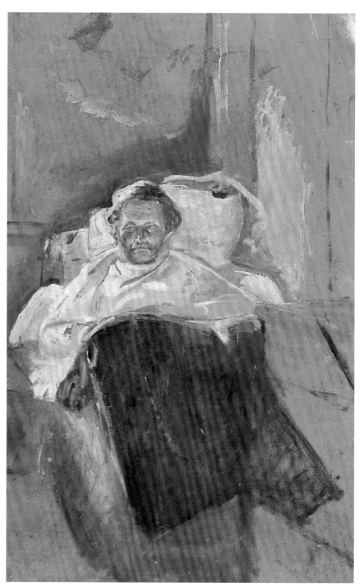

Kat. 17
Andreas Bjølstad på dødsleiet, 1888
Edvard Munchs morfar
Munch-museet

Kat. 18
Karen Bjølstad, 1888
Edvard Munchs tante
Munch-museet

Kat. 7
Aasta Carlsen, 1883?
Munch-museet

Kat. 154
Aasta Carlsen, 1888-1889
Tegning. Munch-museet

Aasta Carlsen
(née Nørregaard.)

Kat. 22
Karl Dørnberger, 1889
Museum der Bildenden
Künste, Leipzig

Kat. 16
Jus, 1887
Knud Knudsen, Bernt A. B. Hambro og Johan Michelsen
Privat eie

Kat. 19
Aften, 1888
Laura Munch
Thyssen-Bornemisza Collection, Madrid

Kat. 20
Sommernatt. Inger på stranden, 1889
Inger Munch
Rasmus Meyers Samlinger, Bergen

Fig. 1
«**Zum schwarzen Ferkel**», 1893
Tegning. Privat eie

1890 – 1895

IMPRESJONISME OG DEKADANSE

NOEN SKANDINAVISKE FORFATTERE

Mens portrettene av Hans Jæger og Karl Dørnberger på 1880-tallet preges av en utleverende karakteristikk i den naturalistiske tradisjon, uttrykker portretter Munch malte på 1890-tallet en drømmende, elegisk stemning. *L'Absinthe* (1890, kat. 23), den tittel Munch først ga bildet, men som etter krav fra kjøperen ble forandret til *Une Confession* da det ble utstilt på Høstutstillingen i 1890, er nettopp et slikt eksempel. Med utgangspunkt i den opprinnelige tittelen ble bildet mottatt av pressen med følgende kommentar:

Har et Menneske, udslidt og kjed efter anstrengt arbeide, tat et Par Drag af denne med Vand blandede, i Farven gulgrønt skitne Væske, kommer der først en behagelig døsig Ro og et Velvære, han nyder i Taushed og bekvemme Stillinger som paa Billedet, for saa først i næste Stadium at kvikkes op og bli snaksom og meddelsom.[1]

Modellen som sitter profilvendt i forgrunnen, er utvilsomt **Jappe Nilssen**. Det dirrende lyset som strømmer inn gjennom vinduet og reflekteres i bordflaten, stiller ham i et markant motlys hvor kinnet lyses opp av refleksen fra den hvite skjorten. I munnen dingler en sigarett med lang asketipp, og en slapp hånd holder om glasset. På den andre siden av bordet sitter en uidentifisert mann tilbakelent med utstrakte ben og sigar i hånden, den andre hånden støtter hodet. Det er ingen kontakt mellom de to mennene; de synes absorbert av den spesielle absint-rusen.

De franske titlene *L'Absinthe* og *Une Confession* indikerer at bildet ble malt i Paris, hvor Munch oppholdt seg med statsstipendium frem til april i 1890. På dette tidspunkt bodde også Jappe Nilssen i Paris i stadig samvær med Hans Jæger. Det finnes ikke direkte bevis på en eventuell kontakt mellom disse to og Edvard Munch i denne tiden, men det er svært sannsynlig at de har truffet hverandre. De hadde en rekke felles venner, deriblant Emanuel Goldstein. Den uidentifiserbare mannen i bakgrunnen synes umiddelbart for ung til å være Hans Jæger slik vi kjenner ham fra Munchs portrett året før, men for øvrig er trekkene ikke ulike. Kan det være det bleke, innfallende lyset som, silt gjennom de franske gardinene, flater ut trekkene og gjør den nå 36 år gamle anarkisten yngre?

Omtrent samtidig utførte Munch et pastellportrett av sin venn **Gunnar Heiberg** (1890, kat. 24). Etter suksessene med *Tante Ulrikke* (1884) og *Kong Midas* (1890) var han nå vel etablert som dramatiker. Allerede i 1883, som kunstkritiker i *Dagbladet*, hadde han skrevet at Munchs kunst vitnet om «fin og inderlig Følelse». Han dro siden til Bergen hvor han virket som kunstnerisk leder av Den Nationale Scene til han brøt ut i 1888 med et program som forkynte at teatrets sentrale oppgave var å tolke samtidens diktning. Deretter oppholdt Heiberg seg i København og Paris under flere år.

I portrettet ledes blikket mot det karakterfulle og uttrykksfylte hodet mens de skissepregete omgivelsene får et preg av «soft focus». De skråstilte strøkene ser vi også i en serie andre pastellportretter fra denne perioden, blant annet av Jappe Nilssen (kat. 26) og den danske forfatteren Helge Rode og i en malt skisse av fiolinisten Arve Arvesen (fig. 2). Med referanse til sine arbeider *Rue Lafayette* (1891) og *Rue de Rivoli* (1891) mente Munch i ettertid at de konsekvent skråstilte, parallelle penselstrøkene som organiserer billedflaten i en fast struktur, markerte hans brudd med impresjonismen. Portrettet av Heiberg fulgte med på de fleste av Munchs store mønstringer på kontinentet på 1890-tallet. Da Munch i 1895 holdt en stor utstilling i Bergen, hvor man kjente Heibergs fysiognomi fra hans tid her, ble portrettet inngående kommen-

Fig. 2
Fiolonisten Arve Arvesen, ca. 1891
Pastell. Privat eie

tert i pressen. Kritikeren «W.» i *Bergen Aftenblad* betoner nødvendigheten av å se bildet på god avstand, for da virker det «storartet og lyslevende», og *Bergens Tidende* skriver:

*Et Ansigt, som jeg tænker de fleste bergensere har hilset med et gjenkjendende Smil, er Gunnar Heibergs. Jeg har, mærkelig nok, endnu ikke hørt en eneste indvende mod dette Billede, at Hr. Heiberg ikke er citrongul i Ansigtet, at han sandsynligvis ikke bærer grønne klær med violette Sømmer. Saa slaaende er dette Billedes Ypperlighed. Med alle Farver er dette Gunnar Heiberg, er ham, som han gik og stod og aad og drak iblandt os. Man vil kanske nu komme med den Indvending, at alt det der kunde Munch ligegodt ha faaet frem uden den gule Teint og de grønne klær. Men det er utvilsomt ikke saa. Thi **Indtrykket** af disse Farver gir ikke noget gult og noget grønt, men det gir Gunnar Heiberg, ligesom det ikke falder os ind at lægge Mærke til, at en Mand, vi omgaaes daglig, er blegere eller rødere end Folk flest.*[2]

Edvard Munch og Gunnar Heiberg kan sees som to kunstnere som varierte samme motivkrets; de pessimistiske aspektene ved det moderne kjærlighetslivet. Skuespillet *Balkongen* (1894) brakte også Heiberg på banen i Paris, og her skapte Munch et litografi av ham hvor han – med pastellen som utgangspunkt – forenklet trekkene. Dette litografiet (kat. 203) lot han også trykke i grønt med champagneglass svevende i rommet omkring libertineren. Etter at kjærlighetsforholdet mellom Munch og Tulla Larsen definitivt var slutt i 1902, tok Munch sterk avstand fra Heiberg, han la ham nærmest for hat. Noe som for øvrig reflekteres i en rekke sarkastiske tegninger,

grafiske blad og litterære utkast, blant annet skuespillet *Kjærlighetens by*.[3]

Høsten 1892 ble portrettet av Gunnar Heiberg vist på Munchs berømte, såkalte skandaleutstilling i Berlin, som etter en turné i noen tyske byer ble gjenåpnet på Munchs egen bekostning i Berlin i desember samme år. Det var nå Munch malte sitt store portrett av **August Strindberg** (kat. 30), kort tid etter at skandaleutstillingen hadde gjenåpnet i Eqvitable Palast. Det ble etterhvert inkludert i denne utstillingen, noe vi blant annet kan se fra et samtidig fotografi (fig. 3). Utstillingen åpnet 23. desember, og i brev til Birger Mörner tre dager senere skriver Strindberg at «Munch har lofat göre bilden så fort som möjligt».

Det finnes også et tegnet gruppeportrett fra kneipen som Strindberg hadde døpt *Zum schwarzen Ferkel* (fig. 1). Rundt Strindberg utviklet det seg et litterært miljø med tyngdepunkt av skandinaver. I tegningen ser vi ved bordenden til høyre Gunnar Heiberg i profil, deretter følger August Strindberg, mørkere skissert med overveiende parallelle streker, ved siden av Sigbjørn Obstfelder dypt nedsunket i stolen. På den venstre bordenden sitter Edvard Munch og Holger Drachmann, begge i profil. På veggen bak dem henger et maleri trolig malt av Strindberg, som hadde fast plass over gruppens stambord i denne berømte og beryktede kafeen. Ifølge Munch var det her, i et av kafeens bakværelser under «et Marinebillede som Strindberg selv har malt, [at vi] havde ... vor Residens, hvor vi samledes hver Aften for at spise og pasiare».

Denne lille tegningen kan indikere at Munch i neste omgang hadde i tankene et gruppeportrett med skandinaver fra det litterære Berlin. Broren Andreas hadde også foreslått et slikt portrett. I brev fra tante Karen til Edvard 23.1.1893 heter det:

Dersom Du havde Anledning, saa burde Du see at faa malt i Pastel samlet flere af de mere fremragende personligheder sammen altsaa – saasom Drackmann, Strindberg, Sinding, Heiberg og mange flere Du kjender – det ville vist gjøre Lykke, – Andreas talte om det i Søndags, han ønskede Du havde gjort det! –

En annen større tegning viser Strindberg som sitter med armen omkring en kvinne, trolig hans forlovede Frida Uhl (kat. 156). Frøken Uhl dominerer billedflaten og er så åpenbart sett som den følelsesmessig sterkere av de to, mens Strindberg synes underordnet og bekymret på en nervøs måte. Denne formelen for et dobbeltportrett av mann og kvinne skulle Munch variere senere flere ganger både i maleri og grafikk.

Munch bygger opp det store portrettet av Strindberg med en aggressiv, spontan penselføring med overveiende bruk av parallelle, skrått stilte strøk, «penselstrøk vasse som rakknivsnitt».[4] Det får derved et stilistisk slektskap til portrettet av Gunnar Heiberg, selv om det ene er en pastell og det andre et oljemaleri. Den forholdsvis abrupte måten

Fig. 3
Eqvitable Palast, Berlin, desember 1892
Foto: Atelier Marschalk, Berlin

Munch karakteriserer Strindberg på, indikerer trolig at han vil gi et bilde av ham som impulsiv og uberegnelig.

Helge Rode, som anmelder Munchs utstilling hos Blomqvist i 1895, beskriver portrettet av August Strindberg i et lignende lys:

Se Billedet af Strindberg. Den store Kraft, der aldrig bliver til Styrke. Hvilket prægtigt Hoved, og hvor den Haand er nærvøs. Hvoraf kan det dog vel komme, at en Mand som han flakker således vildt fra det ene til det andet, uden nogensinde at finde Ro og Fordybelsens Klarhed? Han er en fri Aand; men han føler sig i sin Frihed som et Rovdyr i et Bur.[5]

En senere tid, da Strindbergs kunst hadde løpt linen ut fra pregnant naturalisme til symbolisme, så andre sider i portrettet. I tilknytning til Munchs utstilling i Praha i 1905, skriver Milos Marten:

Portrettet av Strindberg, harmonisert til et grått hele av delikat toneart; nervøse og subtile skjelvende strøk av blekt grønt og blått, lette spor av rødt og fiolett konsentrerer i det lille, nervøse ansiktet tunge tanker, skjult vanvidd; overeksponert sjelsliv hos et menneske som har begitt seg ut på eksperimenter og tenker de farligste mysterier til ende.[6]

Da Munch 40 år senere forærte portrettet av Strindberg til Nationalmuseum i Stockholm, skrev han: «Sandt at si det er tomt i min stue hvor Strindberg har hængt i 20 år – det er for mig inkarnasjonen av de to mærkelige Berlinerår.»

I 1896, da Munch traff Strindberg igjen i Paris, laget han et litografisk portrett av dikterhøvdingen under dennes infernokrise. Det skarpskårne ansiktet lyser mot oss fra en sort fond (kat. 204). Den aggressivt takkede borden til venstre kontrasteres av myke, svepende linjer som glir over i en naken kvinnekropp til høyre. Strindberg mislikte denne første versjonen hvor til og med navnet hans var feilstavet til «Stindberg». Etter å ha trykket et større opplag, fulgte Munch Strindbergs oppfordring om å fjerne kvinneskikkelsen og stave navnet hans korrekt.

Det er et åpent spørsmål om det var i Berlin under Ferkel-tiden at Munch også malte et portrett av **Holger Drachmann** (1893? 1898? kat. 31). Den frie, hastig antydende penselføringen i portrettet på papplate, og konsepsjonen av den portretterte kunstneren som en vital kraft, peker i retning av en datering omkring 1893. Også det lave perspektivet indikerer en slik tidlig datering; dikteren kaster hodet tilbake og skuer mot en bakgrunn av drivende sommerskyer ned på oss som betraktere. Den sterke lyskraften i portrettet, forårsaket av djerve men raffinerte sammenstillinger av lyse, lette fargetoner, indikerer også denne dateringen. Likeså den nærmest uvørne penselføringen som lar store partier av overflaten stå umalte. Men man kan ikke se bort fra at bildet kan være malt i Kristiania høsten 1898, en tid da Holger Drachmann vanket i bohemmiljøet og omgikkes stadig Munch. Selv om Munchs portretter på denne tiden for øvrig er malt i en mer dempet koloritt, så spraker fargene tidvis til i hans øvrige kunst, som eksempelvis i *Livets dans*. For denne siste dateringen peker det faktum at det ikke har lykkes å dokumentere at bildet har vært utstilt før i Dresden desember 1900 og at det, da det deretter ble utstilt i Kristiania i Hollændergården, i pressen ble omtalt som et nytt bilde av Munch:

Blant de nye Billeder findes det rene Mesterværker saasom det brilliante Portræt af Holger Drachmann, som Munchs Pensel vistnok har tat paa Kornet og git som han er, – en Mand, der trods sin glade Sang igrunden er mere sorgfuld end glad, en Sanger, som for at opmuntre Menneskerne river sit eget Indre tilblods.[7]

I de påfølgende årene utstilles maleriet stadig uten datering i utstillingskataloger. Etter Drachmanns død i 1908 utstilles ikke maleriet under resten av Munchs levetid. Bildet har tross en underliggende melankoli en stolt, nesten avvisende vitalitet som på mange måter binder portrettet til det «Nietzscheanske» uttrykk som senere skulle prege så mange av Munchs portretter.

Ifølge Gustav Schieflers katalog over Munchs grafikk trykker Munch i 1901 (trolig først 1902) i Berlin et litografisk portrett av Drachmann (kat. 210). Litografiet følger det malte portrettet som Munch hadde brakt med seg til Berlin, like nøye som de litografiske gjentagelser av de malte portretter av Hans Jæger, Gunnar Heiberg og Stanislaw Przybyszewski.

Munch hadde nær kontakt med Drachmann gjennom mange år. Da han døde skrev Munch et lite notat datert 10.3.1908:

Drachmann ligger i sin Urne – Den store Skikkelse sank sammen til en liden Håndfuld Støv – Vi var sammen for nogle Måneder siden – i Øiet sidder endnu Billedet som på en Fotografiplade – friskt som om han netop var gået tilside – I Øret hører jeg hans Stemme –

TRE IMPRESJONISTISKE KVINNEPORTRETT

I desember 1893 skrev Fritz Thaulow til Munch:

Jeg sender Dig indlagt Francs 100 og ber Dig betragte disse Penge ikke som Laan men som yderligere Betaling for det lille Billede Du skylder mig. Har Du intet andet Brug for det lille Portrait af Frkn. B. saa ved Du at vi liker det godt.

«Det lille Portrait» refererer seg til portrettet av **Olga Buhre** (kat. 25), i 1890 en vakker ung kvinne på 17 år, malt av den nå 26 år gamle Edvard Munch. Den ranke skikkelsen står i et markert lampelys i et for øvrig mørkt rom. Lyskilden som er plassert ganske lavt, lar henne kaste en tydelig skygge på veggen bak seg. Hun nærmest vokser seg sammen med skyggen til en felles form. Skyg-

gen bidrar til å skape en spenningsfylt dybde i billedrommet, som inngir anelser om en egen psykisk identitet. Olga Buhre står litt til venstre for maleriets midtakse. Hun balanserer et møbel, som danner en nærmest abstrakt firkantet form i forgrunnen til høyre. De kontrasterende, tunge, rødlige fargetonene i det dunkle billedrommet skaper illusjonen av et vibrerende lampelys som fanger inn kvinnens ansikt og hals. Skyggen fremstilt som en massiv form finnes det en rekke eksempler på i Munchs kunst fra tiden omkring 1890. Den statuariske positur skulle senere prege mange av Munchs kvinneportrett, slik vi f.eks. ser det i det monumentale portrettet av søsteren Inger (fig. 4). Måten Olga Buhre holder armene bak ryggen skulle bli typisk for Munchs fremstillinger av den erotisk frigjorte kvinne.

På Høstutstillingen i 1890 utstilte Munch *Portrett av en ung Pige*, som «fremstilt i lampelys», ble karakterisert som «nydelig». Vi må kunne anta at det dreide seg om portrettet av Olga Buhre. Den første skissen Munch malte av motivet *Kyss* har for øvrig besnærende likhetstrekk til dette kvinneportrettet. De særpregede, flytende penselstrøkene og den mørke helhetskolaritten kan også gi assosiasjoner til maleriet *Natt*. Men den varme fargetonen fører like gjerne tanken til interiører malt i den sydtyske München-tradisjonen, spesielt til arbeider av den i samtiden så populære Gabriel Max, men selvfølgelig også generelt til de mange forsøk i tiden på å benytte impresjonismens teknikk til melankolske nattstemninger i interiør.

Portrettet kom altså i Fritz Thaulows eie og ble, etter hans død i 1909, solgt av Alexandra Thaulow til Statens Museum for Kunst i København. Ifølge Alexandra Thaulow var modellen Anna Buhre, men ifølge senere opplysninger fra familien er det imidlertid mest sannsynlig søsteren Olga som ble portrettert.

Allerede høsten 1891 hadde Munch blitt invitert til Fritz Thaulow i Sandvika for å bo der en tid og male hans kone **Alexandra Thaulow**, født Lasson (fig. 5), en søster av Oda Krohg. Portrettet har så tydelige likhetstrekk med portrettet av Olga Buhre at det virker sannsynlig at Thaulow har uttrykt ønske om et lignende portrett av sin kone. Bildet viser en stående kvinne en face til venstre i billedflaten mot en dobbeltdør med store vinduer innrammet av et lyst, mønstret forheng. Hun er som Olga Buhre kledd i en mørk, lang kjole som slutter seg om den slanke kroppen. Hun fanges også inn av en lyskilde som er plassert noe lavt; ute synes det å være sort natt. Sett som portrett er bildet helt uvanlig. Den relativt sterke lyskilden gjør at ansiktet fremtrer temmelig flatt. Ansiktstrekkene er bare sporadisk markerte, munn og øyne bare noen streker og nesen knapt antydet.

Da Fritz Thaulow fikk se portrettet, uttrykte han sterk misnøye, og det kom til en viss spenning mellom de to. Noe riktig skisma mellom Munch og Thaulow ledet imidlertid ikke dette intermessoet til. Da Munch kort tid senere i Nice ble angrepet av Bjørnson for sin bruk av statsstipendiet, gikk Thaulow ut til forsvar for sin unge kollega.

Hovedverket i denne gruppen av impresjonistiske kvinneportrett er uten tvil maleriet av **Dagny Juel** (1893, kat. 32). Hun står helt sentralt på billedflaten i mørk blå kjole med de for tiden karakteristiske puffermer og med hendene samlet bak ryggen. Ansiktet er kraftig belyst fra en ubestemt lyskilde. Hun kaster ingen skygge; atmosfæren omkring henne har snarere karakter av å være en art psykisk substrat, mer en utstråling enn en beskrivelse av f.eks. et røkfylt rom. Kroppens flate form synes like uvirkelig som atmosfæren omkring henne. Ansiktet med de «fine, skarpe Træk» og det underfundige smil løfter seg mot betrakteren og blir selve sinnbildet på en kvinne som stiller seg reseptiv til livet i alle dets aspekter.

Da Munch malte Dagny Juel i sitt atelier i Berlin våren 1893, var hun allerede kommet med i kretsen rundt August Strindberg i Zum schwarzen Ferkel. Ifølge Strindberg kom hun til Berlin som Munchs elskerinne, men gled snart inn i en rekke erotiske forhold deriblant til Strindberg selv, som for øvrig var tilstede da Munch malte henne. Han beskrev portrettet som snarere en intellektuell enn en fysisk forførelse.

Julius Meier-Graefe, den senere så kjente kunsthistori-

Fig. 5
Alexandra Thaulow, 1891
Von der Heydt Museum, Wuppertal

keren som også ble en tidlig deltager i kretsen omkring Zum schwarzen Ferkel, og som skrev sine første kunstartikler om Edvard Munch, tilla henne stor betydning for Munchs kjærlighetsmotiver i *Livsfrisen*: «Sie figuriert übertragen in dem frühen epischen Zyklus Munchs 'Von Manne und von Weibe'.» Han beskriver Dagny som aristokratisk og hennes forhold til ektemannen som frøken Julies i forhold til Jean i Strindbergs skuespill. Mens mannen drakk «Korn» drakk hun ufortynnet «Absinth», og var i motsetning til ham aldri «betrunken». De møttes gjerne hjemme hos ekteparet i Louisenstrasse hvor Stanislaw Przybyszewski spilte Chopin på et dempbart piano. Julius selv danset med Dagny mens Munch og Strindberg satt ved bordet og fulgte med. Alle fire mennene var, ifølge Meier-Graefe, hver på sin måte forelsket i henne. Munch kalte henne «die Dame»; for de andre var hun «Ducha».

Meier-Graefes følgende karakteristikk av Dagny Juel i 1930 lar oss se nye muligheter i portrettet. Eller er kanskje hans beskrivelse av henne snarere inspirert av Munchs maleri?:

Når hun snakket, holdt hun øynene halvt lukket og rynket den høye pannen litt sammen i midten. ... Hun hadde en enkel, tettsittende kjole, alltid den samme, husker ikke fargen. I dansen gjør tobakkrøken den blå. Vi berørte hverandre knapt. ... Hun ga seg hen uten forbehold, men i virkeligheten gjorde hun ikke annet enn å gå. Hennes gange talte, spottet, diktet, sang, var som et

Fig 4
Inger Munch, 1892
Nasjonalgalleriet, Oslo

lekende barn, en ung pike, gud vet hva, frembrakte med små nyanser utallige variasjoner, som bare kunne fornemmes i den trange hybelen, og hver gang så det ut som om den gutteaktige skikkelsen ble stadig mer blomstrende. ... Det bittelille hodet med det noe løse, korte krøllete håret, bøyde seg i nakken, svømte på skyer av røk. I tobakkrøken ble hele skikkelsen til en blålig fosforaktig essens. Det eneste kroppslige var hennes vidåpne, svømmende øyne.[8]

Holger Drachmann ga sin beskrivelse av Dagny Juel Przybyszewska i et litterært dobbeltportrett av henne og hennes mann Stanislaw Przybyszewski, som også Munch gir sitt besyv til:

Og hun er Norskhedens sympatiske Udtryk i disse uafhængige, spænstige, livsglade unge Kvinder – svaj som et Birkeskudd, nervesterk som en lille Hæst – en af den Race, som gamle Ibsen har faaet saa godt Tag i.

Jeg er vis paa – siger Edvard Munch – at hun en Gang gaar tilbage til Polen med ham, bliver indviklet i et nihilistisk Komplot, bliver hængt eller deporteret ved hans Side. Hvis de ikke bukker under for Næringssorger inden den Tid.[9]

Hennes død (en ung polsk adelsmann skjøt henne og seg selv under et opphold i Tiflis) forårsaket en skandale og sensasjonspregete omtaler av hennes frigjorte liv, som den ridderlige Munch imøtegikk både i en nekrolog og i et intervju i 1901:

Jeg tror, at Strindberg en Kveld, da Vinen steg ham til Hodet, greb et Glas og i en Tale for Fruen sa, at hun minder om Perikles' blonde Aspasia, men derfra og til en moderne Hetære er det et langt Spring, som det er en Gemenhed at ville paadutte hende. Rank og fri gik hun om imellem os, opmuntrende og stundom trøstende, som kun en kvinde kan gjøre det, og hele hendes Apparation havde en ganske egen beroligende og samtidig inspirerende Virkning. Det var, som hendes blotte Nærhed gav nye impulser, nye Ideer og Skabertrangen, der var slumret ind, vaagnet paany ...[10]

Dagny Juel ble for øvrig den sentrale modellen i Przybyszewskis forfatterskap. I *Vigilien* (skrevet 1893) og *Over bord* (skrevet 1894-1895) varierer Przybyszewski temaet om hvordan bokens jeg, med forfatterens egne trekk, erobrer en kvinne fra en skandinavisk maler med tydelige likhetstrekk til Edvard Munch. Det er trolig mer enn en tilfeldighet at en skisse som ledet frem til Munchs Madonna-motiv ble benyttet som omslagstegning til *Vigilien*.

GRYENDE SYNTETISME OG NEO-IMPRESJONISME

Jacob Bratland (1891-1892, kat. 27) var sønn av en velhavende malermester i Bergen, og fikk sin utdannelse først ved akademiet i München i årene 1883-1886, for deretter å studere et års tid i Paris fra våren 1887 hos de samme mondene læremestere som Karl Dørnberger hadde hatt, Adolph Bouguereau og Tony Robert-Fleury. På Høstutstillingen 1888 utstilte han *En Vågenatt* (1888), utført i en glatt fotografisk-realistisk manér som vakte Munchs indignasjon. Fra Høstutstillingens vegger solgte han i 1891 imidlertid maleriet *Søndag* (1891), også malt i en tørr fotorealistisk stil, til Nasjonalgalleriet. Det innebar en suksess som foranlediget at han slo seg ned i hovedstaden, hvor han spilte en fremtredende rolle i kunstnerkretser.

Munchs portrett av Jacob Bratland må være malt enten i tilknytning til Høstutstillingen i 1891 eller sommeren 1892, og speiler med sitt ornamentale preg visse syntetistiske malerier som Munch utstilte i 1891, og som vakte en del rabalder i pressen. Portrettet gir trolig en distansert fremstilling av den person som Bratland selv ønsket å være; elegant og selvsikker med et sydlandsk, nærmest fransk utseende.

Christian Krohg forteller i *Kunstnere* (1892) at han hadde forventet seg en «lang, lidt slampet, begavet, lyshåret Bondegutt, kledd i graa Vadmel med lidt for korte Buxer, saa de graa, hjemmestrikkede, tykke Uldstrømperne ses, og med en Skjortekrave, som er bundet sammen i Nakken, slik at Snippen af det ene Bendelbaandet stikker ovenfor ...», men møtte en forbløffende annerledes Bratland; «en liden elegant Pariser i det mest moderne korrekte Kostume med et fuldstendigt romansk Udseende – sort Haar, brune Øine, en liden koket soignert Knebelsbart og røde Silkestrømper».

I portrettet sitter Bratland strengt en face med sin flotte knebelsbart i billedflatens midtakse. Myk som en danser (han opptrådte som «en øvet Balletdanser og Harlekin» på kunstnerfesten i 1891) legger han det ene benet i rett vinkel over det andre. Denne utvungne stillingen samler skikkelsen til en enhetlig form, hvis linjer på sett og vis gjentas i de abstrakte ornamenter som preger bakgrunnen, det være seg tapetet, teppet eller sofaryggen. Og det runde bordet nede til høyre, som i og for seg skulle virke romskapende, gir ikke mer rom omkring figuren enn hva som er nødvendig for at denne både skal virke som volum og som ornament.

Den mondene, frankofile maleren er fremstilt mot en bakgrunn som meget vel kan vekke assosiasjoner til norsk husflidstradisjon, men som i og med den ornamentale stilen også gir assosiasjoner til det franske, syntetistiske maleriet, som ble utviklet i kjølvannet av kunstnere som

Paul Gauguin og Émile Bernard, og som igjen hadde sitt utspring i det folkelige, spesielt slik det kunne oppleves i Bretagne.

Ludvig Meyer (1892, kat. 29) var en fremtredende personlighet i tidens Kristiania. Han ble som sin far jurist, men utviklet en radikal sosial bevissthet. Etter embetseksamen i 1883 arbeidet han et par år som fullmektig, før han i 1885 åpnet egen sakførerforretning og tok advokaturen våren 1886. Vinteren 1885-86 ble han landskjent som forsvarer av Hans Jæger under straffesaken mot ham i tilknytning til publiseringen av *Fra Kristiania-Bohêmen* (1885). På samme tid etablerte han seg som en markant skikkelse innenfor det radikale venstre. Som folketaler ble han kjent som «en replikkens mester av de sjeldne, pointert, vittig, med evne til den store patos». I 1891 gikk han inn i Arbeiderpartiet med pretensjoner om å etablere seg som ledende parti-ideolog, samtidig beriket han seg som tomtespekulant i hovedstaden.

Den litt forsagte, dandyaktige personen som står overfor oss i Munchs portrett, viser en helt annen type enn den vi mener å kjenne fra samtidens berettelser. Med hatten og stokken i hengende armer står han med hodet litt på skakke og med et blikk som uttrykker «noget af hjälplösheten hos ett hetsadt djur». Det selvhevdende handlingsmennesket Ludvig Meyer blir således nærmest parodisk fremstilt. Da portrettet ble presentert på utstillingen hos Blomqvist 1895, ble det da også oppfattet av *Aftenposten*s kritiker som tilhørende en gruppe bilder som lå på grenselinjen mellom «Alvor og Karikatur»:

Inden den første Gruppe, lægger man især Merke til et Portræt af Hr. Advokat Ludvig Meyer. Riktignok kan man finde, at den karrikerende Gjengivelse af Originalen her er drevet lidt længre end det egentlig passer sig for et i saavidt store Dimensioner udført Portrait, og at en simpel Pennetegning bedre vilde have opfyldt Bestemmelsen. Vi ved ikke, hvorvidt det er med Originalens Samtykke, at dette Arbeide er bleven udstillet. Hvis saa ikke er Tilfældet, kan man tænke sig Muligheden af, at det ofte debatterede, men ialfald hos os endnu uløste Spørsmaal om en Kunstners Rettigheder paa Karrikeringens Omraade overfor en sagesløs Privatmand her kunde blive gjort aktuelt.[11]

Imidlertid fikk portrettet ikke alle til å se noe parodisk i fremstillingen. Da utstillingen kom til Bergen, skriver *Bergens Tidende*:

Uten at kunne garantere for Portrætligheden (som forresten maa være slaaende) finder jeg også i Advokat Ludvig Meyer en ypperlig Karakteristikk. Man staar pludselig Ansigt til Ansigt med en slank, soignert Herre, der lidt mat holder Hodet paa Side, mens han smiler med et svagt, elskværdigt Smil, og man ved med en Gang, at dette er «Socialisten» Ludvig Meyer, der om et Øieblik vil begynde at tale med en stille, lidt læspende Stemme, og

stadig med det lidt trætte, elskværdige Smil og Hodet paa Side spidde sine Modstandere, en efter en – efter alle Kunstens Regler.[12]

I en senere rettssak om et gruppeportrett som Ludvig Meyer bestilte av sine barn, ga Munch en fremstilling av omstendighetene også omkring portrettet av familiefaren:

Hr. Meyer interesserede mig som type – det var mig som da tilbød at male ham selv da han havde ytret ønske om at besidde et nyt billede af mig – (han havde tidligere skaffet sig tre billeder af mig) Om han vilde kunde han siden erhverve portrættet – Jeg malte altså advokaten til min egen tilfredshed men til hr. Meyers store utilfredshed – ja sorg – Portrættet havde desværre fået et udtryk, der berørte ham meget smerteligt – Jeg fandt mig da selvfølgelig i at han ikke vilde beholde billedet.

Meyer kom også tilbake til omstendighetene omkring portrettet av seg selv:

Herr Munch havde for et par aar siden forsøgt at male et portrætbillede af mig i full legemsstørelse. Jeg betalte lærredet og aftalen var, at malede han et billede hvormed jeg blev fornøied, skulde jeg kjøbe det for 100 kr. Jeg vilde ikke have billedet, han forlangte heller ikke jeg skulde tage det, men avhændede det til andenmand.[13]

Den lødig røde bakgrunnen som Meyer er stilt mot fikk Henrik Ibsen til å reagere da Munch viste ham omkring på utstillingen hos Blomqvist i 1895. Munch skriver i etterhånd at «Det moret ham at se en socialist ... – jeg havde malt mot rød bakgrunn – og endel karikert – Mot rødt! sa han».

Prøver vi å sette Munchs portrett av Ludvig Meyer med sin betoning av linjen og den røde bakgrunnen inn i en kunsthistorisk kontekst, blir det naturlig å betrakte det som hjemmehørende i den post-impresjonistiske tradisjonen. Det er kanskje nærliggende å tenke på fremstillinger av slappe dandyer slik vi f.eks. ser dem i Whistlers portretter. Det finnes også et fornøyelig lite portrett malt av Giovanni Boldini av en adelsmann fra 1890 som på en forunderlig måte klinger ihop både med Munchs fremstillinger av Jacob Bratland og Ludvig Meyer.

Det kan nevnes at så sent som 30. juni 1927 da portrettet av Ludvig Meyer (fra 1909 i Trondhjems Kunstforenings eie) ble utstilt i Nasjonalgalleriet, skrev Ludvig Meyer til Munch og spurte om han ikke kunne male nok et portrett av ham:

Skulde De ikke ville male ennu et billede av mig, – nu da jeg nærmer mig Krematoriet, full av unyttig livsvisdom? Fra 22 juli til 15 august er jeg paa Finmarksreise. Men ellers er jeg gjerne til raadighet som model, baade naarsomhelst og hvorsomhelst.

I en stil som når det gjelder betoningen av rene linjer og flater, har et slektskap med portrettet av Ludvig Meyer, malte Munch et brystbilde av en annen av Kristianias jurister, **Thor Lütken** (1892, kat. 28). Han er avbildet til-

Fig. 6
Hans Eberhard von Bodenhausen, 1894-1895
Privat eie, USA

bakelent i en sofa med hodet støttet til høyre hånd mens den venstre forsvinner ned i bukselommen. Et meget karakterfullt ansikt med en kraftig bakkenbart og uredde, sterke øyne ser nærmest ned på oss, som om han var malt sett skrått nedenfra. Det lave perspektivet forårsaker at kroppens volum fremheves og tilfører personen kraft og vitalitet. Bakgrunnens gultonede flate kontrasterer de blålige farger i hår, jakke og sofa, og gir på forunderlig vis en forsterket resonnans til den rødlige hudfargen. Selv om fargene er dempete, virker de svært bevisste også inn i detaljene, som f.eks. hvordan det rødlige i leppene gjentas i fargen på halsen.

Gjennom de kommende decennier skal Munch ikke bare eksperimentere med fargen i sine portretter, men også variere dette egenartede perspektivet. Til tross for disse radikale grepene, det lave perspektivet og den studerte fargeholdningen, har portrettet av Thor Lütken karakter av å være en representativ fremstilling i «klassisk» mening, hvilket tyder på at det her dreier seg om et av de få portrettoppdrag Munch mottok i disse årene. Vi vet at Munch beholdt kontakten med overrettssakføreren idet det kom til en kort korrespondanse dem imellom i tilknytning til at Munch ikke overholdt sine forpliktelser med et lån Lütken hadde endossert. Han avslo imidlertid å motta malerier fra kunstneren som en forsikring om at denne skulle overholde sin neste betaling.

I 1892 samlet Munch seg igjen til et monumentalt portrett av søsteren **Inger Munch** (fig. 4). Hun er fremstilt i hel figur og vitner om en vilje til komposisjon ved hjelp av forenklede volumer. Som portrett er det et av Munchs ubetingede hovedverk. Inger står modell i mønstret mørk blå kjole som slutter tett inn til figuren med hendene fattet foran kroppen; en stolt men innadvendt kvinne – absorbert i egne tanker. Hun er stilt mot en helt nøytral bakgrunn, et blålig tonende kvadrat, mens et brunlig rektangel angir gulvet. Lyset som faller inn fra høyre får skikkelsen til å kaste en diskret skygge på veggen, en skygge som balanserer henne der hun står litt asymmetrisk til høyre for midtaksen av lerretet. Munch kopierer hennes skikkelse så å si direkte inn i komposisjonen *Døden i sykeværelset* (1893), et familieportrett som har et erindringsbilde som utgangspunkt, men som transcenderer portrettkunsten og snarere blir til et sinnbilde på en skjellsettende opplevelse. Det er den stående Inger som i dette særpregete familieportrettet formidler dødsscenen i bakgrunnen til oss som betraktere. Søsteren Sofie, som er skjult av stolryggen, er den egentlige hovedpersonen, men det er familiemedlemmenes reaksjon på hennes død som er hovedtemaet i bildet. Vi ser faren Christian Munch intenst oppslukt i bønn mens tanten, Karen Bjølstad, står bøyd over den nettopp døde, unge piken. I bakgrunnen forlater broren Andreas værelset. I en positur som speiler fremstillingen av henne i *Aften* (1888, kat. 19) sitter Laura sammensunket i forgrunnen. Det tomme gulvet mellom de to billedsjiktene og aktørenes ansikter formidler en dødens stillhet.

VENNER OG BEKJENTE I BERLIN

Under Berlin-perioden, som vi gjerne kaller tiden fra skandaleutstillingen i 1892 frem til 1896, skapte Munch også viktige portretter i det grafiske medium, spesielt som litografi, men også i form av etsning og koldnål. Det litografiske portrettet får etterhvert en sentral betydning idet det utvikler seg til å bli en integrert komponent i utformingen av visse malte portrett. Det litografiske portrettet smelter ofte bokstavelig talt inn i det malte portrettet, hvor det erstatter opptegningen.

Det kan virke som om Munchs omgang med tyske personligheter genererer portrett hvor han knytter an til en mer realistisk, tysk portrettradisjon. Dette sees klarest i noen av hans tidlige portrettraderinger som etter alt å dømme ble utført som bestillingsverk. Et slikt eksempel gir koldnålraderingen av kirurgen **Hermann Seidel** (1895, kat. 178), som tragisk nok døde samme år. Seidel fremstår som den typiske tysker med flott og fyldig bakkenbart og briljant tegnede, lysende øyne. Det komplementerende portrettet av hans kone **Emmy Seidel** (kat. 177), har ikke samme pregnans, men gir i sin duse realisme et mykere, mer feminent inntrykk.

Et portrett som har et noe sterkere Munchsk preg samtidig som det trygt holder seg innenfor den tyske tradisjonen med raderte portretter, er koldnålraderingen av **Dr. Max Asch** (kat. 179), som møter oss med et intenst blikk fra sorte øyne. Vennen og legens trekk er dels skissert med fine, antydende streker, dels har Munch i de mørke partiene behandlet overflaten på en nærmest aggressiv måte, slik at resultatet blir et kontrastrikt, spennende portrett, brutalt og forfinet på samme tid. Det må også Julius Meier-Graefe ha ment, for han inkluderte denne raderingen som eneste portrett i mappen med Munchs originalraderinger som han utga på egen bekostning samme år, og som for øvrig gjenga grafiske versjoner av Munchs hovedverk i maleri gjennom flere år. Det går en klar linje fra dette beskjedne koldnålportrettet til Munchs litografiske *Selvportrett med knokkelarm* (kat. 202) fra samme år, hvor ansiktets trekk tegnes med en lett strek i litografisk stift mens omgivelsen står tett og sort, malt med litografisk tusj, slik at det kunstneriske uttrykk snarere er hjemmehørende i Paris enn i Berlin.

Når det gjelder portrettene i henholdsvis olje og koldnål av **Hans Eberhard von Bodenhausen** (fig. 6 og kat. 180), virker de svært konvensjonelle, slik at man ved første blikk heller skulle tro de var utført av en maler som

Fig. 7
Botho Graf Schwerin, 1894
Kulltegning. Wallraf-Richartz-Museum, Köln

Fig. 8
Julius Meier-Graefe, ant. 1895
Nasjonalgalleriet, Oslo

Max Liebermann enn av Munch anno vinteren 1894-1895. Den nøye formuleringen av hodet i oljeportrettet synes å gå tilbake til Munchs tidlige portretter i en overveiende naturalistisk stil utført ti år tidligere. I den lille koldnålraderingen av samme modell sitter han og blar i en bok, noe som synes å forårsake striper av bevegelsesuskarphet av samme art som den vi kan finne i et fotografi. Hodet er tegnet med enkle streker til en taktil rundkuleform. Vi forstår at Munch også her søker tilbake til den Krohgske naturalistiske stil i den hensikt å kunne beherske koldnålteknikken i portrett; det vanskeligste av alt i dette krevende medium.

Hans Eberhard von Bodenhausen var jurist og industrileder, men med sterke interesser for kunstlivet, og var blant annet – sammen med Richard Dehmel, Julius Meier-Graefe og Alfred Lichtwark – en av grunnleggerne av tidsskriftet *Pan*, og kjente også Munch og det meste av hans bekjentskapskrets i Berlin. Han satt modell for Munch på hans atelier i april 1894, og vi må kunne anta at både koldnålraderingen og det malte portrettet ble utført omtrent samtidig. Munch fortsatte å arbeide på «das zu malende Bild» over sommeren, og Bodenhausen betalte godt – 400 mark – men i mindre rater over lang tid. Den konvensjonelle utformingen kan forklares ved at det også denne gang dreide seg om et bestillingsportrett.

Botho Graf Schwerin var et annet medlem av *Pan*-kretsen omkring Meier-Graefe. I 1894 utførte Munch et portrett(utkast) i pastell (kat. 35) og en kulltegning (fig. 7) av denne høyreiste, vakre mannen. Også i dette tilfellet vir-

Fig. 9
Sjalusi, 1895
Rasmus Meyers Samlinger, Bergen

ker portrettene relativt konvensjonelle, hvilket kan bero
på at det også her i utgangspunktet dreide seg om et opp-
drag. Pastellen forble imidlertid i Munchs eie. Igjen benyt-
ter han effekten av det lave perspektivet slik vi så det i
portrettet av Thor Lütken, noe som gir den velproporsjo-
nerte overkroppen en egen dynamikk. Det forfinete, rela-
tivt flatt konsiperte hodet er nøye studert, og stiften er
benyttet på en måte som vi lett kan tenke oss overført til
litografi. Dette er spesielt tydelig i kulltegningen, hvor
Graf Schwerin lener seg noe fremover. Munch bygger opp
hodet ved hjelp av markerte skygger til et taktilt volum,
som vi også i dette tilfelle kunne tenke oss overført til en
grafisk sten eller kanskje utført som etsning.

Også Munchs portrett av **Julius Meier-Graefe** (fig. 8),
som antagelig ble malt i Berlin 1895, har et snev av dette
manieristiske trekk hvor kroppens volum tilfører perso-
nen karakter. Ansiktet under den elegante flosshatten med
den strittende knebelsbarten, det velpleide skjegget og
sigaren i munnviken, viser en konsentrert personlighet.
Den mørke fargeholdningen assosierer tilbake til Manet-
tradisjonen. Men det er i den tekniske utførelsen at por-
trettet indikerer noe nytt; den ukonvensjonelle bruk av
fargene som glir i hverandre og virker påsatte utenfor
kunstnerens egen kontroll. Julius Meier-Graefe var tyde-
ligvis noe ambivalent til Munchs portrettkunst. I alle fall
skriver han senere til Munch fra Paris at dette portrettet
ikke var egnet til å skape sympati for Munch i metropo-
len. I 1912 forærte han portrettet til Nasjonalgalleriet i
Kristiania. I 1904 skriver han om Munch som portrett-
maler i følgende termer:

*Ved siden av metafysikeren finnes det også en portrett-
maler, som vet å karakterisere alle og enhver. Noen tidlige
malerier er malt med en ubeskrivelig snusket materie –
den minner snarere om uklar suppe enn om farge – og har
et innhold som Dostojewskis skikkelser. Brystbildet av*

*Przybyczewski tilhører disse uinfattede perler. Nittitallet
var den beste tiden. Dengang blåste han med et fernise-
ringsrør en hemmelighetsfull væske som skulle forestille
ferniss på det malte lerretet. Det fuktige dannet skitne
bekker.*[15]

Portrettet av **Stanislaw Przybyszewski** (1895, kat. 37)
må være det brystbildet Julius Meier-Graefe refererer til
ovenfor. Przybyszewski er sett rett en face med en sigarett
dinglende i munnviken. Fremstillingen er uvanlig
uttrykksfull. Mange av de formale elementer Munch
hadde arbeidet med i sine seneste mannsportretter synes
her forløste i ekstrem enkelhet. Flekkvis har Munch
benyttet tempera i ansiktsområdet mens bildet for øvrig
er malt med en sparsom fargebruk.

Den polske forfatteren Stanislaw Przybyszewski til-
hørte den overveiende skandinaviske kretsen som sognet
til August Strindbergs stamrestaurant Zum schwarzen
Ferkel. Han sluttet vennskap med Edvard Munch og
skrev i 1893 en dyptgående analyse av Munchs kjærlig-
hetsmotiver, som han først lot trykke i *Freie Bühne* og året
etter redigerte inn i den første boken overhodet om den
norske kunstneren: *Das Werk des Edvard Munchs. Vier
Beiträge* (1894). De øvrige bidragsyterne var Franz Ser-
vaes, Willy Pastor og Julius Meier-Graefe. Przybyszewski
giftet seg med den norske Dagny Juel, som var blitt intro-
dusert til Ferkelkretsen av Munch. Det er en alment
akseptert oppfatning at den sjalu mannens ansikt til ven-

Fig. 10
Helge Bäckström
Thielska Galleriet, Stockholm

Fig. 11
Ragnhild Bäckström, 1894
Nasjonalgalleriet, Oslo

Fig. 12
Musiserende søstre, 1892
Privat eie

stre i forgrunnen i maleriet *Sjalusi* (1895, fig. 9) har klare likhetstrekk til Stanislaw Przybyszewski. Ifølge August Strindbergs brev til Adolf Paul hadde det vært et forhold mellom Edvard Munch og Dagny Juel før og tidvis under hennes ekteskap med Przybyszewski. *Sjalusi* kan derfor betraktes som en kommentar til dette trekantforholdet. I Berlin, i 1898, lar Munch trykke et litografi (kat. 209) med tydelig utgangspunkt i det malte portrettet av Stanislaw Przybyszewski, antagelig i den hensikt å inkludere det i en mappe med grafiske portretter av betydelige forfattere.

Ifølge en muntlig overlevering i familien, ble portrettet av **Helge Bäckström** (fig. 10) malt i Munchs lille hus i Åsgårdstrand sommeren 1893. Samme år giftet han seg med Ragnhild, en søster av Dagny Juel, som han hadde truffet mens hun studerte sang i Paris. Den svenske mineralogen og dosenten sitter etter forlydende på Munchs seng i en lignende foroverbøyd stilling som den vi så i kulltegningen av Graf Schwerin, men med den komposisjonelle forskjellen at hendene balanserer ansiktet. Ved den overdrevne fremstillingen av kroppens volum fornemmer vi ikke bare en fysisk vitalitet, men en indre konsentrasjon i slekt med den vi eksempelvis finner i Munchs uttrykksfulle litografiske portretthoder av **Sigbjørn Obstfelder** (kat. 207 og 208).

FIRE KVINNEPORTRETTER FRA 90-ÅRENE

Et hovedverk blant kvinneportrettene fra Berlin-perioden er portrettet av Dagny Juels yngre søster, **Ragnhild Bäckström** (1894, fig. 11), som studerte sang. Allerede sommeren 1892 hadde Munch malt et dobbeltportrett av de to den gang ugifte søstrene. Her ser vi Ragnhild syngende mens Dagny sitter ryggvendt, akkompagnerende ved pianoet (fig. 12.) Ifølge korrespondansen fra Ragnhild er portrettet malt i Berlin i januar 1894 på initiativ av hennes mann Helge Bäckström:

Kjære Munch! Hvis du altsaa vil komme imorgen saa kan du godt komme tidlig kl. 12 pr.ex. saa kunde du kanskje faa malet lidt – hvis du vil da forstaar du. Men du forstaar jo, Helge har sat sig dette i hodet og faar ikke fred, før det er gjort.[16]

Maleriets format er nærmest identisk med portrettet av Helge Bäckström som ble malt et halvt år tidligere. Hennes pikante trekk er fint gjengitt og de karakteristiske mandelformete, halvt lukkede øynene myser mot oss fra store markerte øyenhulninger. Kjolen legger seg omkring kroppen i bølgende bevegelser og linjer. Dette og de sarte pastelltonene gir et inntrykk av uttalt kvinnelighet i sterk kontrast til den mannlige dynamikk i portrettet av hennes mann. Selv om sitatet ovenfor indikerer at Helge Bäckström nærmest hadde gitt Munch i oppdrag å male sin

Fig. 13
Minchen Dietz (Torkildsen), ca. 1893
Privat eie

kone, synes det uklart om det noen gang kom i deres eie.
Etter Munchs store utstilling i Stockholm høsten 1894
byttet Bäckström et Munch-maleri som han kalte «Eva»
mot første versjon av *Stemmen* (1893). Vi kan spørre oss
om det muligens var portrettet av Ragnhild Bäckström
som var blitt hetende «Eva» på grunn av sitt kanskje noe
utmanende uttrykk, og som på denne måten kom tilbake
til Munch.

I 1895 utstilte Munch portrettet blant annet i Blom-
qvist Kunsthandel og følgende år i Salon de l'Art Nouveau
i Paris. Da bildet hang på veggen hos Blomqvist, mottok
Munch et brev fra Ragnhilds far, distriktslege H. Juell:

Er det nemlig saa, at jeg har opfattet ret serien – «En
Kvinde som elsker» da begriber jeg rent ud sagt ikke,
hvorledes De kunde falde paa at udstille denne offentlig i
Christiania, hvor det naturligvis raabes paa Politi, Luk-
ning, Beslaglæggelse m.m.m. Eller skal der maaske menes
noget ganske andet med disse Kvindebilleder ...

Tilgiv, at jeg, den for Dem aldeles fremmede Mand,
udtaler min Mening om Deres Arbeider, tilgiv endelig
ogsaa at jeg beder Dem i det Venskabs Navn, som jeg ved
existerer mellom Dem og et par af mine Døtre og deres
Mænd at tage vor Datter Ragnhilds Billede bort fra
Udstillingen! Jeg ved, at baade De selv og flere med Dem
opfatter dette Billede ganske anderledes, end jeg gjør det.

For mig var det ligetil pinligt at se min egen Datters
Ansigt gjengivet saaledes ...

En rimelig forklaring på distriktslegens indignasjon
kan være at «disse Kvindebileder», som refererer seg til
serien *En kvinde som elsker* (minst tre utgaver av
Madonna-motivet), har gitt distriktslegen inntrykk av at
det skulle dreie seg om samme modell som i portrettet.
Det kan selvfølgelig også ha vært noe ved fremstillingen
som virkelig berørte distriktslegen ille. Munch fulgte for
øvrig oppfordringen og fjernet portrettet av Ragnhild fra
utstillingen. Det vet vi blant annet fra et notat hvor Munch
memorerer Henrik Ibsens besøk på samme utstilling:

Han spurte efter et Dameportræt jeg havde netop tat
bort fra udstillingen – jeg fortalte ham at hennes udmær-
kede far havde så bedende bedt om at jeg skulde fjærne
det at jeg havde gjort det – antog dette havde interessert
ham –[17]

Da utstillingen gikk videre til Bergen Kunstforening i
desember, var bildet av «Fru B» imidlertid igjen utstilt, og
ble i pressen karakterisert slik:

Eiendommelig er her den Virkning, Munch har op-
naaet ved i Ansigtsskyggerne at lægge den samme brune
Tone, som findes i Haaret. Den røde og grønne Kjole
hæver Karakteren af den blege Teint og de mysende
Øjne.[18]

Trolig omtrent samtidig med portrettet av Ragnhild
Bäckström malte Munch en annen jevnaldrende sanger-
inne i spe, **Minchen Dietz** (ca. 1893, fig. 13), også det
utført i pastell og i et temmelig likeartet format. Minchen
Dietz hadde tyske foreldre, men vokste opp i Norge, og
ble senere gift med overrettssakfører Jacob Torkildsen,
som Munch for øvrig også gjenga i et lite, skissepreget
helfigurportrett. Hun var virksom som konsertsangerinne
og opptrådte blant annet ved Bertha von Suttners Nobel-
pristildeling i 1905. Hennes rødlige hår konstrasteres av
den sorte kjolen og står på en lødig måte mot bakgrunnen
i samme rødbrune tone og valør. Som Ragnhild møter
også Minchen vårt blikk, men mer muntert og direkte.
Munnen er litt åpen i et begynnende smil slik at tennene
vises, noe som bidrar til det frie og impulsive preget.

I 1893 eller 1894 malte Munch et par portrett av den
unge gifte kvinnen **Selma Fontheim** (kat. 33 og fig. 14).
Hun var født Isaac, men var gift med en forretningsmann
i Berlin da Munch malte de to portrettene, ett i olje og ett
i pastell. Pastellen, som i stil og form ligger nær portret-
tene av henholdsvis Ragnhild Bäckström og Minchen
Dietz, ble utstilt i Blomqvist Kunsthandel i 1895, kjøpt til
utlodning i Kristiania Kunstforening og vunnet av gods-
eier Gerhard Hoff-Rosenkrone. Edvard Munch hadde til-
budt Kunstforeningen fire malerier, og de valgte dette til
300 kroner, «ikke uten rivninger i innkjøpsnevnden».[19]
Det var for øvrig eneste gang et Munch-arbeid ble kjøpt
av Kunstforeningen.

Om det andre portrettet som ble utført i olje, fortelles det at det ble kjøpt og betalt av Selma Fontheim. Munch lånte det imidlertid til en større utstilling som han og Aksel Gallén holdt hos Ugo Barroccio på Unter den Linden i Berlin i mars 1895. Etter utstillingen glemte Munch å sende bildet tilbake til eieren, og det ble holdt tilbake av hotellverten i et lite hotell i Mittelstrasse som sikkerhet for ubetalte regninger. I 1930 da Selma Fontheim, nå Selma Harden, ettersøkte bildet hos Munch, kunne han forklare saksforholdet. Selma Harden kunne deretter hente bildet (mot betaling) som hadde blitt hengende i hotellet i en dunkel korridor i alle år.

Begge portrettene viser en borgerlig, litt moderlig kvinne. Dette er særlig fremtredende i det malte portrettet, hvor hun sitter litt tilfeldig i profil mens hun støtter seg på den ene hånden. I pastellportrettet ser vi en vakker kvinne iført aftenantrekk med nyfrisert hår, på mange måter en motpol til portrettet av den pikante Ragnhild Bäckström.

I 1898 malte Munch nok et portrett av en ung kvinne, denne gang av hustruen til en barndomsvenn, Halvard Stub Holmboe, som han for øvrig hadde avbildet i 1887 i et mer genrebetont maleri. **Marie Helene Holmboe** (kat. 40) har tilsynelatende nettopp slengt seg ned i en lenestol hvor hun sitter vridd mot betrakteren mens hun støtter seg med korslagte armer på stolens høyre armlene. Hun har et lett tenksomt uttrykk i ansiktet der hun poserer avslappet elegant. Det er et vakkert portrett med sin treklang av farger, to valører fiolett, brunt og grønt, malt med fortynnet maling. Vi ser også spor av Munchs «renneteknikk», hvordan han lar fargene renne på lerretet. Marie Helene Holmboe hørte med til Aase Nørregaards vennekrets, og ifølge brev fra Aase til Munch ble ekteskapet «vist oppløst» et par år senere. Fru Holmboe tok tydeligvis sitt portrett med seg da hun flyttet fra mannen.

EN GRUPPE BARNEPORTRETT

Våren 1894 malte Munch et friskt og sjarmerende barneportrett av den lille **Nora Mengelberg** (kat. 34), datter til den tyske, meget velstående radikaler og kunstelsker Richard Mengelberg, som Munch foreviget samme år i sitt antagelig aller første grafiske portrett (kat. 176), hvor det kraftige, runde hodet med de tunge øyelokkene viser en dynamisk personlighet som på en ukonvensjonell måte skjuler underansiktet i hånden. Med koldnålen fokuseres partiet rundt øynene; resten av motivet er et fritt spill av parallelt løpende streker. Også i portrettet av lille Nora konsentrerer Munch seg på en portrettlik gjengivelse av pikens runde hode, som var det studert med koldnålens medium for øye. Kroppen og omgivelsene er friere malt. Fra Mengelbergs brev til Munch fremgår det at han hadde

Fig. 14
Selma Fontheim (Harden), 1893-1894
Kunsthalle Hamburg

malt henne under en rekonvalesens. Resultatet ble imidlertid et feiende flott portrett av barnet, tilsynelatende sprudlende av sunnhet med naturlighetens egen selvbevissthet. Nora fremtrer som et selvsikkert lite individ som kontrollerer sine dukker, noe som kanskje kan tolkes som en humørfylt referanse til Ibsens Nora fra symbolisten Munch! Bildet vitner om et fortrolig forhold mellom Munch og den lille piken, noe som også tydelig fremgår av et brev fra moren. Nora hilser til «Onkel Misch-Masch», og Munch kvitterte blant annet ved å tegne sitt portrett i barnets tegnebok med påskriften «Kladoan» (en tyrkisk kjærlighetserklæring). Det barnlige preget som stråler ut av bildet kan altså ha sin bakgrunn i Munchs interesse for barnets egne tegninger. Nora Mengelberg studerte senere musikk og var virksom som sangerinne frem til 1930, da hun som jødinne ga opp sin karriere på grunn av «ungünstige Zeitverhältnisse».

Da bildet ble utstilt på Freie Sezession i Berlin i 1919 ble det med utgangspunkt i portrettet bemerket hvor aktuell Munch var for utviklingen av den samtidige ekspresjonismen:

Et barn med sine dukker. Alt det som ekspresjonismen skulle komme til å beskjeftige seg med, ligger allerede i kim i dette bildet. Det er særdeles lærerikt å se dette maleriet på denne utstillingen hvor nettopp de unge spiller en så dominerende rolle og å se og erkjenne hvor tvingende logisk utviklingens vei har gått. For fra ham til Franz Marcs dyrebilder er det bare et skritt.[20]

Like etter at Munch kom hjem til Kristiania etter å ha malt portrettet av Nora Mengelberg, fikk han i oppdrag å male **Ludvig Meyers barn** (1894, kat. 36). Også her søker han å karakterisere barn på deres egne premisser ved hjelp av et formspråk som speiler den franske syntetismen på en fri og utvungen måte. Munch oppholdt seg åtte dager på familien Meyers sommersted på Høvik for å male barna mens verten selv var på reise. Da han kom hjem igjen, nektet han å betale for portrettet ettersom han slett ikke var fornøyd med det. Munch anla sivil rettssak mot advokat Ludvig Meyer. Fra rettssakens dokumenter og brevvekslingen mellom Munch og hans advokat, Harald Nørregaard, kan vi danne oss et bilde av hendelsesforløpet inn i minste detalj. Munch mente at det var nevnt et honorar på 500 kroner, noe Ludvig Meyer benektet. Meyer hevdet at han:

... allerede strax og mange ganger senere sagde ham [Munch], at han lige godt kunde opgive det hele, da han aabenbaret allerede fra begyndelsen af havde grebet sagen an paa en maade, der for ham i alle fald ikke gav mulighed for nogen heldig udgang. For herr Munch nemlig, som han endnu er som maler i alle fald, må det slaa til strax eller det slaar slet ikke til. Men her gik han igang med at male endnu forinden han havde faaet tid at gjøre sig nogensomhelst opfatning af sine modeller. Så blev han snart kjed af arbeidet og forlod det – aabenbart ikke fordi han mente sig at være færdig, – men fordi han naturligvis paa denne maade ikke interesserede sig for at fortsætte.[21]

Munch imøtegikk Meyers påstander og hevdet at det hadde vært et meget vanskelig og tidkrevende arbeid da barna ikke ville stå stille når han malte dem, men oppførte rene krigsdanser rundt ham og lerretet. Den lille datteren hadde dessuten den manien at hun plutselig og umotivert stupte kråke foran maleren. Munch fikk, fremgår det, rett og slett ikke den for ham så nødvendige menneskelige kontakt med barna, og arbeidet gikk derfor tungt fra hånden.

I gruppeportrettet har den tre år gamle Eli et psykisk og fysisk nærvær som guttene Karl og Rolf, henholdsvis seks og fem år gamle, mangler. Munch må ha fattet sympati for den friske, kråkestupende piken, dessuten kunne han benytte erfaringene fra arbeidet med maleriet av den sjarmerende Nora i Berlin. Guttene virker mer tafatte. At Munch ga den eldste sønnen en slapp holdning og en lekehest som attributt frekt plassert i forgrunnen, irriterte kanskje også Meyer, slik Munchs portrett av ham selv tidligere hadde irritert ham. Meyer fremla også fotografier av barna for retten, for å understreke sin påstand om at også manglende likhet gjorde bildet uakseptabelt som portrett.

Under rettssaken ble en rekke av Kristianias ledende kunstnere ført som vitner. Bortsett fra Hans Heyerdahl, som var negativt innstilt til maleriet og hevdet at det dreide seg om en uferdig, lite vellykket skisse, fremholdt malere som Eilif Petersen, Erik Werenskiold og Gerhard Munthe samt kunsthistorikeren Andreas Aubert at bildet representerte et middels arbeid fra Munchs hånd. Advokat Meyer burde derfor dømmes til å overta bildet til den pris kunstneren hadde fastsatt. I domspremissene ble det presisert at når man bestilte et maleri av en så kontroversiell kunstner som Edvard Munch, så måtte man ta det man fikk, selv om man ikke likte resultatet. Fru Meyer, som hadde vært tilstede under de åtte dagene da maleriet kom til, likte tydeligvis portrettet og beholdt det da ekteparet skilte seg et par år senere.

Gruppeportrettets uttrykk kan forklares av at Munch har hatt et sideblikk til den høyaktuelle, belgiske modernisten Fernand Khnopff. Sammenligner vi portrettet av Ludvig Meyers barn med Fernand Khnopffs maleri fra året i forveien av Monsieur Nèves barn (1893), er det – alle ulikheter til tross – visse paralleller som kan tyde på dette. Maleriets blekrosa, nærmest feminine tone gir assosiasjoner til Khnopffs kunst, selv om Munchs overlegenhet som kolorist ikke lar seg skjule. Fra Khnopffs bilde kan Munch ha hentet ideen om å plassere barna i en trapp, hvilket gir den effekt at betrakteren bringes ned på samme nivå som barna. Men også den tilsynelatende tilfeldige plasseringen av dem innbyrdes og inntrykket av oppstilte marionetter, har neppe andre forutsetninger. I alle fall vet vi at Munch var opptatt av Khnopffs kunst på denne tiden. Mens han arbeidet på gruppeportrettet av Meyers barn, fikk han nemlig Fritz Thaulow til å utforme et introduksjonsbrev til den belgiske kunstneren, datert Kristiania 18. august 1894. Her ble det fremholdt at Munch var «un grand admirateur» av Khnopffs kunst.

Kort etter rettssaken i 1895 mottok Munch nok et oppdrag å male et barneportrett. Det gjaldt de noe eldre barna til den fremstående forretningsmannen og en av tidens betydelige meséner og kunstsamlere i Norge, Axel Heiberg. At Axel Heiberg og Edvard Munch hadde en felles interesse for portrettet som genre, speiles i planene om en grafisk mappe fra Munchs hånd med portretter av norske kunstnere, som Heiberg var villig til å finansiere.

Portrettet av **Oscar og Ingeborg Heiberg** (kat. 38), henholdsvis 13 og 11 år gamle, er utført i en skissemessig, men raffinert pastellteknikk. Munch laget også en liten radering av Ingeborg alene, kanskje som en forstudie til portrettet (kat. 181). I dobbeltportrettet konfronteres vi med Munchs evne til å etablere en psykisk kontakt to mennesker imellom som uttrykker forståelse og samhørighet. Den måten Munch lar den unge piken skjule hendene i kjolens overdel, som var den en muffe, blir et middel til å understreke blikket som det kontaktskapende. Dobbeltportrettet, som gir assosiasjoner til en Werenskioldsk måte å løse en slik oppgave på, betegner en tilpasning til den konvensjonelle smaken i et provinsmiljø på Kristianias solside. Og portrettet falt i smak. Axel Heiberg skriver til Munch, som nå befinner seg i Paris: «Deres smaa Modeller hilser; Billedet vinder ved nærmere Bekjendtskab, en god prøve på at det er godt. –»

1. *Kristiania Intelligenssedler* 9.10.1890.
2. *Bergens Tidende* 5.12.1895, sign. –e.
3. Publisert i *Alfa & Omega*, utstillingskatalog, Oslo, Munch-museet, 1981.
4. Sigurd Frosterus i *Nya Presse*, Helsingfors 1909.
5. *Verdens Gang* 10.10.1895.
6. Milos Marten, *Edvard Munch*, Praha 1905. [Norsk oversettelse i Munch-museet.]
7. *Norske Intelligenssedler* 24.9.1901.
8. *Berliner Tageblatt* 7.3.1930.
9. *Verdens Gang* 29.5.1894.
10. *Kristiania Dagsavis* 25.6.1901.
11. *Aftenposten* 1.10.1895.
12. *Bergens Tidende* 5.12.1895.
13. Sag nr. 889/1894, Statsarkivet i Oslo.
14. Uregistrert notat i Munch-museet.
15. Julius Meier-Graefe, *Entwicklungsgeschichte der Modernen Kunst*, Stuttgart 1904.
16. Brev datert 32 Tuckstrasse 3.1.1894.
17. Uregistrert notat i Munch-museet.
18. *Bergens Tidende* 5.12.1895.
19. Sigurd Willoch, *Kunstforeningen i Oslo 1836-1936*, Oslo 1936.
20. Hans Schulze i *Nationalzeitung* 27.5.1919.
21. Sag nr. 889/1894, Statsarkivet i Oslo.

Kat. 23
L'Absinthe. Une confession, 1890
Jappe Nilssen og Hans Jæger (?)
Privat eie

Kat. 24
Gunnar Heiberg, 1890
Privat eie

Kat. 26
Jappe Nilssen, 1891
Privat eie

Kat. 203
Gunnar Heiberg, 1896
Litografi. Munch-museet

Kat. 156
August Strindberg og Frida Uhl, 1893
Tegning. Munch-museet

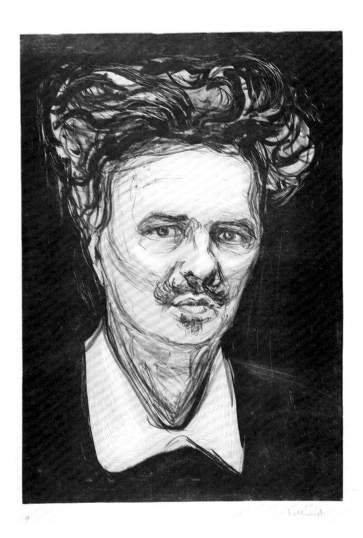

Kat. 204
August Strindberg, 1896
Litografi. Munch-museet

Kat. 210
Holger Drachmann, 1901-1902
Litografi. Munch-museet

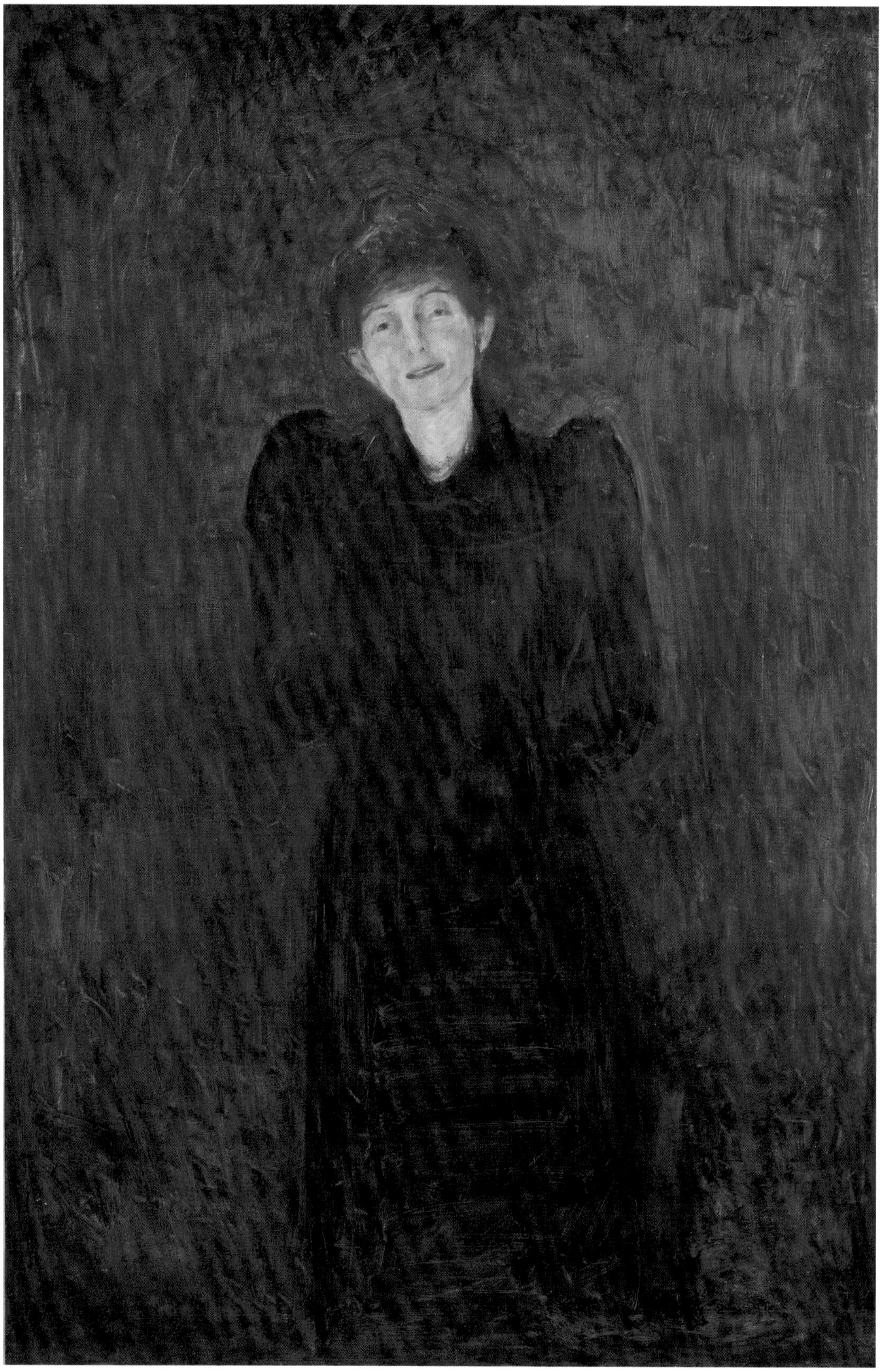

Kat. 32
Dagny Juel (Przybyszewska), 1893
Munch-museet

Kat. 27
Jacob Bratland, 1891-1892
Munch-museet

Kat. 28
Thor Lütken, 1892
Fredrik Einarsson Lütken, Barcelona

Kat. 29
Ludvig Meyer, 1892
Trondhjems Kunstforening

Kat. 180
Hans Eberhard von Bodenhausen, 1895
Radering. Munch-museet

Kat. 178
Dr. Hermann Seidel, 1895
Radering. Munch-museet

Kat. 177
Emmy Seidel, 1895
Radering. Munch-museet

Kat. 179
Dr. Max Asch, 1895
Radering. Munch-museet

Kat. 202
Selvportrett med knokkelarm, 1895
Litografi. Munch-museet

Kat. 37
Stanislaw Przybyszewski, 1895
Munch-museet

Kat. 209
Stanislaw Przybyszewski, 1898
Litografi. Munch-museet

Kat. 40
Marie Helene Holmboe, 1898
Rasmus Meyers Samlinger, Bergen

Kat. 33
Selma Fontheim (Harden), 1893-1894
Baroniet Rosendal, Rosendal

Kat. 35
Botho Graf Schwerin, 1894
Munch-museet

Kat. 34
Nora Mengelberg, 1894
Privat eie, Sveits

Kat. 36
Ludvig Meyers barn, 1894
Eli, Rolf og Karl Meyer.
Kunstmuseum Bern

Kat. 181
Ingeborg Heiberg, 1895
Radering. Munch-museet

Kat. 176
Richard Mengelberg, 1894
Radering. Munch-museet

Kat. 38
Oscar og Ingeborg Heiberg, 1896
Munch-museet

Fig. 1
Blomqvist Kunsthandel, Kristiania 1902
Foto: Edvard Munch

1895 – 1905

INN I DET NYE ÅRHUNDREDE

I Munchs kunst kan dobbeltportrettet sies å utgjøre en egen genre, og rundt århundreskiftet skaper han en egen liten gruppe av denne typen kunstverk. Idet han avporteretterer to personer som i en eller annen forstand er knyttet til hverandre, lar han den psykologiske karakteristikken også omfatte kontakten dem imellom. I bilder som *Tête-à-Tête* (kat. 9), *Une Confession* (kat. 23) og dobbeltportrettet av Oscar og Ingeborg Heiberg (kat. 38), har vi allerede tidligere sett ansatser til denne genren, men det direkte formale og innholdsmessige utgangspunktet synes fra nå av å ligge i det tegnede dobbeltportrettet av August Strindberg og Frida Uhl (kat. 156), hvor Munch tydeligvis gjør forholdet mellom den psykologisk sett selvsikre, kvinnelige journalisten og den nervøst følsomme dikteren Strindberg til tema.

Portrettet av **Paul Herrmann og Paul Contard** (1897, kat. 39) er et typisk eksempel på denne nye genren. Den bayerske grafikeren og maleren Paul Herrmann (i Frankrike kalte han seg Henri Héran) som er sett rett en face, skuer lett skjelende frem for seg. Hans venstre øye ser rett inn i våre øyne mens hans høyre liksom skuer inn i et psykisk rom. Psykiateren Paul Contard står bak ham og ser ufokusert på skrå ut i rommet forbi vennen, ettertenksomt og innadrettet. Paul Herrmanns bleke ansiktshud gir inntrykk av en følsom og sårbar personlighet. Psykiateren derimot er karakterisert som den sterkere, den åpenbart dominerende i forholdet dem imellom, noe som understrekes ytterligere av ansiktets kraftfulle, rene kontraster. I tråd med symbolismens program fremstiller dobbeltportrettet (kanskje med referanse til et kjent, symbolsk fotografi av Verner von Heidenstam og Gustav Fröding fra 1892[1]) primært en forestilling om enhver menneskelig relasjon som en relasjon mellom «skilda själar». Bildet ble imidlertid ikke ervervet av noen av de portretterte. Det ble utstilt samme år som det ble malt på Salon des Indépendants i Paris som *Portrait de M.X et M.C.*

I sin omtale av dobbeltportrettet fremhever Jens Thiis kontrasten mellom «den rødhårete bleke og den assyrersvarte, som på den frappanteste måte viser [Munchs] eminente karakteriseringsevne».[2] I et langt senere brev fra Paul Herrmann til Munch, karakteriserer han vennen Contard som «meinen schwarzen Gegenpart auf dem Dobbelbildniss». Edvard Munch kjente Paul Herrmann allerede fra årene i Berlin i begynnelsen av 1890-tallet, og da han noen år senere kom til Paris som medarbeider i tidsskriftet *Le Rive*, kom han på ny inn i samme vennekrets som Munch. I Paris arbeidet han med grafikk, og han var som Munch ivrig eksperimenterende. Han arbeidet med sandblåst skrapekunst på sink, en teknikk Munch også tok opp i samme periode. Og han kombinerte tresnitt og litografi i grafiske trykk, noe Munch skulle ta opp noen år senere. Paul Contard var psykiater og hadde i en eller annen mening tatt hånd om Paul Herrmann og latt ham bo hos seg på sinnssykehuset La Salpetrière hvor Contard arbeidet.

Fra korrespondansen mellom Munch og Herrmann fremgår det at også psykiatristudenten og forfatteren **Marcel Réja** (1896, kat. 258) var med i samme krets. Munch skapte et særpreget portrett i tresnitt av Réja, hvor årringene i treplaten bokstavelig talt overskygger karakteriseringen av personen. Munch skal også ha malt et portrett av Réja, som så sent som på 1920-tallet hang i hans leilighet, men som vi i dag ikke kjenner.

Under den samme perioden i Paris utførte Munch et fascinerende litografisk portrett av den sentrale dikteren **Stéphane Mallarmé** (1897, kat. 206). Det var neppe noen tilfeldighet at Mallarmé ønsket å få sitt portrett utført av

Fig. 2
Henrik Ibsen på Grand Café, 1898
Privat eie, USA

Edvard Munch, hvis mesterverker i grafikk, som *Selvportrett med knokkelarm* og det litografiske portrettet av August Strindberg med sin symbolske ramme, ga en forestilling om hva Munch kunne yte av magisk-symbolske portrettfremstillinger. Munch besøkte Mallarmé flere ganger under arbeidet med portrettet og utførte sannsynligvis samtidig en radering i mindre format (kat. 184). Både i litografiet og i etsningen sees hodet isolert mot en mørk fond, preget av parallelt løpende, strengt vertikale linjer.

Et notat fra Munchs hånd tyder på at han hadde studert mannen nøye før han – med støtte i et fotografi – fullførte portrettet:

To øienbryn – veldige – derunder de lidt trætte øienlåg – to klare øine i hvis dybde speiler sig himmelens klare lys – det stille vand under en ås – Skjægget og håret er gråsprengt – lidt stridt som skjægget på en gris – Smilet er en bonhommes og lidt tænkende – [3]

Mallarmés datter Geneviève mottok det litografiske portrettet fra Munch da dette var ferdig i mai 1897, og skrev i den anledning til sin far som oppholdt seg på landet:

Det er riktig vakkert, men det ligner disse hodene av Kristus som finnes på den hellige svededuken og under hvilke er skrevet: «Om du betrakter det lenge vil du se hvordan øynene lukker seg».

Vi finner ikke de nærmere omstendighetene omkring oppdraget, men det er trolig at portrettet opprinnelig var tenkt som illustrasjon til Mallarmés samlede verker som kom ut i 1897. Dikterens navn, som er inkludert i litografiet, indikerer en slik bruk av portrettet. Planen falt antagelig fordi Munch som vanlig var sen med å få et bestillingsverk fra hånden. Mallarmé døde imidlertid året etter, og Munchs litografi ble først publisert i en biografi over dikteren i 1938.

Som tidligere nevnt laget Munch også grafiske portretter av flere norske diktere og forfattere som alle oppholdt seg i Paris i denne perioden; Hans Jæger, Gunnar Heiberg, Sigbjørn Obstfelder og Knut Hamsun.

I litografiet av **Gunnar Heiberg** (kat. 203), både med og uten svevende champagneglass, baserer Munch seg på pastellportrettet fra 1890, og i portrettet av **Hans Jæger** (kat. 205), hvor han nærmest trekk for trekk tar utgangspunkt i det skjeve hodet i portrettet fra 1889, skaper han et levende, inntrengende uttrykk hvor atmosfæren rundt hodet blir omdannet til flytende former. Munch trykket kun noen ytterst få prøvetrykk av dette motivet, hvilket indikerer at det primært dreier seg om en utprøving av det grafiske medium – kombinasjonen av litografisk tusj og kritt. Også raderingen av **Knut Hamsun** (kat. 182) ble laget i meget få prøve-eksemplarer. Dette portrettet var resultatet av en bestilling fra tidsskriftet *Pan*, hvor raderingen ble reprodusert som heliografi. Munch utfører portrettet i Kristiania vårvinteren 1896 uten at Hamsun sitter modell. Brev fra Hamsun antyder at Munch ble invitert ut til Hamsun som bodde på Hammers pensjonat, for å utføre portrettet, men unnlot å komme. Munch forsvarer seg overfor Hamsun med å si: «Billedet er blot et Udkast og altså ikke egentlig Portræt.» Munch har derfor enten henholdt seg til tidligere utførte skisser og/eller fotografier av dikteren. Dette irriterte Hamsun, som i brev tilbyr seg å betale Munch 300 mark – samme sum som *Pan* hadde tilbudt – for kobberplaten slik at han kunne destruere den, og han tilføyer: «Du træffer altid en anden Forfatter i Paris, som du kan gøre en Radering til 'Pan'. Jeg er ingen Publikums-Storhed heller. Men iallfald skal du have Tak for godt Venskab.»

De tre inntrengende grafiske portretter av lyrikeren **Sigbjørn Obstfelder** viser oss en ung, følsom mann med store øyne. En liten radering i trekvart profil (kat. 183) blir bearbeidet som motiv til et litografi (kat. 207), og ved hjelp av kombinasjonen av litografisk tusj og stift samt rispinger med nål i overflaten – grafiske virkemidler han hadde lært seg å beherske i Berlin – skaper Munch et portrett av dikteren som skuer inn i sin egen verden der råstoffet til hans dikt er å finne (kat. 208).

I Paris laget Munch også en programplakat til oppførelsen på Théâtre de l'Oeuvre av *John Gabriel Borkman*, hvor han benyttet Ibsens portrett som det sentrale motivet. Men det var trolig først i Kristiania det påfølgende året at han malte det kjente portrettet av *Henrik Ibsen på Grand Café* (1898, fig. 2). I samme omgang tegnet han dette motivet, som han imidlertid først i 1902 lot trykke som litografi (kat. 211).

Munch hadde møtt den store dikteren sporadisk, innledningsvis ved at han skulle overbringe en hilsen fra den tyske Ibsen-oversetteren dr. Julius Elias. Han hadde også regelmessig sett ham sitte på Grand Café. Ifølge Jens Thiis slo de ofte av en passiar med hverandre når de møttes på Karl Johan. Både Jens Thiis og Sigurd Høst betoner at de traff hverandre ofte på denne tilfeldige måten. Høst går så langt at han skriver at «de to traff hinanden rett hyppig og hadde mange slags tilfeldige samtaler. Slik gikk det til at Munch kom Ibsen menneskelig nærmere enn kanskje nogen av de eldre malere, de mesteren som modell kom i et visst offisielt forhold til».[4]

Det viktigste møtet dem imellom var, ifølge Munch, da han viste Ibsen om på sin utstilling hos Blomqvist i 1895. Munch så et slektskap mellom figurene i sin egen kunst og Ibsens scenefigurer, og han hevdet at hans kvinneskikkelser i *Sfinx. Kvinnen i tre stadier* (1894), som Ibsen hadde interessert seg spesielt for på utstillingen, hadde inspirert dikteren til hans fremstilling av de tre sentrale kvinneskikkelsene i *Når vi døde vågner* (1899).

Da Munch i 1892 organiserte sin første separatutstilling i Berlin, ble det nevnt i forhåndsomtalen at hans bilder representerte «Ibsenske stemningsbilder», og da Munch ble introdusert i Paris i 1896 var det i kjølvannet av den økende Ibsen-interessen her. Munchs mange henvisninger til Ibsen, både i sine notater og brev og ikke minst i sin kunst, viser at han utvilsomt kjente et slektskap med dikteren. I samtaler med Ludvig Ravensberg uttrykte han at de to hadde «sympati for hinanden». Munch betonet tvisynet hos Ibsen, et tvisyn han nok mente også å kjenne hos seg selv. Ifølge Ravensbergs dagbok anså Munch at Ibsen «som nogle nervøse, grublende menne-

ker har kunnet spalte sit vesen i to, holde forhør over seg selv». Og Munch fortsetter:

Dog endte det lidt trist mellem oss. Jeg havde dengang desværre allerede kampe med pigen. Jeg boede i Universitetsgaden (Hauge var reist) på mit lille kammer, saa følte jeg meg pludselig syg paa Karl Johan, klem for brystet, vaklende febersyg gik jeg ind paa «Grand Hotel» og bestilte meg værelse, thi jeg vilde ikke være paa mit værelse naar jeg var daarlig.

Saa boede jeg der, gik ned i læseværelset om aftenen, var sammen med Petersen og Waitz forat aftale noget med gravurer saa drak vi noget og skulde gaa. Da ser jeg oppvarteren staa og ligsom ikke vilde gaa, han skal have sin penge. Jeg siger at jeg bor her paa Grand og beder han sætte paa regning slik som er brugelig overalt paa hotellets læseværelser. Oppvarteren bliver grov. Jeg gaar bort til Ibsen og beklager meg, havde ogsaa drukket endel forat tæmme bronchiten.

De burde gjøre som meg, jeg betaler altid, se her, saa tog han ærgelig op et pengestykke.

Vel, Ibsen sagde jeg, vi sees ikke mer.

Og det gik virkelig i opfyllelse, han blev syg, og jeg blev syg, og jeg traf ham aldrig mere. Han følte seg kanskje ligsaa sky og ensom som meg og brød seg kanskje ikke om at tale med en fuld mand og han vilde gjerne være kvit meg.[5]

Det er fristende å tro at Munchs portrett av Ibsen fra 1898 (som Ibsen for øvrig ikke satt modell for) speiler denne hendelsen, som trolig fant sted enten høsten 1898 eller vårvinteren 1899. Munch hadde da truffet Tulla Larsen, «pigen», og han hadde kontakt med Petersen og Waitz som trykket for ham første gang i 1899. Mens programplakaten for *John Gabriel Borkman* fra 1897 fremstiller Ibsens hode med et lysende fyrtårn som symbol i bakgrunnen, er det Rosenkrantzgate en ufyselig regnværsdag som danner bakgrunnen i *Henrik Ibsen på Grand Café*, det dårlige været er spesielt tydelig i litografiet fra 1902 (kat. 211). Og ettersom det ovenstående sitat er det eneste dokumenterte tilfellet da Munch talte med Ibsen ved hans bord på Grand Café, må vi, når vi tar i betraktning hvordan Munch i sin kunst som regel forankrer motivene i en konkret opplevelse, ha lov til å tro at det var dette hans siste møte med dikteren som inspirerte til denne konsepsjonen av portrettet. Da Munch senere malte en ny versjon av *Henrik Ibsen på Grand Café* (kat. 72), ser vi en gammel mann som sitter med avisen oppslått i hånden med røken sivende rundt seg, slik Munch trolig mintes ham fra de mange ganger han hadde sett ham sitte på Grands leseværelse.

Det var omtrent på denne tiden, sannsynligvis i løpet av de første ukene av januar 1899, at Munch malte portrettet av **Tulla Larsen** (kat. 42). I portrettet, som trolig er ufullført, står hun i hel figur med et smil om leppene og

Fig. 3
Tulla Larsen, ca. 1898

Fig. 4
Livets dans, 1898-1899
Nasjonalgalleriet, Oslo

med den ene armen hengende ned og den andre satt mot hoften. Hun er kledd i en blå, lang kjole. Bakgrunnen består av tre rektangulære fargefelt; et brunfiolett gulvfelt, et brunrødt veggfelt som tar opp fargene fra håret, øynene og ansiktshuden og et grønntonende felt som trolig markerer en døråpning. Portrettet forteller om en ganske vakker, kanskje noe overfladisk overklassepike.

Tulla Larsen var 30 år gammel da hun traff Munch (fig. 3). Hun var datter av en rik vinhandler, P.A. Larsen, hadde egen formue og levde et fritt og uavhengig liv. Etter en del viderverdigheter innledes et intenst forhold mellom Munch og Tulla Larsen. Forholdet tar på kreftene og Munch blir syk, og ikke uten en viss selvmedlidenhet beskriver han litt bittert hvordan hun blant annet kommer inn «Smilende strålende med flagrende Haar –» og bestiller champagne mens han ligger syk i sengen.

Munch har nedtegnet flere versjoner om hvordan det kom seg at han malte henne. En versjon begynner med at Gunnar Heiberg presenterer dem for hverandre:
– *Må jeg forestille maleren M – frk. L*
Det var den rødhårede fra restauranten i forgårs
– *De er malerisk med det røde håret sa M – mest forat si no – og han gjorde det som vane*
– *Ja vil De male mig*
– *Kom på atelieret sa han så maler jeg en skitse*
– *Nu imorgen kl. 12*
– *Afgjort*
Hun kom – hun havde en enkel sort kjole – jeg malte hende ganske enkelt stående – Hun kom osså neste dag – Han blev da færdi – eller han havde tapt lysten og blitt ked af hende ...

Billedet blev ganske vakkert – lidt kjedeligt malet
– *Ja nu er vi færdi sa han og fulgte hende til Trappen –*
Jeg skal si fra hvis jeg skal male mere
– *Jeg holdt nesten på at be om et kys sa han forat si noe*
– *Ja hvorfor gjorde De ikke det sa hun og gik*[6]

Portrettet synes ikke å være mer inspirert enn hva Munchs egen historie indikerer. Heller ikke en detaljstudie av hodet (kat. 41), som må ha blitt utført samtidig, har noen spesifikk utstråling. Den lille raderingen av Tullas hode (kat. 185) har mange likhetstrekk med maleriene, blant annet øynenes utforming og lysinnfallet. Det er derfor sannsynlig at Munch har radert det parallelt med maleriene. I trykkingen fremstår motivet speilvendt og Tullas uttrykk er blitt mer tankefullt.

I et annet notat heter det:
Høi – magert Ansigt – og stikkende Øine – omgivet af et hår som en Glorie – Et besynderligt Smil – gjennem de stivt trukne Læber – Noget af en Madonna hoved
– *En uforklarlig Angestfølelse kom over mig –*
En Gysen
Så gik hun – og jeg begyndte på Livets Dans[7]

Det var først da Munch spaltet Tulla opp i tre skikkelser i *Livets dans* (fig. 4) at hun virkelig fikk liv. Hennes skikkelse og portrettlikhet går helt tydelig igjen i to av de tre sentrale kvinneskikkelsene; den lyse som trer inn på scenen til venstre og den stive sortkledde til høyre. Det er blitt påpekt at kvinnen som danser med Munchs alter ego i sentrum har sterke likhetstrekk med «fru Heiberg»,[8] Munchs første store kjærlighet som fant sted i 1885, 15 år tidligere. Det er et uomtvistelig faktum at Munch dveler ved minnet av denne kvinnen i en rekke av kjærlighets-motivene i *Livsfrisen*, selv om nye modeller og stadig nye kvinner farget hans grunnleggende pessimistiske syn på kjærligheten. Jeg ser derfor ikke bort fra at Munch også har opplevd hennes tilstedeværelse i denne skikkelsen hvor ansiktet er fremstilt med diffuse trekk, som sett på nært hold – et «Medusahode» som med sitt hår fanger og forderver mannen. Imidlertid er der ingen motsetning i dette og at *Livets dans* likevel primært er å oppfatte som et idéportrett av Tulla Larsen. Munch skriver:

Hun havde et Ansigt med to stærke Udtryk

– Ansigtet lyste af et stærk[t] Smil – der ligesom var fuldstændig udenfor alt – blot Glæde – og så et Ansigt af Forgræmmelse –

– Dette smilende Ansigt kunde ærgre mig – jeg som viste hvad jeg led og viste hvad jeg skulde lide – Det annet ansigt – tog et Greb om mit Hjerte så det snøret sig sammen af Medlidenhed –

Det tredie Ansigt havde jeg da set to Gange – Medusahodet – [9]

Det er midt under deres intense forhold – et forhold som Munch omtaler som «Edderkoppens net» – at han maler *Livets dans* og i et brevutkast fra Kornhaug Sanatorium omkring 1900, altså ett år etter at forholdet ble innledet, skriver han til Tulla idet han refererer til et utkast han har vist henne av *Kvinnen i tre stadier*:

Jeg har seet mange kvinder som har tusinder af vexlende udtryk – som en krystal

Men ingen har jeg truffet som så udpreget blot har tre – men stærke. ...

Du har et udtryk av den dybeste sorg – noget af det mest udtryksfulde jeg har seet – som de gamle prærafaliters grædende madonnaer – så når du er glad – jeg har aldri seet et sådant udtryk af strålende Glæde som om pludselig sol gødes over dit ansigt –

Så har du det tredie ansigt og det er det som gjør mig bange – det er skjæbneansigtet, sfinxen – Der finder jeg alle kvindernes farlige egenskaper –

Munch kalte opprinnelig sitt motiv *Kvinnen i tre stadier* for *Sfinx*, og som i *Livets dans* finner vi i sentrum den sanselige kvinnen med «skjæbneansigtet», til høyre kvinnen med «et udtryk av den dybeste sorg» og til venstre den unge kvinnen med «pludselig sol» over ansiktet. Det er altså all grunn til å anta at Munch i *Livets dans* har skapt et idéportrett av den Tulla Larsen som skulle bli et trauma for ham i år fremover.

Tulla Larsen hadde samme omgangskrets som Munch både i Kristiania, Berlin og Paris. Hun var også venn med Munchs tidligere venninne Aase Nørregaard, som Munch i 1899 igjen maler, både alene og i et dobbeltportrett sammen med hennes mann Harald Nørregaard. I portrettet av **Aase Nørregaard** (1899, fig. 5) står hun i en lignende positur som Tulla Larsen, med den ene hånden i hoften,

den andre hengende rett ned. Hun er avbildet i aftenkjole med puffermer med en lett sløret utringing og halsbånd. Bildet utstråler imidlertid et langt sterkere nærvær enn portrettet av Tulla; en sikker kvinne, vennlig, vakkert smilende med blå øyne. Munch var utvilsomt fremdeles fengslet «av hennes sterke og fribårne personlighet», som Jens Thiis skriver. Hun er portrettert mot en blåtonende bakgrunn i slekt med den Munch benyttet til portrettet av Dagny Juel, men med den forskjell at Aase Nørregaard liksom kaster et lys over bakgrunnen som sin «skygge». I dobbeltportrettet av **Aase og Harald Nørregaard** (1899, fig. 6) står hun en face mens han i profil står vendt mot henne. Hun er hverdagskledd, ganske streng og alvorlig i uttrykket, mens Harald Nørregaard ser mot henne med et mildt, sympatisk blikk. Begge er omgitt av de for Munch så karakteristiske, auralignende utstrålinger.

Dobbeltportrettet er Munchs første portrett av et ektepar. Allerede noen måneder etter at hun var gift i 1889, hadde Munch skrevet til Aase Nørregaard fra Paris og spurt om hvordan det var å være gift, og hun hadde svart:

De Munch, de er en rar mand de, som vil at jeg skal gi dem en nøiaktig beskrivelse af, hvorledes det er aa være gift. Om ægteskabet skjønner de, er det fælt lidt aa si, enten har man det fælt vondt eller fælt godt, aa gudskelov har jeg hidentil bare havt det fælt godt. Men jeg har jo heller ikke vært gift mere end 2 maaneder.

EN SERIE KVINNEPORTRETT

Et par år senere, sommeren 1902, inviterte Munch Aase Nørregaard ned til Åsgårdstrand for nok en gang å male hennes portrett. Denne gang ser vi **Aase Nørregaard** (kat. 46) i full legemsstørrelse i lys blå sommerkjole, stilt mot en sommergrønn vegetasjon. Som i portrettet fra 1899, holder hun den ene hånden i hoftehøyde mens den andre henger rett ned, men med den lille variasjonen at hånden nå fatter om kjolen.

Dette portrettet overfører Munch på en fri og utvungen måte i et nytt motiv i monumentalformat, *Landgangsbroen. Damene på broen* (1902, kat. 47). Til høyre for Aase Nørregaards sentrale skikkelse ser vi en gruppe med kvinner i lyse, fargerike sommerkjoler og moteriktige, flate sommerhatter. Det var slik de unge fruene som ferierte i Åsgårdstrand, stod og ventet på sine menn som kom med båten fra Kristiania hver lørdag aften. Aase Nørregaard kommer mot oss feiende flott med en naturlig selvsikkerhet, som var hun en apoteose over kvinnens inntog i det nye århundrede. Stedet motivet er hentet fra er det samme som *Pikene på broen*, nemlig landgangsbroen som førte ut til dampskipsbryggen i Åsgårdstrand. I bakgrunnen ser vi den berømte gruppen med lindetrær foran Kiøsterudgården, og lengst til høyre Grand Hotell.

Fig. 5
Aase Nørregaard, 1899
Nasjonalgalleriet, Oslo

Fig. 6
Aase og Harald Nørregaard, 1899
Nasjonalgalleriet, Oslo

Munch utstilte *Landgangsbroen. Damene på broen* første gang i Blomqvist Kunsthandel høsten 1902, hvor han tydeliggjorde utgangspunktet i portrettet av Aase Nørregaard ved å henge de to bildene slik at de ble sett samtidig, et arrangement som Munch foreviget i et av sine eksperimentelle fotografier (fig. 1). Følgende år, sommeren 1903, skaper han en ny variant av motivet, også nå med Aase Nørregaard som den sentrale kvinnen i en skulptural kjegleformet gruppe med kvinner (fig. 7). Denne skulpturale kjegleformen mente Munch senere markerte en ny stil i hans kunst; en form for prekubisme, et resultat av ønsket om å bryte linjen og flaten som bærende formale elementer i organiseringen av kunstverket.

Da Munch vinteren 1902 forberedte sin store utstilling på Berliner-secessionen, der *Livsfrisen* skulle vises som en sammenhengende frise for første gang, fikk han god hjelp med monteringen av maleren Walter Leistikow. Leistikow, som allerede i 1892, under pseudonymet Walter Selber, hadde tatt Munch i forsvar i Berlin i forbindelse med den såkalte skandaleutstillingen, var nå en av de administrative kreftene på Berliner-secessionen, og trolig den som Munch først og fremst hadde å takke for den fyldige presentasjonen han fikk her. Dobbeltportrettet av **Anna og Walter Leistikow** (1902, kat. 213) har som sitt direkte utgangspunkt tegningen av August Strindberg og Frida Uhl hvor kvinnen (kat. 213) blir fremstilt som den sterkere og mannen den underlegne. I bakgrunnen ser vi en liten skisse av Leistikows datter, tegnet med en barnlig strek. Portrettet av Walter Leistikow går tydeligvis tilbake på et fotografi Munch tok av ham i hans atelier, hvor Leistikow sitter i samme trekvartprofil og hvor lys-skygge virkningene nærmest er identiske.

Omtrent samtidig inviterte Munch den 24 år gamle, vakre, norske sangerinnen **Marta Sandal** (1902, kat. 48 og 214), til å stå portrettmodell for seg på atelieret i Lützowstrasse. Hun svarer ham 21. februar 1902:

Ja jeg vil gjerne komme, og da Karl Wieck fortalte mig, at De altid har Model efter kl. 11 er det bedst jeg kommer før den tid, altså omkring 1/2 10. I fald De ikke sender mig nogen anden Beskjed, kommer jeg Mandag paa den tid. Jeg er rigtignok overmaade søvnig og styg saa tidlig om Morgenen, men det faar jo bli Deres Sag.

Fig. 7
Damene på broen, 1903
Thielska Galleriet, Stockholm

Marta Sandal var barnestjernen som hadde opptrådt som solist allerede 12 år gammel. I motsetning til de fleste av Munchs portrettmodeller kom hun fra relativt enkle kår, og hadde som Edvard Munch sin oppvekst på Grünerløkka i Kristiania. Av sine mer snobbete norske kolleger ble hun kalt for «Grünerløkkapiken». Hun skulle bli spesielt kjent for sin tolkning av Arne Garborgs diktsyklus *Haugtussa* tonesatt av Edvard Grieg. Etter utdannelse i Berlin i årene 1892-1895 og deretter et år i Paris, var hun nå i Berlin i tilknytning til sin første konsert i utlandet. Hun sto som Munch foran et internasjonalt gjennombrudd.

I pastellportrettet står den usedvanlig ranke kvinnen med det blåsvarte håret i hvit kjole i samme positur som vi nå kjenner fra portrettene av Tulla Larsen og Aase Nørregaard, med den ene hånden på hoften og den andre hengende rett ned.[10] Maleriet er ganske løselig skissert og uttrykket hviler i fargen som stort sett er bygget opp omkring en enkel fargeklang; den grønne bakgrunnen og den gulbrune hudfargen. Det litografiske portrettet av henne (kat. 214) i trekvart størrelse er helt frigjort fra pastellportrettet. Her står hun og lener seg tilbake mot et skatoll med den ene armen lagt bak ryggen slik at kroppen skyves noe frem; det er en vakker, ung kvinne med et tillitsfullt uttrykk, tilsynelatende trygg på fremtiden som møter oss.

Det var sannsynligvis høsten 1902 etter suksessen på Berliner-secessionen, under forberedelsene til en forfølgelse av fremgangen på norsk jord med en utstilling hos Blomqvist, og etter den definitive avslutningen på forholdet til Tulla Larsen, at Munch mottok følgende brev fra Jappe Nilssen:

Her i Paris bor der to damer, pianistinnen Bella Edwards og fiolinistinnen Eva Mucicci (sic), Eva M. er ulykkelig. Bella Edwards har helt magt over henne. De lever i forhold til hverandre. Nu har jeg et forslag og en bønn til dig. De kommer opp til Norge for å holde konserter. Kunne ikke Du ta dig av Eva, kurtisere henne litt, så kanskje hennes følelser kunne bli naturlige.[11]

Den engelske fiolinistinnen Eva Mudocci var en usedvanlig vakker og eksotisk kvinne, som fascinerte sitt publikum med temperamentsfulle tolkninger blant annet av Christian Sindings og Edvard Griegs verker. Hun turnerte årlig i Norge, alltid sammen med den eldre pianistinnen Bella Edwards som akkompagnatør (fig. 8).

Munch traff imidlertid Eva Mudocci først et halvt år senere i Paris, hvor han skaper et besnærende dobbeltportrett av de to kvinnene. Det oppstod samtidig et nært forhold mellom Munch og Eva som ikke synes å få sin definitive oppløsning før ved Munchs nervesammenbrudd i 1908. Ifølge den omfattende brevvekslingen dem imellom fremgår det at Bella Edwards mislikte den nære kontakten mellom de to. I lys av dette kan dobbeltportrettet av

Fig. 8
Eva Mudocci og Bella Edwards, 1903

Eva Mudocci og Bella Edwards, kjent under tittelen *Fiolinkonserten* (1903, kat. 215), tolkes som om det både handler om det musiserende paret og om Evas løsrivelse fra Bella. Bella Edwards sitter med ryggen til Eva mens fingrene tilsynelatende glir over tangentene etter at den siste tonen har falt fra Evas fiolin. I sin sorte kjole knyttes Bella Edwards til flygelet, som har fått samme sorte tusjtone. Eva står frigjort på podiet i hvit, lang kjole. Hun har nettopp latt buen synke og holder sin fiolin opp for publikum til applaus. Dobbeltportrettet har en særegen musikalitet i sin kontrastfylte, rytmiske oppbygging.

Samme året skaper Munch et symbolsk, delvis karikert dobbeltportrett av seg selv og Eva, som har fått tittelen *Salome*. Ifølge brevvekslingen ble Eva rasende over dette dobbeltportrettet hvor Munchs meget betenkte ansikt domineres av Evas seierstolte smil. Det neste portrettet av Eva Mudocci ble imidlertid et av Munchs vakreste grafiske blad, et litografi som både er blitt kalt *Madonna* og *Damen med brosjen* (kat. 216) (brosjen fikk hun av en tidligere beundrer, Jens Thiis, ved et besøk i Trondheim i 1901). Hun har her nærmest fått et eterisk drømmende utseende som ifølge Thiis bringer tankene til det «prerafaelitiske sjelfulle uttrykk og sinn som nittiårenes idealisme dyrket». Munch skal ha latt den tunge litografiske stenen bringe opp til hennes værelse i Hôtel Sans Soucis med hilsenen: «Her er den sten som har faldt fra mit Hjerte.» Munch påbegynte også et malt portrett av henne, men det ble aldri fullført.

Sommeren 1903, da Munch igjen var tilbake i Åsgårdstrand, møtte han en ung kvinne, **Ingse (Ingeborg) Vibe** (kat. 49), som resulterte i et meget avvæpnende portrett av den da 20 år gamle skuespillerinnen in spe. Hun debuterte på Nationaltheatret tre år senere. Uvisst av hvilken grunn skal Munch ha kalt henne for Ingstad, noe som ifølge familien skal ha medvirket til at hun tok kunstnernavnet Ingse.

I portrettet står Ingse Vibe og lener seg over et stakittgjerde, antagelig det som gikk rundt Munchs hus i Åsgårdstrand. Hun har et fornøyelig uttrykk som forteller om en frisk og levende, ung kvinne. Munch oppnår et rytmisk uttrykk i samspillet mellom gjerdesprossenes rette linjer og den myke skikkelsen med hodet på skakke under en overdådig hatt mot en bakgrunn av duvende trær. Ansiktet har Munch også utført i en sinketsning i så vare linjer at det nærmest mister noe av sin virkning som portrett (kat. 194). Denne etsningen ble trolig benyttet som en forstudie til det malte portrettet da hodet i maleriet har nøyaktig samme størrelse som i raderingen. Vi ser henne også i et av Munchs egne fotografier i en lignende hatt, sitte på bakken og brodere en duk eller et teppe i et friskt og egenartet abstrakt mønster.

Det var muntre somrer i Åsgårdstrand disse årene, og Munch hadde trolig megen moro sammen med den unge, friske piken som han vel var litt far for og litt venn med. Sommeren 1905 motstod hun ikke fristelsen i et selskap da Munch kikket inn i et værelse gjennom nøkkelhullet, til å dytte ham inn gjennom døren, men det vakte hennes mange unge beileres sterke indignasjon da Munch prompte la henne på fanget og ga henne ris. Likeså da en noe beruset Munch under en båttur med et selskap ville tiltvinge seg en omfavnelse, ble hennes yngre venner opprørte. Ifølge Munchs notater ble han nå gjenstand for kraftige baktalelser i Åsgårdstrand, noe som bidro til at han nærmest hals over hode reiste til kontinentet, hvor han oppholdt seg frem til nervesammenbruddet i 1908. Det finnes for øvrig et postkort som sannsynligvis speiler dramaet sommeren 1905. Det er sendt til Edvard Munch poste restante Weimar, og har bare en setning:

Leidenschaft ist eine Eigenschaft die mit Leiden zu schaffen hat!

Hilsen Ingse

Munch hadde senere løpende kontakt med Ingse Vibe, og besøkte henne ofte i hennes hjem i Kristiania. Hun giftet seg med grosserer Heini Müller, men ble tidlig enke. Munch benytter i flere omganger hennes portrett i sine illustrasjoner til Ibsens verker. Som skuespillerinne på Nationaltheatret tolket Ingse Vibe flere av Ibsens skikkelser, eksempelvis Anitra i *Peer Gynt* i 1909. Munch tar trolig utgangspunkt i fotografier av henne som Anitra for sine skisser av samme rollefigur (fig. 9 og 10). I sine tegninger til *Når vi døde vågner* går han tilbake til portrettet fra 1903 og inkorporerer henne som Maja i ulike scener

fra skuespillet (kat. 157). I dette ligger det kanskje en interpretasjon fra Munchs side i Ibsenske termer om en eldre manns forhold til en ung kvinne.

NYE MANNSPORTRETTER

I *Moss Avis* 11.8.1901 leser vi følgende notis: «Maleren Edv. Munch opholder sig nu om Dagene paa Kubberød og er ifærd med at male et Billede af Konsul Sandberg.» **Christen Sandberg** (kat. 43) var opprinnelig sjøoffiser, ble senere forretningsmann, som under pseudonymet Birger Widt også skrev en rekke bøker med motiv fra sjølivet. Han var nærmest en institusjon i Moss, kjent som et festmenneske, en sprudlende personlighet med et uoppslitelig humør og et varmt hjerte. Vilhelm Krag karakteriserte ham i en minneartikkel som «en Borroskikkelse, som mere syntes at tilhøre Velazquez tid enn snusfornuftens og spidsborgeriets i begynnelsen av 1900-tallet».[12] For å fange hans omfangsrike fysiognomi og personlighet har Munch slått opp et virkelig stort lerret, og går nå for første gang siden 1880-tallet tilbake til det monumentale helfigurportrettet. Den lette, transparente koloritten i oker og sepiagult og måten personen fyller lerretet mot den lyse bakgrunnen, kan gi assosiasjoner til en gruppe av Velazquez' helfigurportretter. Munchs radikale grep – de iøyenfallende partiene av umalt lerret som utgjør bakgrunnen – har imidlertid ikke noen historisk forutsetning.

Munch synes å ha gått igang uten opptegning av skikkelsen, iallfall havnet Sandbergs venstre fot utenfor lerretet. Trolig ble bildet utstilt slik på Munchs utstilling i Hollændergården i slutten av august 1901. Senere løste han problemet ved å rulle opp lerretet slik at bildet ble avkortet ved knærne. I 1903 utstiller han portrettet som «omarbeidet» hos Blomqvist Kunsthandel. Vi må anta at det primært var opprullingen som markerte omarbeidelsen. Munch utstilte portrettet hyppig i det følgende decenniet, og bildet var med i alle de utstillinger hvor Munch ville markere seg som portrettkunstner. I sin omtale av Munchs utstilling i Praha 1905, skriver William Ritter:

Og her, rett på det hvite, dårlig avkuttede og dårlig strukne lerretet, en viss tykkmavet konsul, en herr Sandberg, med hendene i lommen og med anlegg for stor fedme. Han er godt ernært, sikker på seg selv, og kledd i en grå sommerdress med et bredt, sort belte over den hvite skjorten. Til høyre for ham er det et gult tapet. Dette kunne for en gangs skyld ha vært utsøkt hva fargene angår, og det kunne ha blitt en god side i Simplicissimus ... Men hvem finner glede i disse monumentale proporsjonene? Jeg tviler på om herr Sandberg gjør det.[13]

Det er først da Munch får tilstrekkelig plass omkring seg på eiendommen Skrubben i Kragerø i 1909 at han ruller ut lerretet igjen, skjøter det og «fullfører» helfigurpor-

Fig. 10
Ingse Vibe som Anitra i *Peer Gynt*, 1909
Foto: Rude og Hilfling, Kristiania

Fig. 9
Anitra danser, 1909?
Munch-museet

trettet ved å male til den venstre foten slik at de monumentale proporsjonene kommer fullt ut til sin rett. Vi er imidlertid aldri i tvil om hva som er gammelt og hva som er nytt i bildet; den venstre foten får en helt annen fargetone og teknikk enn resten av maleriet. Det er også nå han markerer døren i bakgrunnen ved å male dørfyllingen og håndtaket.

En lignende fargeholdning og en beslektet bruk av det umalte lerretet karakteriserer også et noe gåtefullt portrett av hans venn, overlege **Wilhelm le Fèvre Grimsgaard** (fig. 11), som Munch ifølge familien malte omkring 1900 i Åsgårdstrand, hvor Grimsgaard praktiserte som lege i årene 1895-1905; etter 1925 ble han overlege og direktør for Lierasylet. Munch var i Åsgårdstrand-perioden ofte invitert til søndagsmiddag i familien. I portrettet griper Munch tilbake til en komposisjonsform som vi kjenner fra blant annet motivet *Sjalusi*. Grimsgaards hode er trukket helt frem i venstre billedkant mens silhuetten av en kvinne nærmest svever i bakgrunnen til høyre. Hun representerer hans unge, vakre kone Aagot, født Holst, som Munch for øvrig skal ha vært svært betatt av. Komposisjonen med det forunderlig drømmende preget gjør henne mer til hans sinnbilde enn til et fysisk individ. Som Przybyszewski skal le Fèvre Grimsgaard ha vært opptatt av okkulte fenomener. Munch har for øvrig i bildet brukt en spruteteknikk som vi kjenner fra portrettet av Julius Meier-Graefe, bare langt mer delikat og raffinert utført. Bildet forble i familiens eie gjennom en årrekke.

Albert Kollmann, mystikeren og kunstsamleren, fikk kontakt med Munch ved årsskiftet 1901-1902 i Berlin, og ble snart en viktig talsmann for kunstneren i Tyskland i en årrekke fremover. Kollmann hadde tidligere dyrket Max Liebermanns kunst, og hadde i en lengre periode vært entusiastisk talsmann for den spiritistiske maleren Gabriel Max, men kastet nå hele sin energi på sitt nyeste funn, Edvard Munch, og utnevnte seg selv til ambassadør for hans kunst i Tyskland. Han formidlet blant annet kontakten med øyenlegen og kunstsamleren Max Linde i Lübeck og var kontaktledd for flere bestillinger av kunstverk i de kommende årene. Munch omtalte ham som en Mefistofeles-skikkelse, engasjert i okkulte tildragelser som tankeoverføringer og hypnotisering.

Det første portrettet av **Albert Kollmann** (1901–1902, kat. 44) er tydeligvis utført umiddelbart etter at de ble kjent. Det fremgår av brev fra Munch til Kollmann i konvolutt stemplet 24.1.1902: «Ich muss Ihnen erzählen, dass Leistikow bei mir gewesen ist – und dass er Ihre Portrait ausgezeichnet fand.»

Portrettet er malt i en nedstemt koloritt med dype fiolettbrune og dempede grønne toner som bakgrunn for den rødlige tonen i hud og hår. Foruten den særpregede fargeholdningen kjennetegnes portrettet av et inngående studium av det karakterfulle ansiktet og de markerte, auralignende linjer rundt hodet. Fra denne første tiden stammer også et portretthode i koldnål av Kollmann (1902, kat. 193), også detaljrikt gjengitt med et uttrykk båret oppe av

Fig. 11
Wilhelm le Fèvre Grimsgaard, omkr. 1900
Privat eie

et inntrengende studium av portrettmodellens fysiognomi.

Dobbeltportrettet av **Albert Kollmann og Sten Drewsen** (kat. 56) kan sees som en fremstilling hvor den mystisk-demoniske Kollmann åndelig talt betvinger sin unge motpart. Til venstre ser vi Albert Kollmanns skarpskårne trekk i profil, hvor Munch tydeligvis har tatt utgangspunkt i koldnålraderingen fra 1902. Han holder en bok i venstre hånd, mens høyre hånd uttrykker hva vi kunne kalle en bydende talegest. Sten Drewsen er fremstilt i trekvart profil, og med sitt tankefulle uttrykk synes han å se inn i seg selv. Begge er omsluttet av de for Munch så typiske auralignende strøkene. Curt Glaser, som ervervet bildet, skriver i sin biografi over Munch:

Munch har tidligere malt dobbeltportretter, i hvilke hensikten har vært enda tydeligere å uttrykke den svevende stemningen mellom to mennesker. Det berodde ikke på at de begge kjente hverandre. De befant seg først i kunstnerens forestilling. Også Albert Kollmanns hode kommer igjen i et slikt dobbeltportrett. Men samværet er blitt friere. Stemningen legger seg ikke lenger begrensende over de portretterte. Den fargede helheten binder to mennesker til enhet. En gulrød bok blir et komposisjonelt midtpunkt, og mot den lysegrønne bakgrunnen står to hoder, hvis koloritt blir vunnet ved forskjellige toner fra brungult til rødt.[14]

Glaser antyder altså at Kollmann og Drewsen overhodet ikke kjente hverandre, hvilket det faktisk heller ikke finnes andre indisier på enn dette dobbeltportrettet, som tradisjonelt har vært datert 1901. Det året befant Sten Drewsen seg imidlertid i USA. Munch ble såvidt vites

først kjent med Sten Drewsen høsten 1904 da han ifølge pressen i «Malerens fraværelse» med «megen Smag har ophængt Bilderne» på Den frie Udstilling i København. Det ble for øvrig hevdet at portrettene skilte seg positivt ut på utstillingen; grev Kessler, konsul Sandberg, Schlittgen og Kollmann samt antagelig *Franskmannen*. Munch skrev til Drewsen trolig for første gang i september 1904, og kaller ham Svend istedenfor Sten, hvilket den unge journalisten straks påpekte med følgende utbrudd: « ... jeg hedder Sten og ikke Svend; De kan godt lære det rigtige Navn med det samme, det bliver dog berømt en gang!» Dette indikerer at bekjentskapet var av nyere dato. Vi må derfor kunne anta at bildet først ble malt en gang mellom september 1904 og 1907, en tid da Munch nettopp maler denne typen lødige portrett i en djerv, lysende koloritt, og at de avportretterte ikke nødvendigvis har sittet modell samtidig.

Under forberedelsene til mønstringen på Den frie Udstilling i København kom Munch i flere voldelige sammenstøt med forfatteren Andreas Haukland, noe som foranlediget bred presseomtale i hele Skandinavia. Munch fortrakk i all hast fra København. Nå var det at den unge journalisten tok kontroll og ordnet hele monteringen av utstillingen. Kan Munch ha følt at Sten Drewsen på samme måte som Kollmann var hans lojale støttespiller på kontinentet, og kan det ha vært som sådanne han sammenstilte dem i et dobbeltportrett? Senere skulle Munch benytte seg av Kollmanns mefistofeliske trekk i en rekke skisser til Ibsens verker, blant annet som knappestøperen i *Peer Gynt* hvor Peer har fått Munchs egne trekk.

I 1906 skapte Munch et litografisk portretthode av **Albert Kollmann** (kat. 217) som synes å ha portrettet fra 1901 som utgangspunkt, men som når det gjelder oppbyggingen av ansiktet i lys og skygge ligger langt nærmere et annet, mer skissepreget, malt portrett (1906? kat. 64). Munch har trolig benyttet litografiet som en overført fortegning til dette maleriet; detalj for detalj er hovedlinjene identiske. I maleriet ser vi Kollmann skjøvet ut til siden idet han balanserer lysinnfallet fra vinduet. Mot en bakgrunn av gulrødt med grønne skygger og rødfiolett med gult høylys, fremtrer Kollmann med grønt hår. Maleriet har tidligere forsøksvis vært datert til 1901-1902, men den lysende, nærmeste abstrakte, transparente koloritten rimeliggjør en datering til 1906, og speiler den frie bruk av fargekontraster som kjennetegnet fauvistene som samlet seg omkring Matisse.

Et annet bilde som også tradisjonelt er blitt datert til 1901, er portrettet av **Marcel Archinard** (fig. 12), kjent under betegnelsen *Franskmannen* og en rekke ganger utstilt som pendant til portrettet av **Hermann Schlittgen** (kat. 55), med tittelen *Tyskeren*. Den første sammenstillingen av de to helfigurportrettene skjedde i 1904 i en artikkel av Emil Heilbut, «Einige neue Bildnisse von

Edvard Munch»,[15] som kun handlet om tre malerier som Heilbut nylig hadde studert under et besøk i Munchs atelier; de to ovennevnte samt et portrett av Harry Graf Kessler sittende i sitt arbeidsværelse. Emil Heilbut, som hadde fulgt Munchs kunst gjennom flere år, slo innledningsvis fast at de tre bildene var «neuerdings geschaffen worden». Den inngående karakteristikken, særlig av de to helfigurportrettene, konkluderte med at det mest vellykkede var «den unge franskmannen», som Heilbut førte tilbake dels til Manet og dels til van Dyck. Han fremhevet særlig oppbyggingen av ansiktets begrensede toneskala og skikkelsens levende uttrykk i den fremragende tegnede behandlingen. Og vi må tro at Munch, i serien med helfigurportrett som nå følger av Walter Rathenau, Harry Graf Kessler, Ernest Thiel, Ludvig Karsten og Helge Rode, bevisst knytter seg til den tradisjonen som Heilbut antyder. Det humørfylte portrettet av Schlittgen ble karakterisert av Heilbut – om enn som fremragende – så dog som «innerhalb ihrer Zeit stehende Erscheinungen».

Det var, ifølge Curt Glaser, Edvard Munchs egen vilje at *Franskmannen* og *Tyskeren* skulle ses som pendanter, ikke fordi menneskene hadde hatt noe med hverandre å gjøre i levende live, men fordi de – på samme måte som bildene i *Livsfrisen* – utfylte og forsterket hverandre gjennom kontrastvirkningen. Glaser refererer da også til de to portrettene – om enn indirekte – som «Dobbelbildniss».

Portrettene av Marcel Archinard og Hermann Schlittgen ble under hele Munchs livstid stadig datert 1901 når de ble utstilt. De ble imidlertid trolig begge utført først i 1904. Både den ovennevnte artikkel av Heilbut indikerer dette, og Hermann Schlittgen forteller i sine erindringer at han traff Munch i mars-april 1904 på en herrefrokost hjemme hos Graf Kessler da Munch oppholdt seg i Weimar for å male grevens portrett. Da de reiste seg fra frokosten, sa Munch plutselig: «Slik må jeg male Dem, i full legemsstørrelse. Så glad og oppromt som nå.» Og Schlittgen fortsetter:

Han bodde i et lite værelse i hotell «Zum Elefanten», foran sengen lå en liten sengeforlegger som utgjorde hele rommets utsmykning. Lerretet ankom, to meter høyt. Om morgenen klokken ti skulle det begynnes, jeg ankom punktlig. Munch lå fremdeles i sengen. Han betraktet sine hender og sa: «Jeg er ennu for nervøs, må først berolige meg.» Han bestilte en flaske portvin av kelneren. «Vær så vennlig å komme tilbake om en halv time.» Da jeg kom tilbake, var flasken tom. «Så, nå går det.» Han begynte på opptegningen av meg, det er så trangt, at han knapt kan ta et steg bakover. Etter hver seanse måtte kelnerne bære bildet ut i gården, slik at han kunne bedømme fjernvirkningen. ...

Munch ville gjøre et ekte kunstnerportrett av bildet, noe lystelig, som passet for meg. Det varte imidlertid så lenge at jeg ble trett og ikke lenger maktet å frembringe

Fig. 12.
Franskmannen. Marcel Archinard,
1904
Nasjonalgalleriet, Oslo

det oppromte og glade ansiktsuttrykket. Munch kunne gjøre seg de største anstrengelser og fortelle alle slags vitser, det gikk ikke lengre, latteren ble kvalt.

Av det stakkarslige sengeforlegget, som lå under mine føtter, ble det i bildet et praktfullt orientalsk teppe, det forsofne gulaktige streif i rommet forvandlet Munch til et edelt sitrongult, min frakk ble til ren ultramarin. ...[16]

Mens portrettet av Hermann Schlittgen altså tydeligvis er malt mars-april 1904 (og ikke 1901 som tradisjonelt oppgitt), er det ikke mulig å dokumentere at pendanten, *Franskmannen*, også er malt først i 1904. Det er imidlertid intet spor av at bildet har eksistert før det omtales som et «nytt» arbeid av Emil Heilbut da han ser det engang på sommeren 1904 sammen med de beviselig nymalte portrettene av Graf Kessler og Hermann Schlittgen. Det er også først fra og med 1904 at de to portrettene blir utstilt på en rekke utstillinger i Tyskland og i Skandinavia.

Fra bevarte brev vet vi at Munch ofte omgikkes Marcel Archinard og dennes venn Zimmermann når han var i

Berlin i tidsrommet 1902 til 1906. Den eneste referansen til portrettet er imidlertid et brev, trolig skrevet i mai 1906, der Archinard omtaler seg selv som hans hengivne «modèle». Selve malemåten, det utvungne stillingsmotivet, den forenklede bakgrunnen og den klart strukturerte oppbyggingen av ansiktets former og måten figuren fremtrer mot en lysende bakgrunn, gir grunn til å tro at bildet ble malt etter oppholdet i Weimar, og at Heilbut har rett når han omtaler det som nymalt etter å ha studert det på Munchs atelier i 1904. Dette skulle igjen tyde på at *Franskmannen,* konformt med hva tradisjonen skulle tilsi, er konsipert og malt som et motstykke til *Tyskeren.*

Det finnes også bevart et bryststykke av **Marcel Archinard** (kat. 53), malt med svært fortynnete oljefarger, hvor det koloristiske poenget blir et sterkt rødt slips som konkretiserer og forsterker den terrakottarøde bakgrunnen, som trolig representerer et eksperimenterende studium til helfigurportrettet. Dette stiliserte portrettet med sin sterkt forenklete fargeholdning er også snarere malt i 1904 enn i 1901, og kan enklest sees som en ny form for problematisering av fargekontrastene i forlengelsen av den eksperimentering som åpenbart er tilstede i bildet av Harry Graf Kessler i sitt arbeidsværelse, som vi vil komme tilbake til nedenfor.

DR. MAX LINDE OG HANS FAMILIE I LÜBECK

På Albert Kollmanns initiativ tok øyenlegen og kunstsamleren Max Linde i Lübeck kontakt med Munch på hans atelier i Lützowstrasse i Berlin vårvinteren 1902 og ervervet et maleri av kunstneren, som nå forberedte sin store mønstring av *Livsfrisen* til Berliner-secessionen, en utstilling som skulle innebære et definitivt gjennombrudd for Munch i Tyskland. Senere på året inviterte Linde Munch til Lübeck med ordene: «Ich möchte mit meiner Familie gern von Ihnen radiert werden.» Og samme dag, 31. oktober 1902, skriver Kollmann fra Berlin: «Sein u. seiner Portrait, vielleicht auch die Kinder sollen Sie <u>fein</u> radieren. Nehmnen Sie grossen Platten mit u. anderes dazu nötig.» Munch reagerer hurtig; drar direkte til Lübeck, og er i arbeid et par uker senere. Han skriver hjem til sin tante:

Jeg er nu i Lübeck og raderer min tyske Mæsenat – han har kjøpt for tusind mark raderinger – pengene er gået mest til hvad jeg skylder trykkeren men det hjælper aligevel – jeg raderer ham og hans kone – det bringer osså ind – det er nogle brilliante Folk – Jeg bliver her nogle Dage foreløpig –

Da Munch ankom Lübeck var Max Linde i ferd med å legge siste hånd på en rikt illustrert monografi over kunstneren med tittelen *Edvard Munch und die Kunst der*

Zukunft (1902), hvor han blant annet sammenligner Munch med den franske billedhoggeren Rodin, en kunstner som var rikt representert i Lindes halvoffisielle kunstsamling som for øvrig i det store og hele var fokusert på moderne, fransk kunst.

I løpet av vårvinteren 1903 avsluttet Munch arbeidet med den grafiske mappen av Max Lindes familie og hjem, som snart også ble et annet hjem for kunstneren. I mappen finner vi, foruten interiørbilder fra det store patrisierhuset og bilder fra parken, et par portretthoder i trekvartprofil i koldnålteknikk av pater familias, fire grafiske trykk av hans hustru Maria: et hode i koldnålteknikk (kat. 187), en litografisk skisse, et litografisk portrett i kneformat (kat. 212) og en komposisjonsstudie av henne med den yngste sønnen på fanget, som har fått tittelen *Mutterglück* (kat. 188) samt et gruppeportrett av kunstsamlerens fire sønner (kat. 189) med en underliggende bord med leker, dyr og eventyrfigurer og en enkeltstående studie av den eldste gutten, Theodor (kat. 190). Portrettene virker umiddelbart noe uforløste, litt overstuderte. De vinner imidlertid ved nærmere studium, da vil man oppdage et nærvær som kan minne om den utstråling et gammelt portrettfotografi kan ha. Curt Glaser er også noe tilbakeholden i sin omtale av portrettene. Ifølge Glaser kan de nok i gjengs forstand sies å være noe av det vakreste Munch har skapt, og kan måle seg med de fleste grafiske arbeider i samtiden når det gjelder klarhet og eleganse i tegningen. Men tydeligvis savner han det Munchske uttrykket og hevder at «i Munchs kunstneriske verk utgjør de en øy.»[17]

Også Linde synes å ha vært noe skuffet over det til Munch å være forholdsvis konvensjonelle resultatet. Hva Linde antagelig hadde forventet seg, fremgår av hva han skriver i boken sin om Munchs blendende raderingsteknikk:

Især finnes det blant hans raderinger portrett som hører til de mest betydningsfulle som er skapt i raderkunsten. Han vet å trylle frem med få streker portretthoder av monumental storhet. Stadig fremkommer det vesentlige helt ukunstlet. Måten han fører nålen på er alltid åndrik, den og hans bruk av akvatint røper aldri et skjema. På hver plate anvender han en ny teknikk, alltid tilpasset gjenstanden; snart er tegningen av stor mykhet, snart av kraftig bredde, snart som hugget frem med øksen.

Ingen av Munchs grafiske blad fra Lindemappen ble tatt med i boken. Av portrett finnes isteden en vakker modellstudie i koldnål fra 1902, utført med en elegant variert og sikker teknikk. Sett på denne bakgrunn er det rimelig å tro at Munch ikke tilfredsstilte oppdragsgiverens forventninger. Lindes store forhåpninger kan ha virket hemmende på Munch, dessuten kom han også til Lübeck med bandasjert hånd etter det berømte vådeskuddet under oppløsningen av forholdet til Tulla Larsen, en hendelse som hadde rystet ham sterkt. Han var kanskje derfor hverken inspirert eller hadde det nødvendige overskudd til å skape det riktig store der og da.

I januar 1903, samtidig med at Max Lindes bok *Edvard Munch und die Kunst der Zukunft* ble presentert for offentligheten, hadde Munch en utstilling hos Paul Cassirer i Berlin hvor flere bilder som ble vist, kunne ha betydning for Linde med tanke på videre bestillinger fra kunstneren: *Fire piker i Åsgårdstrand, De fire livsaldre* og *Jonas Lie med familie.* Disse fire bildene ble også spesielt bemerket av Hans Rosenhagen i hans omtale av utstillingen i *Der Tag.*

I portrettet av *Jonas Lie med familie* (kat. 45) står dikteren i sentrum i hatt og frakk. Til høyre for ham står hans kone Thomasine i hatt og drakt nærmest som en frittstående søyle i komposisjonen. Mannen med skyggeluen til høyre er enten sønnen Mons eller Erik. Til venstre for Jonas Lie står døtrene Asta og Eli. Munch hadde hatt kontakt med familien Lie helt siden 1889 da han ankom Paris med sitt første stipendium. Han ble stadig invitert hjem til den gjestfrie familien, «en norsk utpost i Paris», og han ble snart en god venn av sønnen Erik. Skissen eller oppslaget til portrettet av *Jonas Lie med familie* har en usedvanlig fargekraft som i januar 1909 fikk Sigurd Frosterius til å skrive i *Nya Presse* i tilknytning til Munchs utstilling i Helsingfors:

I «Jonas Lie med familj» får författarens egna romaner liv och blod. Ett flyktigt utkast så rikt, så fullt av överraskningar och infall at man gärna glömmer den väl långt drivna schematiseringen. Knappt två av de många figurerna äro återgivna i samme manér; de olika karaktärerna nyanseres med en slagfärdighet som rent av förbluffar.

Som en fødselsdagsgave fra Max Linde til sin sykelige hustru, malte så Munch i mai 1903 i all hemmelighet for henne et gruppeportrett av de fire sønnene. Resultatet ble det velkomponerte og sjarmerende *Dr. Lindes fire sønner* (kat. 50). Etter anmodning fra Linde tok Munch utgangspunkt i maleriet *Fire piker i Åsgårdstrand* (fig. 13) som han hadde malt i løpet av sommeren hjemme og så tatt med seg til Tyskland, sikkert ikke uten foranledning fra Munchs side. *Fire piker i Åsgårdstrand* er trolig utført nettopp med tanke på et eventuelt oppdrag om å male dr. Lindes sønner.

Munch valgte å male de fire guttene stående i havestuen foran den hvite dobbeltdøren. Han lar hele deres kroppsholdning speile deres respektive personligheter. Vi ser hvordan den yngste gutten, Lothar fire år, søker seg inn til den drømmende eldste, Hermann ni år, slik at de danner en felles kontur. Midtfiguren, den nest yngste av guttene, Helmut fem år, betoner midtaksen, mens den nest eldste, Theodor syv år, står med hatten i hånden i en bred benstilling. De er etter tidens mote kledd i matrosdresser, slik vi også ser dem i en serie fotografier tatt mens

Fig. 13
Fire piker i Åsgårdstrand, 1902
Staatsgalerie Stuttgart

de leker i parken som omga huset. De er fremstilt i en for Munchs portrettkunst siden 1880-tallet uvanlig rundskulptural kroppslighet. Denne kroppsligheten skiller gruppeportrettet sterkt fra *Fire piker i Åsgårdstrand*, men var antagelig en naturlig fremgangsmåte for Munch i et oppdrag for tidens mest betydelige samler av Rodins skulpturer, særlig i lys av at så meget av Lindes biografi om Munch var en sammenstilling av ham og Rodin.

Gruppeportrettet av Lindes sønner er av dr. Heise i boken *Munch. Die vier Söhne des Dr. Linde* (1956), blitt karakterisert som det mest betydelige gruppeportrettet i det 20. århundre. Munch makter ifølge Heise å forene et inntrykk av en tvingende nødvendig komposisjon med naturlighet i fremstillingen. Munch har da sikkert også hatt tidens nye ideal av naturlige, friske barn i tankene under utførelsen. Den første legevitenskapelige boken som systematisk beskrev det naturlige, sunne barnet, var C.H. Stratz' klassiske arbeid *Der Körper des Kindes* (1903) med undertittel *Für Eltern, Erzieher, Ärzte und Künstler.* Boken hadde nylig kommet ut i første opplag da Munch fikk oppdraget å male Lindes sønner, og både Munch med sin interesse for tidens vitalisme og Linde i egenskap av lege, kan meget vel ha kjent til denne en av tidens mest populære medisinske bøker. I innledningen kritiserer Stratz tidligere fremstillinger av barn i billedkunsten som utilstrekkelige fordi man har visst for lite om barns proporsjoner. Forfatteren oppfordrer kunstnerne til å fremstille virkelige barn, da vil vanlige mennesker kunne se barnas egen iboende skjønnhet. Blant de mange fotografier og plansjer i Stratz' bok finnes et gruppefotografi, et stilisert komposisjonsskjema av fire søsken, som har så slående likhetstrekk med Munchs gruppeportrett av dr. Lindes barn, at det må være lov å tro det skyldes mer enn en tilfeldighet.

Fig. 14
Selvportrett med pensler, 1904
Munch-museet

Selvsagt har kunstnerens temperament ikke et øyeblikk druknet seg i naturen. Temperamentet har ennu ikke tatt naturen opp i seg, således gjengir det den allerede i en personlig stil. Foran disse figurene, som både er naturlige og stiliserte, kan man tenke på enhver primitiv malt skulptur, som man finner hos naturfolk og som er det dypeste vidnesbyrd på deres oppfatningskraft.[18]

Det er da Heilbut noen måneder senere besøker Munchs atelier i Berlin at han så sterkt betoner at fremtiden i Munchs portrettkunst ligger i en videreutvikling av portrettet av Marcel Archinard, *Franskmannen.* Dette portrettet kan imidlertid på sin side sees som en videreutvikling av hvordan lille Theodor til høyre i *Dr. Lindes fire sønner* står fritt og utvungent mot den lysende bakgrunnen. *Dr. Lindes fire sønner* blir således stående som en sentral hjørnesten i Munchs utvikling som portrettmaler.

Påfølgende år malte Munch to portretter av **Max Linde** (1904, kat. 51 og 52), som imidlertid ikke kan ansees som like vellykkede som portrettet av barna. Begge fremstiller Linde stående, og det er trolig den samme døren som vi kjenner fra gruppeportrettet av barna som utgjør den lysende bakgrunnen. I det ene poserer han i frakk med hatt og stokk i hånden, som fanget i det øyeblikk han forlater huset for å begi seg til sitt legekontor inne i Lübeck. I det andre er han fremstilt i seilerantrekk og lener seg avslappet til et flygel. Begge ble malt under Munchs opphold i Lübeck i april og mai 1904 på oppdrag av fru Linde. Gustav Schiefler forteller i sin dagbok at han hilser på hos Lindes i Lübeck 15. mai 1904:

Wo uns Frau Linde empfängt. Sie zeigt uns die neuen von Munch gemalten Bilder: das Bildnis eines der Jungen in einem roten Kittel und in gelben Blumen, dann die beiden Portraits Dr. Lindes: das erste, mit Stock und Hut und mit schöner blauer Farbe im Hintergrunde, gefällt mir ganz ausgezeichnet. Sehr feine Charakterisierung. Frau Dr. Linde erzählt, Munch selbst habe gesagt, so sei der erste Eindruck gewesen, den er von dem Doktor gewonnen habe. Das andere stellt ihn in einem Sportkostüm dar und ist dem Ehepaar angenehmer.[19]

I juni skriver Linde til Munch at Graf Kessler, som nettopp har besøkt ham, syntes meget godt om «det sorte portrettet», og at han ønsket å reprodusere det. I august kommer et annet av Munchs portrettofre til Lübeck, Hermann Schlittgen, og Linde skriver til Munch 8.8.1904:

Igår var Schlittgen her ... Han likte godt det stående sorte portrettet, mindre det med den blå frakken. Jeg tror man må avskjære dette ved knærne. Dette partiet med flygelet og interiøret passer ikke til stilen.

Maleriet «med den blå frakken», *Dr. Linde i seilerantrekk* (kat. 52), ble ikke avkuttet ved knærne, men brettet opp på baksiden, en tilstand det fremdeles befinner seg i slik at det den dag i dag fremstår som et knestykke. Julen 1904 tilbrakte Munch i dr. Lindes hjem og her

Året etter at portrettet var ferdig til oppdragsgiverens fulle tilfredshet, skrev Emil Heilbut sin andre av to artikler om «Die Sammlung Linde in Lübeck». Sikkert i samforstand med Linde karakteriserer han de grafiske portrettene i mappen i hovedsak som mislykkede (med unntak av det litografiske portretthodet av fru Linde). Derimot er han overstrømmende i sin karakteristikk av maleriet av de fire sønnene:

Så ser man et oljemaleri av Dr. Lindes barn. Nettopp slik kunstneren har persipert dem i deres monumentale bevegelse og slik han med skarpe strøk har gjengitt deres psykologi, står de mesterlig sett foran oss. Vi har her et utsnitt av virkeligheten sett av et temperament. Intet mangler i utsnittet; ingen forandring er inntrådt, intet er gjort for å modifisere billedvirkningen. Et krasst, djervt utsnitt av en hvit dobbeltdør er foran oss, et gullbronsefarget dørhåndtak, et parkettgulv og fire barn som er seg bevisst at de blir malt, intet streif av falsk posering.

maler han sitt monumentale *Selvportrett med pensler* (fig. 14) som kan sees som en videreføring av de to portrettene av dr. Linde. Munch står selvsikker og vital med de brede penslene samlet i høyre hånd mot en nærmest abstrakt formulert bakgrunn og varsler om den lange serie av helfigurportretter som han i de kommende årene skulle ta fatt på.

1. Reprodusert i Magnus Engberg, *Vid kanten av tidvattnet*, Linköping 1992, s. 96.
2. Jens Thiis, *Edvard Munch og hans samtid*, Oslo 1933, s. 229.
3. Munch-museet N 178.
4. Sigurd Høst, «Ibsen-portretter», *Kunst og Kultur*, 1928, s. 1-12.
5. Ravensbergs dagbok, 7.1.1909 og 10.1.1910, Munch-museets arkiv.
6. Munch-museet T 2709, s. 10.
7. Munch-museet T 2800.
8. Se Frank Høifødt, «Livets dans», *Kunst og Kultur*, 1990, s. 166-181.
9. Munch-museet T 2773, s. 23-25.
10. Det er ikke dokumentert at det her virkelig dreier seg om et portrett av Marta Sandal. Identifiseringen bygger kun på likhetstrekk med fotografier og øvrige fremstillinger av henne fra århundreskiftet.
11. Det siterte brevet eksisterer kun som Inger Munchs avskrift av originalen.
12. *Tidens Tegn* 18.12.1918.
13. William Ritter, «Un peintre Norvégien: M. Edvard Munch», *Etudes d'Art étranger*, Paris 1906, s. 81-122.
14. Curt Glaser, *Edvard Munch*, Berlin 1922, s. 133.
15. Emil Heilbut, «Einige neue Bildnisse von Edvard Munch», *Kunst und Künstler*, 1904, s. 489-492.
16. Hermann Schlittgen, *Erinnerungen*, Berlin 1926, s. 244.
17. Curt Glaser, op.cit., s. 152.
18. Emil Heilbut, «Die Sammlung Linde in Lübeck», *Kunst und Künstler*, 1904, h. 2, s. 319.
19. *Edvard Munch/Gustav Schiefler. Briefwechsel, Band 1, 1902-1914*, Hamburg 1987, s. 89.

Kat. 39
Paul Herrmann og Paul Contard, 1897
Österreichische Galerie, Wien

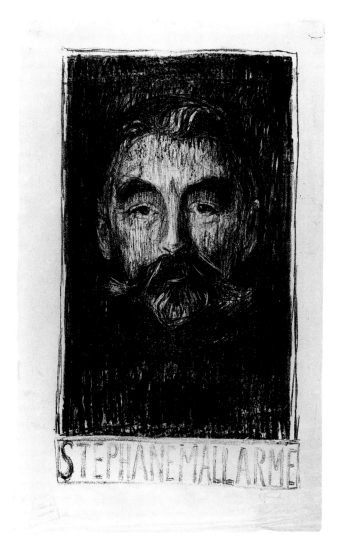

Kat. 206
Stéphane Mallarmé, 1896
Litografi. Munch-museet

Kat. 184
Stéphane Mallarmé, 1897
Radering. Munch-museet

Kat. 258
Marcel Réja, 1896
Tresnitt. Munch-museet

Kat. 182
Knut Hamsun, 1896
Radering. Munch-museet

Kat. 207
Sigbjørn Obstfelder, 1896
Litografi. Munch-museet

Kat. 208
Sigbjørn Obstfelder, 1896. Litografi. Munch-museet

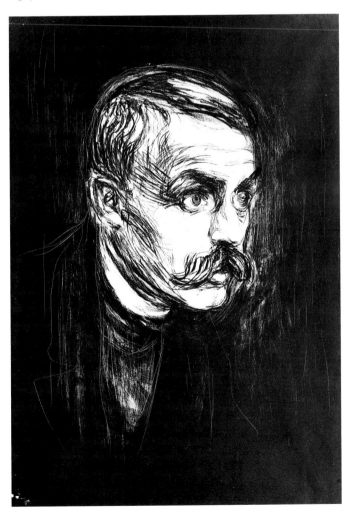

Kat. 205
Hans Jæger, 1896
Litografi. Munch-museet

Kat. 183
Sigbjørn Obstfelder, 1897
Radering. Munch-museet

Kat. 185
Tulla Larsen, 1898
Radering. Munch-museet

Kat. 41
Tulla Larsen, 1898-1899
Rolf E. Stenersens gave til Oslo by

Kat. 42
Tulla Larsen, 1898-1899
Munch-museet

Kat. 211
Henrik Ibsen, 1902
Litografi. Munch-museet

Kat. 47
Landgangsbroen. Damene på broen, 1902
Aase Nørregaard
Bergen Billedgalleri, Bergen

Kat. 46
Aase Nørregaard, 1902
Munch-museet

Kat. 214
Marta Sandal, 1902
Litografi. Munch-museet

Kat. 48
Marta Sandal, 1902
Pastell på lerret
Privat eie, Sveits

Kat. 213
Anna og Walter Leistikow, 1902
Litografi. Munch-museet

Kat. 215
Fiolinkonserten, 1903
Eva Mudocci og Bella Edwards
Litografi. Munch-museet

Kat. 216
Brosjen, 1903
Eva Mudocci
Litografi. Munch-museet

Kat. 49
Ingse Vibe, 1903
Munch-museet

Kat. 194
Ingse Vibe, 1903
Radering. Munch-museet

Kat. 157
Når vi døde vågner, ant. 1909
Ingse Vibe
Tegning. Munch-museet

Kat. 43
Christen Sandberg, 1901
Munch-museet

Kat. 56
Albert Kollmann og Sten Drewsen, 1904-1906
Hamburger Kunsthalle, Hamburg

Kat. 193
Albert Kollmann, 1902
Radering. Munch-museet

Kat. 44
Albert Kollmann, 1901-1902
Kunsthaus Zürich

Kat. 53
Marcel Archinard, 1904
Munch-museet

Nederst til høyre
Kat. 217
Albert Kollmann, 1906
Litografi. Munch-museet

Kat. 64
Albert Kollmann, 1906?
Munch-museet

Kat. 45
Jonas Lie med familie, 1902
Munch-museet

Kat. 189
Dr. Lindes fire sønner, 1902
Radering. Munch-museet

Kat. 50
Dr. Lindes fire sønner, 1903
Museum für Kunst und Kulturgeschichte der Hansestadt Lübeck

Kat. 191
Max Linde, 1902
Radering. Munch-museet

Kat. 212
Maria Linde, 1902
Litografi. Munch-museet

Kat. 192
Max Linde, 1902
Radering. Munch-museet

Kat. 187
Maria Linde, 1902
Radering. Munch-museet

Kat. 190
Theodor Linde, 1902
Radering. Munch-museet

Kat. 188
«Mutterglück», Maria Linde, 1902
Radering. Munch-museet

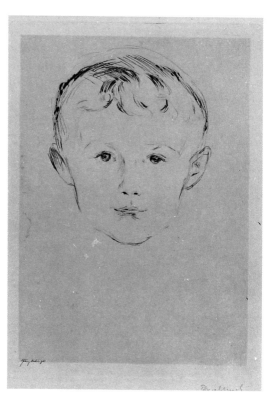

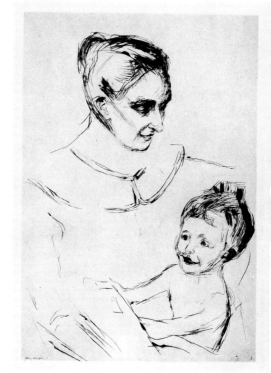

Kat. 52
Max Linde, 1904
Rolf E. Stenersens gave til Oslo by

Kat. 51
Max Linde, 1904
Staatliche Galerie Moritzburg Halle, Tyskland

Fig. 1
Fra Herbert Esches hjem i Chemnitz, 1905

1905 – 1908

FREMGANG OG KRISE

Etter århundreskiftet fikk den ytre virkelighet en stadig større betydning for Munchs virke som kunstner. Landskapet ble igjen malt i fullt dagslys, hans modeller ble fremstilt som livaktige individer og hans portretter viste sin tids handlingsmennesker. Portrettene (inklusive de grafiske portretter fra 1890-tallet) ble stadig oftere bemerket på hans mange utstillinger. En viktig markering av denne nye rollen som portrettet skulle spille i Munchs kunst, var den tidligere omtalte artikkel av Emil Heilbut om tre nye portretter i *Kunst und Künstler* i august 1904. Fra da av ble hele avdelinger med portretter en fast ingrediens på Munchs utstillinger. Det begynte forsiktig med utstillingen i København høsten 1904 og fikk sitt høydepunkt i monteringen på Sonderbund-utstillingen i Köln i 1912, hvor Munch som den eneste levende kunstner fikk en egen sal, der han lot portrettet dominere.

Et viktig forspill til denne markeringen var en utstilling hos Paul Cassirer i Berlin i november 1903. Cassirer utstilte da Goyas portretter i galleriets hovedsal, kontrastert av Munchs arbeider i en nybygget utstillingssal direkte tilknyttet hovedsalen. Sammenstillingen med Goyas verker ble oppfattet som et ledd i Cassirers utstillingspolitikk; å la tilsynelatende forskjelligartede kunstnere belyse hverandre, slik at nye og interessante tanker og forestillinger kunne oppstå hos publikum. I likhet med Cassirers opprinnelige galleri var den nye salen konsipert av arkitekten Henry van de Velde. Goyas portretter ble i kritikken stilt inn i tradisjonen fra Velazquez til foreløpige høydepunkt i portrettkunsten som Manet, Daumier og Renoir. Et poeng med presentasjonen av Goya var å vise at han, som var mest kjent i Tyskland som en «demonisk» og «genial» satiriker og fantast, samtidig hadde fungert som en «solid hoffmaler».

Munch utstilte primært sine nyeste arbeider, og portrettene vakte oppmerksomhet. En kritiker bemerket at *Dr. Lindes fire sønner* – selv om det ved førsteinntrykket virket frastøtende – ved lengre tids betraktning fikk et vidunderlig liv. Og maleriet av «den korpulente herren» (som neppe kan være andre enn konsul Sandberg) preget seg uvilkårlig fast i erindringen. Munchs typiske symbolistiske motiver ble krast avvist i pressen på bekostning av hans portretter og dels av hans nye landskaper.

Og i Norge, hvor Munch tross alt hadde et potensielt marked, ble det nå viktig å presentere seg som portrettkunstner. Han brakte selvfølgelig portrettet av *Dr. Lindes fire sønner* til Kristiania høsten 1903 og utstilte hele den grafiske Lindemappen med de mange portretter av familien, og helt på slutten av året kunne man lese i norske aviser som siste nytt: «Edvard Munch er innbudt av Direktøren for det hertugelige Musæum i Weimar, Grev Kessler, til at besøge ham for at male hans Portræt.»

Spranget var langt fra notisen i 1901 om at han var i ferd med å portrettere konsul Sandberg i Moss, via nyheten om at han malte barna til kunstsamleren Linde i Lübeck, til dette oppdraget fra en av de mest fremstående, faglig som sosialt, innen den tyske kunstverden. Det kunne synes som om porten for Munch nå sto åpen til å finne en analog posisjon i sin samtid med den Goya hadde hatt i sin.

I januar 1904 ble Munch invitert til å utstille med en egen sal på Wiener-secessionen. *Landingsbroen. Damene på bryggen* (1902) med Aase Nørregaard i sentrum, dominerte salen. Kritikerne med Franz Servaes i spissen ønsket Munchs nye fargekunst velkommen som de fant lå i den friske måten kunstneren persiperte den ytre virkeligheten. Igjen ble portrettet av *Dr. Lindes fire sønner* fremhevet; det eksemplifiserte hvordan Munch på en makeløs måte maktet å fremstille forskjellige personligheter i en

Fig. 2
Den frie Udstilling, København, september 1904

gruppe. Også maleriet *Den døde moren og barnet* (1899-1900) som vanligvis knyttes til Munchs *Livsfrise*, ble sett på som i utgangspunktet et barneportrett. Det er som om oppfattelsen av det essensielle i Munchs kunst er blitt dreiet fra det å gjengi inntrykk fra erindringen og fantasien til – med psykologisk innsikt – å gjengi livet her og nå.

Albert Kollmann, som utrettelig arbeider med å skaffe Munch portrettoppdrag i Tyskland, organiserer så sommeren 1904 en utstilling på Munchs atelier i Lützowstrasse i Berlin mens Munch selv er bortreist. En rekke kjente personer kommer på besøk gjennom hele sommeren. Kollmann forteller blant annet at Harry Graf Kessler har latt sitt portrett bero i atelieret for at Munch også kan ta dette med på sine utstillinger. Dette var bakgrunnen for Emil Heilbuts besøk på Munchs atelier som ledet til hans viktige artikkel om Munchs nyeste portretter. Kollmann skriver til Munch 11.6.1904: «Jeg har i Berlin vist dr. Linde og Paul Cassirer Deres atelier. Heilbut har vi ikke sett. Paul C. sa at han svært gjerne ville ha en portrettutstilling av Dem.»

Men det er først på Den frie Udstilling i København i september 1904, som Sten Drewsen hjalp til å montere, at portrettene virkelig blir stilt i sentrum (fig. 2). Som en forlengelse av Emil Heilbuts artikkel fokuseres de samme tre portrettene, supplert av maleriene av Albert Kollmann, konsul Sandberg og Henrik Ibsen samt portrettet av Stanislaw Przybyszewski fra 1895. Her ser vi for første gang sammenstillingen av *Tyskeren* og *Franskmannen* på en utstilling. En artikkel signert «Palet», som kom i flere aviser, innleder med å konstatere:

Hvad man lettest vil kunne gaa til og forstaa, er **Portrætterne**. *De er højmoderne baade i «Facon» og Farvebehandling, men det er ikke Spor af ubegribeligt ved dem. ... De to Portrætter, der bærer Betegnelsen Fransk Type og Tysk Type, karakteriserer ypperligt Forskjellen mellem gallisk og germansk Aand: paa den ene side den unge, slanke tankefulde og drømmende Pariser med Sigaretten – paa den anden den robuste, schneidige Tegner Schlittgen med kejserschnurbarten!* [1]

Så godt som alle kritikerne roste portrettene. De uttrykte en viss reservert aksept av landskapene, mens man var uten enhver forståelse for Munchs tidligere, symbolske kunstverker. Selv om Munch på denne utstillingen hadde samlet de fleste og beste hovedverkene fra *Livsfrisen*, ble denne siden av hans kunst gjenstand for regelrett slakt.

Også dette året kan vi lese om Munchs planer for kommende år i norske aviser. Det nevnes at det i Tyskland skulle komme nok en biografi om kunstneren, at han var invitert til å holde en utstilling i Praha arrangert av kunstnerforbundet Manes, at han hadde fått i oppdrag å male et portrett av senator Holthusen, borgermesteren i Hamburg, og at det om kort tid skulle åpnes en utstilling av hans portretter hos Paul Cassirer, «Berlins fornemste kunsthandel».

Utstillingen hos Cassirer blir igjen en sammenstilling av to kunstnere; denne gang Munch og Carl Moll. Munch var representert med flere nye portretter; *Dr. Linde i seilerantrekk, Harry Graf Kessler, Selvportrett med pensler, Et familieportrett* (i dag best kjent som *Familien Bock. Tre livsaldre*) og en rekke portretter som ikke lar seg identifisere, og det er hans portrettkunst som faller i øynene, iallfall om vi tar utgangspunkt i Curt Glasers kritikk:

Han [Munch] har funnet sin vei tilbake til naturen i portrettet. I virkeligheten viser alt i Munchs kunstneriske egenart til portrettet. Ikke det at han er skapt til portrett- maler i gjengs forstand, for å avbilde hvilke som helst mennesker. Men som ingen annen er han i stand til å vise egenarten hos et enkeltindivid i store, pregnant talende former.[2]

Det fantes imidlertid også kritiske røster. Max Ludwig eksempelvis, ga uttrykk for at menneskene i Munchs por- tretter med sine ansikter i gult, grønt, rødt og blått ikke fremstilte levende mennesker men lik, og han hevdet at «hans kunst er utsprunget av en satanistisk livsan- skuelse.» Og Hans Rosenhagen hevdet med spesiell hen- visning til *Dr. Linde i seilerantrekk* at Munchs portretter ville blekne som akvareller.

Munch hadde, som nevnt ovenfor, fått en portrettbe- stilling av borgermesteren i Hamburg, Max Lindes svi- gerfar. Muligens var det den blandete kritikken av utstil- lingen hos Cassirer som forårsaket at senatoren trakk til- bake det allerede annonserte oppdraget. Men kanskje også Munchs livsførsel i Lübeck med blant annet bruk av bordeller som oppholds- og arbeidssted hadde fått Holt- husen på andre tanker.

Og mot dr. Lindes råd, som tidvis også fungerte som hans lege, reiste Munch til Praha i februar 1905 for å sole seg i suksessen og viraken omkring en omfattende presen- tasjon av hans arbeider i kunstnerforbundet Manes, iste- denfor å pleie sin helse og sine nerver for å kunne forfølge muligheten til videre fremgang i Tyskland, og da primært som portrettmaler.

ET LYSPUNKT I KRISEN

Blant annet ifølge Ludvig Ravensbergs nedtegnelser om samtaler med Munch, mistet han flere portrettbestillinger vinteren og våren 1905 og han forteller «hvordan hans enorme chanser i Tyskland blev forspillet». Munch skyl- der på sin egen livsførsel; nervøsiteten hadde blitt kro- nisk, noe som ledet til kraftig økt alkoholforbruk og igjen til ukontrollert oppførsel. Flere portrettoppdrag gikk fløyten fordi han rett og slett ikke maktet å oppsøke de som ønsket å bli portrettert. Munch forteller selv om kri- sen:

Stor Udstilling i Dioramalokalet om høsten, stor ned- rakning, intet besøg, intet salg. Reiser samme høst til Prag inbudt af Manes, reiser derfra til Lübeck forat levere Dr. Linde frisen og modtage bestillingen paa svigerfaderen Holzhausens [sic] portræt. Kjølig modtagelse af Linde, der ikke vilde modtage frisen og ingen bestilling paa por- trettet. Syg og fortvivlet uden penge. Pludselig bestilling

fra Hamburg af 4 rike Hamburgerpatricier. Maler et por- trett av fraulein Warburg ... og skulde begynde paa por- trettet af Messtorff, hvor jeg skulde bo i hans palads, boede i et lidet skummelt hotel, Giebfrids Hotel, her tog nervøsiteten overhaand og i 3 dage fantasier og anfall, malte og hadde anfall om natten, selskab om aftenen. Overfaldscener med officerer fra panserskibet Hamburg (Keiserens følgeskib). Skjønner at jeg da maa tage en alvorlig kur og reiser fra Hamburg ...[3]

Portrettet av **Ellen Warburg** (kat. 58) ble tydeligvis utført omkring årsskiftet 1904-1905. Kollmann spør nemlig Munch i brev datert 3.1.1905 om portrettet er fer- dig, og Munch skriver tilbake 12.1.1905: «Endelig er Warburg-portrettet ferdig og jeg tror det er blitt godt.» Og noen dager senere, 18.1.1905, konstaterer han: «Bil- det hos Warburg er blitt godt og er betalt.» I sine mange nedtegnelser forteller Munch om hvordan portrettet, som han dessuten karakteriserer som et av sine «bedste bille- der», ble malt etter at han på forhånd hadde måttet stive seg opp med alkohol:

Om formiddagen malte jeg den unge frk Warburg – Bankier Warburgs datter –
  Helbillede – I hvid kjole – Hænderne foldede foran –
  Store vakre mørke øine –
  Et rolig billede – helt rolig i farger og stil –
  Om aftenen halucinationer – [4]

Da Helene Julie Warburg, kalt Ellen, ble portrettert av Munch stod hun 28 år gammel like foran sitt giftermål med juristen Edgard Burchard. Det var hennes meget vel- stående, kunstinteresserte mor – som for øvrig støttet flere unge kunstnere, deriblant Ernst Barlach – som kontaktet Munch og ga ham oppdraget. Det var moren som beholdt portrettet av datteren, og som lånte det ut til Munchs utstilling hos Cassirer i 1906 da portrettet ble offentlig vist for første gang. Da hun ble enke og måtte flytte til et mindre hus, lot hun portrettet gå tilbake til Munch. Han solgte det videre til den sveitsiske kunstsamleren Alfred Rütchie, som i 1929 skjenket portrettet til Kunsthaus Zürich.

I portrettet står Ellen Warburg alvorlig og ettertenk- som med sammenfattede hender foran kroppen, et stil- lingsmotiv som går tilbake på portrettet av søsteren Inger (1892). Ellen Warburg var en intelligent kvinne som hadde studert medisin. Hennes tillitsfulle blikk vitner om at det sannsynligvis oppstod sympati mellom kunstneren og hans modell. Som mediciner hadde hun neppe fordom- mer overfor den nervøse Munch slik at kunstneren kunne føle seg trygg under arbeidet.

Det er tilsynelatende en kontrast mellom de detaljert utarbeidede partiene, hodet og hendene, og det skisse- messige i kjolen og bakgrunnen. Den rundskulpturale, søylelignende kroppen samler imidlertid inntrykket og gir kvinneskikkelsen monumentalitet. Den sarte bakgrunnen

Fig. 5
Ludvig Karsten, 1905
Thielska Galleriet, Stockholm

bygget opp av grønne og gule toner får den hvite kjolen med sine rosa og blålige toner til å lyse. Det er bevart to fotografier som viser henholdsvis Ellen Warburg og Munch sammen med det nymalte portrettet (fig. 3 og 4, s. 138). De to fotografiene er de første i en serie av senere fotografier hvor Munch avbilder henholdsvis modellen og seg selv ved siden av modellens portrett. Moren, som var tilstede da portrettet ble malt, uttrykte en viss misnøye med bildet overfor Gustav Schiefler, «die Entstehung des Bildes habe ihr Spass gemacht, jetzt der Besitz weniger». Schiefler selv oppfattet at det var «von überraschender Schlagkraft».[5]

Andre portrettoppdrag, til dels tilkommet via Kollmann, maktet Munch som sagt aldri å utføre. Portrettet av Messtorff ble påbegynt, men aldri fullført. Som han selv sier, «nervøsiteten tog overhånd» og han nærmest flyktet hjem via København til det fredfylte Åsgårdstrand i håp om å roe ned nervene. En fortvilet Kollmann skriver til Munch 31.3.1905 at «vennene i Hamburg har ikke kunnet forstå at De så plutselig avbrøt. De ville svært gjerne ha hatt portrettet».

INTERMESSO I ÅSGÅRDSTRAND 1905

Om sommeren hjemme i Åsgårdstrand maler Munch sin unge kollega **Ludvig Karsten** (1905, fig. 5), og resultatet beskriver han selv som et «klart, kraftig vellykket billede», også dette malt etter at han hadde måttet stive seg opp med alkohol. Ludvig Karsten var på mange måter den mest begavede av de unge kunstnerne i Norge som lot seg inspirere av Munchs kunst. Han hadde oppholdt seg i Åsgårdstrand hver sommer de siste årene og var blitt godt kjent med sin eldre kollega. Karsten leide seg inn i nabohuset og var en stadig ubuden gjest hos Munch, som skriver:

Lige efter optrinnet på Larkollen begynte jeg på et helhedsbillede af Karsten – i hvid dress. Underli fyr den Karsten – Den store bredbremmede hatten på snei – Det lidt skøieragtige udtryk. Munnen færdig til en spydighet – [6]

Da bildet første gang ble utstilt hos Schultze i Berlin 1906, beskrev Tor Hedberg portrettet som «lika originellt som överdådigt genomförd i sin förbluffande djärvhet». Munch varierer det koloristiske skjemaet som han utprøvde i portrettet av Ellen Warburg, ved å la det hvite virke som helhetstone. I portrettet av Ludvig Karsten smeltes ansiktet inn i bakgrunnen, den okerfargede veggen på Munchs lille hus i Åsgårdstrand, mens den sterkt blå hatten og slipset utgjør en kraftig komplementær virkning mot den samme veggen. Den grasiøse, elegante positur som vi husker fra portrettet av Marcel Archinard, er i portrettet av den unge, norske maleren blitt til en avslappet, naturlig kroppsstilling.

I litterære nedtegnelser og i samtaler med Ravensberg forteller Munch inngående om den begredelige utvikling de to kunstnerne imellom. Blant annet bebreidet Karsten ham gjentatte ganger for ikke å melde seg til de militære styrkene som ble satt opp i tilknytning til Norges frigjøring fra unionen med Sverige. Munch forteller til Ravensberg at det til slutt kom til en episode dem imellom:

[Jeg gav ham] et velrettet slag mellem øinene saa han falt bagover ned af trappen, i faldet trakk han meg med og vi tumled ned i haven, jeg ser enda Karsten i sin hvide dragt ligge paa ryggen i det grønne som et umandig udraabstegn.

Jeg kommer mig ind, griber mit gevær og retter det mod ham og havde da ikke Müller faaet ham væk havde jeg skudt ham.[7]

Episoden med Karsten og Munch liggende ved bunnen av trappen har Munch senere gjengitt både i maleri og grafikk. Scenen med geværet fremstilte han også etter erindringen. En tredje scene som fremstiller Karsten og Munch i slagsmål i gaten utenfor Munchs hus, mangler imidlertid direkte referanse til en gitt hendelse.

Munch, som skadet den venstre hånden under slagsmålet med Karsten, reiste hals over hode til Danmark hvor han slo seg ned i Klampenborg utenfor København.

Det er antagelig under dette oppholdet at Munch maler portrettet av maleren og tegneren **Henrik Lund** (kat. 57) og hans hustru Gunbjør. Portrettet har et umiskjennelig preg av karikatur, og har latt seg identifisere takket være et notat i en av Munchs skissebøker fra 1920-tallet:

Henrik Lund boede med familien i etagen under mig på Paladshotellet – Han ville tegne meg – Meget motstræbende indvilget jeg – Han stiller sig op i 2 meters Afstand – foran sit stafeli – Han myser med øinene – måler med kulstenger – og begynner at tegne. Hans øines kamera beveger sig – mysende og målende får han billedet ferdig – Det var meget godt –
– Hvorfor foresten må Du absolut tegne på 2 meters afstand –
– Man ser jo blot folk på den afstand – sier han –
– Du bruker betingelser som en fotograf –
– Ja – nøiaktig om man så vil – sier jeg
– Men kanskje ser man et menneske bedre enda – i en anden situasjon – tilfældigvis –
– Kanskje har man i 10 centimeters afstand hat et stærkere indtryk af et menneske... – Nu skal jeg male Dig sier jeg
– Ja hvor skal jeg stå sier han
– Unødig – Jeg såg Dig idet jeg gik gjennom Dit værelse Du husker du sat et stykke borte – Jeg passerte dit ansigt i 10 centimeters afstand –
Næste dag malte jeg billedet – Det var overnaturlig stort – da det havde været så nær mig – og hans hustru i ildrød kjole der havde siddet længre borte blev ganske liden – Hans ansigtsfarve var æblegrønt mod det sterkt sinoberrøde –[8]

Det enorme hodet som nesten sprenger billedrommet fører uvegerlig tankene til et overdrevent fotografisk nærbilde; kraniets form eser ut, trekkene forvanskes og flyter sammen. Det eplegrønne ansiktet med de sanselige, røde leppene gir nærmest assosiasjoner til et grisetryne. Hustruens sinoberrøde skikkelse utgjør et slags silhuettaktig appendiks til Lunds hode, et hode hvis brutalitet i form og uttrykk er uvanlig selv i Munchs mangefasetterte kunst.

Hit til København ble også to brev med nye bemerkelsesverdige portrettoppdrag ettersendt ham. Det ene inviterte ham til Chemnitz for å male industrimannen Herbert Esches barn, og det andre ba ham reise til Weimar for å male et portrett av den forlengst avdøde filosofen Friedrich Nietzsche.

HOS FAMILIEN ESCHE I CHEMNITZ

Det var den kjente arkitekten og brukskunstneren Henry van de Velde som hadde anbefalt fru Esche at Munch, «un peintre de premier ordre», burde male de to barna, Hans og Erdmute. Herbert Esche hadde truffet van de Velde i Paris allerede i 1896 da denne foresto innredningen av Salon de l'Art Nouveau. Han ble familien Esches rådgiver ved innkjøp av kunst, og nå i 1905 hadde han nettopp tegnet huset deres i Chemnitz. Han mente at et monumentalt bilde av barna kunne få plass i hallen eller i dagligstuen. Før de bestemmer seg, reiser herr og fru Esche til Lübeck for å se gruppeportrettet av Max Lindes fire sønner. Da Max Linde ikke var tilstede under besøket, skriver han til dem:

Hva nå Deres forespørsel angår, så synes jeg det er en god tanke å la Deres barn male av Munch, da jeg alltid har vært av den mening at Munch er en fremragende maler. Munch er et alvorlig, stille menneske av fornemt sinnelag og meget glad i barn – våre gutter kalte ham alltid «onkel Munch» og var ikke til å få vekk fra ham. Men gjennom sin kamp i femten år har Munch blitt en ensom mann. Selskaper, middager, alt konvensjonelt plager ham, da flykter han. Det beste er å la ham gjøre som han vil. Da tør han langsomt opp, og hans nordisk kjølige reserverthet fortar seg. Man møter da et prektig, mangesidig, dannet menneske og lærer å sette pris på ham. Munch kan gå i ukevis og iakkta uten å sette en pensel på lerretet. «Ich male mit meine Gehirn», sa han ofte på sitt gebrokne tysk. Han arbeider alltid slik at han lenge bare suger opp inntrykk for så plutselig med elementær kraft og tyngde raskt å forme det han har sett. Hans bilder blir da ferdige på få dager, ja på timer. Da gir han alt han har. Når det gjelder det suverene grep på oppgaver, det selvfølgelige, det storartede i oppfatningen vet jeg ingen maler som kan sammenlignes med ham. Han slår selv Manet. Derimot lønner det seg ikke å plage ham med detaljer og forlange at han skal utføre noe som ikke ligger for ham. Da kan det nok hende at han selv ødelegger sine bilder igjen ...

Og fru Esche skriver til Munch: «Det ville glede oss meget, meget om De ville være sammen med oss en tid og finne stedet for portrettet, og om De ville gjøre Dem nærmere kjent med oss og barna ...».

Det var dette brevet som nådde Munch i Klampenborg. Han aksepterer oppdraget «als Ich Kinder sehr liebe», og da pengene tar slutt i Danmark, reiser han brått til Chemnitz hvor han den 1. oktober til familiens forbauselse ankommer «uten malersaker». Han blir installert i et værelse i annen etasje, og skriver hjem til tanten dagen etter:

Jeg har det meget godt her – Et stort værelse med bad – slik at jeg kan pleie helsen – Jeg tar hver morgen luftbad, vannbad og gymnastik – det hjelper mot «ormen». Jeg

Fig. 6
Henry van de Velde og Edvard Munch
Chemnitz 1905

tror at barnebildet blir godt – Det er et ungt ektepar – meget elskverdige.

Munch tilbrakte imidlertid det meste av sin tid i Café Stadt Golgatha, hvorfra han igjen skriver til tanten og ber om pekuniær støtte, for «jeg vil ikke la Huset mærke at jeg ikke har penge –».

Historien forteller at Munch til familien Esches stigende uro ble boende i tre uker uten å male eller en gang antyde at han ville male. Isteden konsumerte han hver dag en flaske av Esches konjakk. Frokosten ble inntatt i dypeste taushet. Han gikk deretter ut, men kom tilbake til ettermiddagskaffen da han lot barna posere stivpyntet. Med foreldrene diskuterte han alt annet enn bildende kunst. Et yndlingstema var Norges selvstendighet og hans noe spesielle plan om å gjøre det kongelige slott om til kafé!

Van de Velde ankommer Chemnitz under Munchs opphold, og lar seg blant annet fotografere sammen med Edvard Munch i Esches hjem (fig. 6). Komposisjonen i fotografiene kan tyde på at Munch kanskje planla et dobbeltportrett av seg selv og van de Velde. Arkitekten og kunstneren for det nye århundre kunne nok være en interessant sammenstilling, men et slikt portrett ble aldri utført. (Komposisjonen i fotografiet av Munch stående og van de Velde sittende, speiles imidlertid i et langt senere dobbeltportrett av Jappe Nilssen og Lucien Dedichen.)

Munch kjente allerede van de Velde meget godt og hadde det foregående året «som Graf Kesslers gjæst [vært] meget sammen med ham». Om enn van de Velde elsket de myke art nouveau-linjer, de vakkert mønstrede gulv og tapeter, var den arkitektur han nå skapte preget av en viss forenkling, en spirende pre-funksjonalistisk reaksjon på Jugendstilens eksesser. Han hadde tidligere vært ansvarlig for arkitekturen i en rekke av de utstillingslokaler hvor Munch gjennom årene hadde utstilt både i Tyskland, Frankrike og Belgia, og kunne således forestille seg hvordan Munchs eksplosive fargekunst ville kunne egne seg som fargeinnslag i det hus han nettopp hadde fullført for familien Esche. Ideen å la portretter av en hel familie permanent utstilles i deres eget hjem må ha tiltalt eller endog stammet fra van de Velde, kjent for sine tanker om integrering av mennesker i arkitektur. Kanskje et par fotografier som blant annet viser prøveopphengingen av portrettet av barna ble tatt under van de Veldes besøk (fig. 1). Munch skriver iallfall til Thiis i tilknytning til dennes arbeid med biografien over Munch i 1933, at da han «malte det bekjente dobbeltportræt af Herbert Esches børn ... var [jeg] her sammen med van de Velde der netop fuldførte et af sine betydeligste byggverker – Esches nye hus –».

Da Munch omsider kom igang med portrettet av **Erdmute og Hans Herbert Esche** (kat. 59) ble det malt i en nærmest eksplosiv fart, og resultatet ble et egenartet, spenningsfylt maleri. Han er fremstilt i mørk dress med elegant halstørkle, hun i struttende kjole. De står sammen, men poserer liksom hver for seg. Den eneste kontakten mellom dem er at han holder henne lett under armen, nettopp slik de også er avbildet i et fotografi (fig. 7, s. 140). Antagelig er fotografiet tatt etter at Munch har påbegynt sitt portrett av barna, men han har sannsynligvis støttet seg til det i sitt videre arbeid. Mens de i fotografiet synes nærmest sammentrengt, fremstår de i maleriet som stod de i hjørnet av et stort scenegulv. Det skrånende gulvet skaper et spenningsfylt perspektiv, og den koloristiske behandlingen, de lysende fargene, gir barna rom til bevegelse.

Munch malte nok et dobbeltportrett av barna iført de samme klærne. Dette portrettet ble imidlertid delt i to. I den høyre delen ser vi **Hans Herbert Esche** (kat. 61) sitte ved siden av barnas engelske guvernante. De to skikkelsene er sammensmeltet i en enhetlig form hvor rygglinjene repeterer hverandre. I den venstre delen av portrettet møter vi en sprudlende **Erdmute Esche** (kat. 60) med en dukke og en katt i hendene. Hun står frontalt med sine leker på en scene hun åpenbart behersker, en frisk variant av en formel Munch ofte benyttet i sine portretter av pikebarn. Fargene er på en helt annen måte enn i det representative dobbeltportrettet friske og sprakende; guvernantens eplegrønne kjole står lysende mellom den klarblå veggen og guttens mørkeblå dress, og i den venstre del av maleriet stråler veggens blå mot gulvets okerfarger og slår an en frisk fargeakkord som bakgrunn for den smilende piken i den hvite kjolen med den ildrøde dukken og den grønne katten. Munch malte også et lite, upretensiøst portretthode av den lille leende piken med de strålende, blå øyne som tydeligvis hadde sjarmert ham. Og dessuten utførte han en liten, raskt nedtegnet koldnålradering av hennes ansikt, det eneste grafiske portrettet av familiens medlemmer.

Munchs bilde av barnas mor **Hanni Esche** (1905, kat. 62) viser en åpen, helt unevrotisk kvinnetype. Hun er liksom sett idet hun snur seg og ser betrakteren over skulderen. Munnen er lett åpen, som om hun sier noe i forbifarten. Den forstørrede kroppen i det markert mønstrede stoffet som er sett på nært hold, gir henne en egen dynamikk. Hun er malt med raske, svepende strøk, noe som er særlig tydelig i den særpregede, lyseblå kjolen, en kreasjon vi må tro var tegnet av van de Velde. Munch skal først ha malt bakgrunnen dyp blå, men forandret den senere på fru Esches anmodning til gul for å oppnå en sterkere kontrastvirkning.

Munch maler også to portretter av faren, **Herbert Esche**. I det ene sitter han mot en fargesprakende, lysende rød vegg (kat. 63). Stolryggen ble av Esche omtalt som malt med fargen rett fra tuben «à la van Gogh». I fargestyrke overgår det alt Munch tidligere har skapt av portretter, og det kan være interessant å merke seg at det var dette året, 1905, fauvistene – fargekunstnerne per se – utstilte samlet for første gang i Paris.

I det andre portrettet, et skissepreget knebilde, poserer Herbert Esche (fig. 8) mer tenksomt og reflektert mot en bokhylle. Det er bevart et fotografi av Munch i diplomatfrakk stående foran den samme bokhyllen i Esches hjem. Munch hadde mer enn et halvt år tidligere hos dr. Linde i Lübeck malt *Selvportrett med pensler*, hvor han står i samme positur som i dette fotografiet. De likhetstrekk som ofte har vært fremholdt mellom maleriet og fotografiet, beror altså ikke på at fotografiet har vært utgangspunkt for maleriet. Men i maleriet som i fotografiet inntar han en stilling vi også kjenner fra fotografiet med portrettet av Ellen Warburg, som den elegante «hoffmaleren» med sine instrumenter, pensler og palett, i hendene.

Under oppholdet hos familien Esche ble Hermann Essweins bok *Edvard Munch* (1905) publisert, hvor den filosofiske betydning av portrettet ble viet spesiell oppmerksomhet. Boken er langt på vei et forsøk i filosofisk forstand på en moderne fenomenologisk analyse av Munchs kunst. Nyere arbeider som *Selvportrett med pensler*, *Franskmannen* og *Tyskeren* ble avbildet. Sammenstillingen og den fenomenologiske analysen av de to sistnevnte portrettene er et hovedresonnement i boken. Sammen representerer de ifølge Esswein kontrasten mellom fundamentale rasekarakterer, og hver for seg skildrer de syntesen «som en multiplikasjon av alle rytmiske muligheter som Munch noensinne fornemmet overfor disse to menneskene». Hermann Esswein konkluderer sitt resonnement som følger:

Fig. 8
Herbert Esche, 1905
Privat eie, Sveits

Hva som treder oss i møte i disse verkene er altså langt mer enn «realisme» i ordets gjengse betydning. Er det her lys levende virkelighet så er den på et vis sjelelig utdypet, antent, intensivert av svingningene i et sterkt kunstnerisk temperament, slik at vi foran disse portrettene helt glemmer det enkelte løsrevne «tilfellet» og blir umiddelbart ledet hen til de dypere, kosmiske sammenhenger mellom individ og verden som helhet.

STORE OPPDRAG I WEIMAR OG JENA

Hjemme igjen i Weimar skriver van de Velde til Chemnitz og inviterer Munch sammen med ekteparet Esche til middag søndag 29. oktober, noe som sikkert har motivert Munch til å få avsluttet oppdraget i Chemnitz, for i Weimar ventet portrettene for Ernest Thiel av Friedrich Nietzsche og hans søster Elisabeth Förster-Nietzsche. Thiel hadde også nevnt til Munch at van de Velde ønsket å bli portrettert av ham.

Dette ble innledningen til et mer eller mindre fast opphold i Weimar eller i byens periferi (Bad Elgersburg, Bad Kösen og Bad Ilmenau) for nærmere ett år fremover. Oppholdet ble imidlertid avbrutt av reiser til Berlin, hvor Munch blant annet laget utkast til scenedekorasjonene til *Hedda Gabler* for Max Reinhardts nye teater. Han

Fig. 9
Henry van de Veldes to barn, 1906
Litografi. Munch-museet

besøkte også Jena, hvor han malte et portrett av professor i teoretisk fysikk Felix Auerbach.

I Weimar skapte Munch det fine litografiske portrett-hodet av **Henry van de Velde** (kat. 218), som synes meget velegnet som forstudium til et malt portrett. Kanskje også fotografiene som ble tatt hos familien Esche i Chemnitz, var tenkt som slike forstudier. Vi vet at van de Velde var sterkt interessert i å få Munch til å male sitt portrett. I brevet til fru Esche der han anbefaler Munch, skriver han: «Moi, c'est un de mes plus vif desirs de laisser mon portrait par Munch à mes enfants.» Og Ernest Thiel skriver i samme brev som han ber Munch male et portrett av Friedrich Nietzsche at også «herr van de Velde önskar bli målad av Eder».

Etter at van de Velde har vært på besøk hos dr. Linde i Lübeck, skriver Linde 23.11.1905 til Munch:

Angående portrettet av van de Velde tror jeg også at de ville være heldig om De først lagde et koldnåls- eller rade-ringsarbeid etter hans hode. Jeg tror at dette ligger for Dem. Van de Velde har et folderikt, vidunderlig hode, som lar seg glimrende utmodellere.

Munch valgte istedet litografiet, og resultatet ble et av de fineste litografiske arbeider overhodet fra denne perio-den. Den kraftige markeringen av kontrasten i de to ansiktshalvdeler ved å legge den høyre i dyp skygge, for-sterker inntrykket av en rik personlighet. Litografiet har samme skulpturale fasthet som det trolig samtidig utførte litografiske portretthodet av Albert Kollmann (kat. 217). Begge hodene ble trykket i Weimar. Munch laget også et stort litografi av van de Veldes to barn (fig. 9), som fru van de Velde skriver og takker for «um meiner Freude Aus-druck zu geben», og hun fortsetter: «Die Bilder der Kin-der erfreuen uns sehr und wir sind Ihnen sehr dankbar.»

Det grafiske trykket kan imidlertid neppe ansees som særlig vellykket, dertil er det for tynt. Men som komposi-sjonsutkast til nok et gruppeportrett av barn synes det glimrende. Synd bare at et slikt oppdrag aldri ble realisert.

Munchs hovedoppdrag i Weimar var imidlertid å male et post mortem portrett av filosofen **Friedrich Nietzsche** (kat. 65 og 66), et bestillingsverk fra den svenske finans-mannen og kunstsamleren Ernest Thiel, som Munch hadde mottatt ett år i forveien. Munchs oppdrag var å male et portrett «af den man, till hvilken jag står i större tacksamhetsskuld, än till någon annan människa», men som Thiel skriver i neste brev, «först och sist åstundar jag att få ett verk af <u>Eder</u>, dertill ett verk som återger <u>Eder</u> Nietzsche – min Nietzsche, det blir en annan sak». I Wei-mar studerte Munch fotografier og annet materiale i Nietzsche-arkivet som ble bestyrt av filosofens søster, for å danne seg et bilde av den store, avdøde dikterfilosofen hvis verker hadde influert hele Munchs samtid inklusive ham selv. Og i den første malte skissen av den syke Nietz-sche som sitter i sitt hjem i Weimar mens han venter på døden (kat. 65), tar han tydeligvis utgangspunkt i et kjent postkortfotografi (fig. 10, s. 144).

Denne sin første idé til Nietzsche-portrettet hadde Munch allerede fått i Klampenborg da han mottok opp-draget. Den 29.8.1905 skrev han til Thiel at han «har en idé: Nietzsche sittende ved sit vindu i sit værelse i Weimar – som De muligvis ved er det udenfor dette et for ham meget betegnende – noe melankolsk landskab».

Og fire måneder senere, 29.12.1905, skriver han fra Thüringen:

Jeg har i Weimar faaet gjort studier til de to billeder. Først maler jeg Nietzsche og har alt gjort udkast som lover godt. Jeg har valgt at male ham monumentalt og dekora-tivt. Jeg finder ikke at det vilde være rigtigt af mig at frem-stille ham illusorisk – da jeg ikke har seet ham med mine ydre øine. Jeg har pointeret dette ved at male ham noget over naturlig størrelse. Jeg har fremstilt ham som Zarat-hustras digter mellem bjergene i sin Hule. Han staar paa det sted hvor han taler om at han staar i lys men ønsker at være i mørke –

Det finnes to utgaver av det monumentale portrettet, ett i Thielska Galleriet i Stockholm (fig. 11) og en mer skisse-preget utgave i Munch-museet (kat. 66) samt en opptegn-ing i full størrelse, også i Munch-museet (kat. 160). I disse portrettene har Munch uten tvil tatt utgangspunkt i Hans Oldes kjente fotografier av Nietzsche samt i Oldes raderte portrett av filosofen utført for tidsskriftet *Pan*. Da portrettet omsider er ferdig, skriver Munch igjen til Thiel:

Fru Förster-Nietzsche var overstrømmende i sin ros for Nietzscheportrættet. Hun kjendte ham jo. Jeg har siden De så det forbedret billedet, øret, halsen og hændene. Det ser ud til at min sjæl kan vende tilbage til denne skjønne og tornefulde verden.[9]

Allerede i sitt andre brev til Munch hadde Thiel også bestilt et portrett av Nietzsches søster, Elisabeth Förster-Nietzsche, med ordene:

Skulle Ni kanskje också tycka om att göra ett litet porträtt af min vördade vän, fru Elisabeth Förster-Nietzsche? Oaktad hon är qvinna, beundrar jag henne såsom syster, lärjunge och biograf.

Munch hadde truffet Elisabeth Förster-Nietzsche allerede to år i forveien da han hadde besøkt Weimar for å male Harry Graf Kessler. Man «mødtes hos fru Elisabeth Förster-Nietzsche i Nietzschearkivet hvor en større kreds nød godt af hendes store gjæstfrihet og elskværdighet». Munch malte to utgaver av **Elisabeth Förster-Nietzsche** (fig. 12 og kat. 67), et lite som Thiel ervervet og et monumentalt som han beholdt selv.

Fru Förster-Nietzsche var en særpreget kvinne. Hun hadde i 1886 sammen med sin mann, en uttalt antisemitt, grunnlagt en tysk koloni, «Neu-Germania», i Paraguay og regjert denne etter hva man nærmest kan kalle pre-fascistiske ideer. Etter at mannen begikk selvmord reiste hun tilbake til Tyskland i 1889 og overtok styringen av hjemmet til sin nå sinnssyke bror og forvaltningen av hans arbeider, som for en stor del ikke var publiserte. Hun utga etter 1895 en rekke bøker om broren og redigerte en samlet utgave av hans arbeider. Hun har senere fått sterk kritikk for nærmest å ha forfalsket Nietzsches verk ved å brenne brev og hardhendt redigere hans verk, og derved beredte grunnen til at Nietzsches filosofi kunne bli tatt til inntekt for nasjonalsosialismens ideologi.

Det var tydeligvis ingen enkel oppgave Munch hadde

Fig. 11
Friedrich Nietzsche, 1906
Thielska Galleriet, Stockholm

Fig. 12
Elisabeth Förster-Nietzsche, 1906
Thielska Galleriet, Stockholm

påtatt seg. Den 18.6.1906 skriver han til Thiel at «Fru Förster-Nietzsche er vanskelig å male». I de to portrettene står hun myndig og streng i lang kjole i sterke blå og fiolette toner på et grønnlig gulv. Mot en bakgrunn i kraftig guloker lyser hennes bleke, rosa ansikt, en fargeklang som nærmer seg dissonansen. Kroppen som er formulert som en skulptural kjegleform, understreker inntrykket av standhaftighet. Det finnes bevart et fotografi tatt i Nietzsche-arkivet som viser henne stående foran en bokhylle i samme kjole og med samme perlekjede som i de malte portrettene. I portrettene forenkler imidlertid Munch omgivelsene til rene, klare fargeflater. Det for Munch så typiske, høye perspektivet bevirker at rommet synes stort og luftig. I den monumentale utgaven, som Munch selv beholdt, ser vi en tåkelignende formasjon rundt hodet, en slags aura. En lignende form finner vi for øvrig også rundt Munchs eget hode i *Selvportrett ved vinen* (1906), som han samtidig malte i Weimar.

Den mindre utgaven av maleriet, i dag i Thielska Galleriet i Stockholm, er datert 1906. Den større, mer praktfulle utgaven som Munch selv beholdt, er signert og datert 1905, noe som må skyldes en feilerindring da maleriet antagelig ble signert flere år senere. Det ovenfor siterte brev fra Munch til Thiel datert 18.6.1906, indikerer at begge portrettene ble ferdigstilt sommeren 1906. Det er også bevart en tegning av Elisabeth Förster-Nietzsche (kat. 158) som trolig stammer fra Munchs tidligere

Fig. 13
Fru Schwarz, 1906
Nasjonalgalleriet, Oslo

forelesninger på universitetet i Jena og noterte flittig.

I portrettet er Felix Auerbach gjengitt mot en dis av farger og former, nærmest et bakteppe av tankeformer. Han holder den venstre hånden med sigaren opp i en talende gest. Et fotografi som viser Auerbach i samme positur ble tatt av hustruen Anna etter at bildet var ferdigstilt (fig. 15), for at Munch kunne benytte det til en planlagt, men aldri utført korrigering av modellens hånd. Munch hadde fått låne portrettet av Auerbachs for å utstille det hos Cassirer januar-februar 1907 og hadde foreslått å forandre hånden samtidig. I et udatert brevutkast til Anna Auerbach skriver han:

Jeg tenker stadig på den hjertelighet – som jeg – den forrykte maleren – ble bemøtt med i Thüringen ... Det ergrer meg at jeg ikke også har malt et bilde av Dem – Kanskje kan det bli engang – Det var dessverre ikke mulig å forandre portrettet av professor Auerbach – Jeg fryktet at jeg ville ødelegge bildet – og bildet er meget godt – Men alle mine portretter er outrerte – annerledes kan det ikke være –

To år tidligere, i 1904, hadde Munch malt sitt første portrett av **Harry Graf Kessler** (kat. 54). I den anledning skrev han hjem til tanten 2.1.1904 at «Grev Kessler der allerede tidligere interesserede sig for mine arbeider – har indbudt mig til sig. Han er nu Direktør i det hertuglige Musæum og spiller en større Rolle i den Tydske Kunst. Jeg skal male hans Portrait og glæder mig til at være en Tid i Goethes by». I portrettet sitter Graf Kessler strengt en face foran bokhyllen i sitt arbeidsværelse. Noen måneder senere, 4.4.1904, skriver Munch til Kollmann og forteller at «her går det i ett sett løs med selskaper. Portrettet av Graf Kessler er – tror jeg – blitt vellykket». Det finnes bevart en skisse av Graf Kessler stående sidevendt avskåret ved knærne som meget vel kan være utført under dette første oppholdet i Weimar (fig. 16).

Munch hadde imidlertid kjent Kessler allerede på 1890-tallet i Berlin. Ifølge Harry Graf Kesslers dagbok fant deres første møte sted i januar 1895 i Munchs atelierleilighet på Charlottenburg. Han noterte seg at «Munch er fremdeles ung, synes imidlertid allerede utlevd, trett og både i fysisk og psykisk forstand sulten».

I mai samme år tok Munch fatt på et par litografiske portretter av greven. Den 5.5.1895 skriver Kessler: «Sehr geehrter Herr Munch. Kan ich heute um 11 zu einer Sitzung kommen?» Og et par dager senere heter det: «Wenn es Ihnen passt komme ich morgen zwischen 1 und 2 Uhr zu einer Sitzung zu Ihnen.»

Disse arbeidstimene i Munchs atelier ledet til hans første litografiske portrett overhodet. Det ene viser greven litt tradisjonelt avskåret ved brystet (kat. 200), mens det andre som kun viser hodet en face i få men presise linjer, er langt mer spennende og Munchsk i uttrykket. Det finnes også signerte prøvetrykk som viser et ekstra lite pro-

besøk i Weimar i 1904. Denne kan antagelig ansees som en forstudie til maleriet.

I 1906 malte Munch også et skissepreget portrett av den vakre **Fru Schwarz** (fig. 13), gift med Karl Schwarz som utga *Das Graphische Werk von Lovis Corinth*. Hun er gjengitt i en for Munch velkjent positur; stående en face med hendene samlet foran seg. Det er et upretensiøst maleri som Munch imidlertid ofte utstilte. Han laget også litografiske hoder av henne (kat. 220) og hennes sjarmerende lille sønn **Andreas Schwarz** (kat. 221), begge følsomt tegnet med særpregede store, mørke øyne og begge av høy grafisk kvalitet.

Mens Munch arbeidet med fullføringen av portrettet av Friedrich Nietzsche, reiste han en tur til Jena i januar-februar 1906 for å male et bestillingsportrett av professor i teoretisk fysikk **Felix Auerbach** (fig. 14). Auerbach var en venn av både Julius Meier-Graefe og van de Velde. Hans hus i Jena var bygget av en annen aktuell arkitekt i tiden, Walter Gropius, direktør for Bauhaus i Weimar, som også var en stadig gjest i det Auerbachske hjem.

Munch fant Auerbachs naturfilosofiske teorier meget interessante, blant annet hvordan fysiologiske lydimpulser kunne påvirke menneskelige handlinger uten deres bevisste viten. Han var så fenglset at han fulgte Auerbachs

Fig. 14
Felix Auerbach, 1906
Privat eie, USA

Fig. 15
Felix Auerbach, 1906
Foto: Anna Auerbach

filvendt portrett av greven over hovedmotivet (kat. 201), noe som forsterker inntrykket av skissebokblad. I den endelige utgaven av trykket ble imidlertid den lille profilen fjernet. I den fine bruken av den litografiske stiften i dette portrettet går det åpenbare linjer til hvordan Munch tegner sine egne trekk i *Selvportrett med knokkelarm*

Fig. 16
Harry Graf Kessler,
ant. 1904
Tegning. Munch-museet

(kat. 202), selv om han lar sitt eget hode stå mot en sort fond i litografisk tusj.

Den adelige Kessler var en velhavende ung mann med kontakter til keiseren, som hjalp mange i Munchs vennekrets. Han var også medlem av redaksjonen av det fasjonable tidsskriftet *Pan*, og skrev blant annet en kort, pregnant artikkel, «Über den Kunstwert des Neo-Impressionismus»,[10] et innlegg i tidens tyske kunstdebatt om det moderne fransk-inspirerte maleriet skulle tilkjennes verdi. Dette var en problemstilling som i høyeste grad var av betydning for mottagelsen av Munchs kunstverker i Tyskland.

I denne artikkelen hevdet Kessler at den fargemessige skjønnhet i et kunstverk var avhengig av fargenes optiske blanding som «vekker fargene til liv» og bevirker at lyset i bildet «ekspanderer til det omgivende rommet». Dette gjaldt ikke bare moderne, dekorativ kunst ifølge Kessler, men var eksempelvis en egenskap i Rubens' portretter, hvor vi finner blått, oker og karmosin stilt ved siden av hverandre. Denne bruk av fargen som hadde aner fra Tintoretto til Turner og Monet var ifølge Kessler en forutsetning for neo-impresjonistene.

Kessler hevdet videre at det lå en «nærmest uberørt skatt av muligheter til å skape skjønnhet på nye måter ved hjelp av fargen». Og Munchs portrett av Harry Graf Kessler fra 1904 kan sees som et forsøk i den retningen. Bokhyllen bak Kessler består av nærmest abstrakte, rektangulære, sprakende fargefelt i blått, grønt, gult, oker, brunt, rødfiolett og hvitt mot det grunderte lerretet. Ansiktet er presist bygget opp i klart definerte fargeplan fra rødfiolett til gult med grønt i hår og bart. Et motsvarende kjølig komponert fargespill hovedsakelig i grønt og blått finner vi i jakken. Det er tydelig at Munch på en helt annen måte enn tidligere har basert seg på at fargene i det rommessig sett nærmest flate bildet skal virke ved sin optiske blanding i tilskuerens øye. Selvfølgelig er ikke Munchs portrett av Kessler like bevisst konsipert som Signacs portrett av fargeteoretikeren Félix Fénéon (1890), men Munch var primært en aggressiv kunstnertype som assimilerte nye ideer spontant og eksplosivt.

Emil Heilbut betegnet dette portrettet i *Kunst und Künstler* august 1904 som det vanskeligst tilgjengelige av de tre portrettene artikkelen omhandlet (de to andre var som tidligere nevnt helfigurportrettene av Marcel Archinard og Hermann Schlittgen), men han finner den umiddelbarhet som taler ut av bildet oppkvikkende og den strenge stilen i komposisjonen typisk Munchsk.

Det går en konsekvent linje fra dette maleriet til fargespillet i øvrige portretter fra 1905-1906, særlig portrettene av familien Esche og eksempelvis i portrettet av Elisabeth Förster-Nietzsche med den påfallende fargevirkningen i ansiktet. Den klare organiseringen av ansiktet i presise plan fører også tankene til de litografiske hodene av Albert Kollmann og van de Velde.

Under sitt lange opphold i Weimar i 1906 malte Munch nok et portrett av Harry Graf Kessler, denne gang et helfigurportrett (kat. 68), et av de mest spennende og velykkede hovedverk i denne genren i Munchs kunst. Nøyaktig når Munch fikk oppdraget kan ikke fastslås med sikkerhet. Imidlertid skriver han 2.4.1906 fra Bad Kösen til Kollmann, som stadig følger hans portrettbestillinger med interesse, at han «har ennu ikke malt Graf Kesslers portrett – han er alltid på reise». I likhet med hva han hadde gjort to år tidligere, malte Munch først en skisse (kat. 69) hvor fargeklangen angis av hattens skrikende dissonans.

Dette var en kritisk periode i Graf Kesslers liv og karriere. I Weimar gjorde reaksjonære krefter seg stadig mer gjeldende, og det intellektuelle miljøet Kessler tilhørte gikk mot sin oppløsning. Han hadde innlevert sin avskjedssøknad og ventet på å få den innvilget, noe som nok bidro til at Kessler fant det svært anstrengende å sitte modell for Munch. Portrettet blir imidlertid fullført i løpet av tre dager, fra 9. til 11. juli 1906, i Kunstakademiet i Weimar. Et par dager etter at bildet var ferdig skriver Kessler i sin dagbok at han «har bare en følelse: gleden over igjen å være fri etter et farlig eventyr».

I helfigurportrettet står Kessler elegant poserende i ultramarin dress og gul hatt med eplegrønn brem mot en guloker vegg og på et gulv av dominerende grårosa toner. Figuren poserer flott på sine ekstremt lange, tynne ben, grasiøst støttet på spaserstokken og med den høyre hånden elegant på hoften. Ansiktsuttrykket virker blasert og

arrogant men myndig. Da bildet ble utstilt hos Cassirer i februar 1907 (fig. 17 a, b) hevdet en kritiker at hvor hard og grell Munch enn kunne være, maktet han å gjengi «das Wesen seiner Menschen» med få streker, og at man kom kunstneren nærmest i hans portretter. Om portrettet av Graf Kessler skriver han:

Innimellom ser vi et portrett; Graf Kessler slank og fin, i blått jakettantrekk mot en skrikende gul bakgrunn. Alt som var det fremtryllet av en heks. Det er en ekstatisk «hurtigmaler» som her arbeider.[11]

TO BANKIERER

Den 15. januar 1907, da Munch igjen har slått seg ned i Berlin, mottar han et brev fra den fremstående forretnings- og bankmannen og moderate politikeren **Walter Rathenau** (kat. 70 og 71). Etter utbruddet av første verdenskrig trådte Rathenau inn i den tyske regjeringen og organiserte på åtte måneder landets råvareforsyning. Han overtok deretter ved sin fars død stillingen som direktør for den allmenne elektrisitetsforsyningen, AEG. Under krigen 1914-1918 kritiserte han sine landsmenns overdrevne seierstro og advarte mot kapitulasjon. Dette skaffet ham mange fiender; det falt de patriotiske nasjonalistene tungt for brystet at han, jøden, kritiserte dem. Rathenau ble imidlertid minister for gjenoppbyggingen i 1921, deretter utenriksminister. I 1922 ble han myrdet av politiske motstandere etter å ha deltatt i krigsoppgjøret med Frankrike og underskrevet Rapallo-traktaten, en kontroversiell handelstraktat med Russland som skulle finalisere krigsoppgjøret.

Da han imidlertid mange år tidligere, 15. januar 1907, skrev til Munch, var han direktør for banken Berliner Handelsgesellschaft:

Kjære herr Munch, hvis De vil kan vi ta til i overmorgen, torsdag kl. 13 i Victoriastrasse. Jeg har imidlertid bare en halv time fri torsdag, men de senere dagene en time. De vil nok ha bruk for et stort lerret; jeg tror jeg måler 1 m 82.

Rathenau hadde kjøpt sitt første Munch-maleri *Regnvær i Kristiania* på Freie Berliner Kunstausstellung allerede sommeren 1893. Han var da 23 år gammel og studerte naturvitenskap. Senere ervervet han en stor samling av Munchs grafikk samt dobbeltportrettet av Paul Herrmann og Paul Contard (kat. 39). Men den umiddelbare årsaken til portrettbestillingen nå i 1906 skyldes trolig atter en gang Albert Kollmann, som stadig virket utrettelig for Munch i Tyskland. Men antagelig har helfigurportrettet av Harry Graf Kessler, som var utstilt hos Cassirer i Berlin ikke langt fra Rathenaus kontor, bidratt til beslutningen. Det var for øvrig Graf Kessler som senere skulle skrive Rathenaus biografi.

Fig. 17 a, b
Edvard Munchs utstilling hos Paul Cassirer, Berlin 1907
Foto: Edvard Munch

På selve det ovensiterte brevet fra Rathenau skisserte Munch raskt med blyant oppdragsgiverens skikkelse i samme positur som han senere skulle portrettere ham. Munch maler deretter to i hovedtrekk likeartede portretter. Ved å arbeide samtidig på to lerreter kunne han prøve ut virkningen i det ene som i en eller annen forstand kunne nyttiggjøres i det andre. Dette var første gang han benyttet seg av denne fremgangsmåten som han senere skulle gjøre bruk av en rekke ganger i sine portretter.

I begge bildene står Rathenau med føttene i rett vinkel mot hverandre, en benstilling typisk for Munch, og med venstre hånd i lommen, men slik at jakken skyves vekk på to ulike måter i de to maleriene. Ved nærmere ettersyn ser vi at han er malt i to forskjellige dresser og hans høyre hånd holder henholdsvis en sigar og en sigarett. Den travle bank- og industrimannen har høyst sannsynlig kommet til Munchs atelier med forskjellige dresser, og for Munch har det da vært naturlig å slå opp et nytt lerret. Slik kan ideen opprinnelig ha oppstått om å male to portretter samtidig.

Munch har betonet forskjellige momenter i de to bildene. I det største lerretet (kat. 71) står store områder umalt i bakgrunnen. De hvite partiene skyldes grunderingen. Her ser vi tydelig at Rathenau står foran en dør og at det henger et teppe eller et bilde på veggen bak ham til høyre. Vi ser dørhåndtaket, nøkkelhullet og belysningen i dørfyllingene. I det mindre portrettet, som Rathenau overtok (kat. 70), er veggen gjengitt som rene fargeflater kun opplivet av Rathenaus skygge.

Walter Rathenau fremtrer som en viljesterk og selvbe- visst lederskikkelse. Privat oppfattet Munch ham imidlertid som en sjarmerende person. Etter at han hadde fullført portrettoppdraget skrev han hjem til tanten, Karen Bjølstad, at «En af mine tidligere Bekjente her Dr. Ratenau – som jeg har malt – har Udsigt til at blive Kolonialminister – Det er en elskværdig Mand –». Istedenfor selv å bli kolonialminister ledsaget Rathenau kolonialminister Dernburg på hans reise til Afrika 1908-1909, og skrev beretningen om denne reisen. Deretter fulgte et interessant kulturfilosofisk forfatterskap, hvor Rathenau gikk til felts mot tendensen i tiden til mekanisering av mennesket. Han ønsket på tvers av partiideologiene et samfunn som kunne berede grunnen for den enkeltes åndelige utvikling.

Mens Munch malte Walter Rathenau mottok han også en bestilling på nok et portrett av en velhavende bank- og forretningsmann, **Ernest Thiel** (fig. 18) i Stockholm, som allerede hadde ervervet flere bilder av ham, deriblant portrettene av Friedrich Nietzsche, hans søster Elisabeth Förster-Nietzsche samt portrettet av Ludvig Karsten. Den 3. desember 1906 skriver Thiel:

Gör nu allvar af tanken och kom hit i julhelgen och måla oss båda. Du får bo hvar du vill, hos oss, i staden eller på Saltsjöbaden – du kan inrätta dig aldeles som du behager. Och så får du hvila ut dina satans nerver. Välkommen!

Munch oppholdt seg imidlertid enda en tid i Berlin, blant annet for å lage sceneutkastene til Max Reinhardts Kammerspielhaus' oppsetning av Henrik Ibsens *Hedda Gabler* og for å avslutte frisen til en av teatrets foyerer.

I begynnelsen av mars 1907 reiste han så til Stockholm

Fig. 18
Ernest Thiel, 1907
Thielska Galleriet, Stockholm

for å male helfigurportrettet av bankieren og kunstsamleren. Thiel står rank som en søyle i diplomatfrakk med armene i kors og bena samlet med en arrogant, nærmest avvisende mine og et sfinxaktig blikk. Det er nærmest åpenbart at Munch har villet fremstille Nietzscheaneren Ernest Thiel, det «nye» mennesket, overmennesket, Nietzsches Zarathustra-skikkelse. Thiel var på mange måter en profet for Nietzsche i Sverige. Ikke bare hadde han gitt 200.000 kroner til Elisabeth Förster-Nietzsches arkiv i Weimar, han hadde latt sitt hjem (senere Thielska Galleriet i Stockholm) krone av et kuppelrom med Nietzsches dødsmaske og plassert Edvard Munchs Nietzscheportrett som det sentrale bildet i sitt kunstgalleri.

EPILOG I TYSKLAND

Gustav Schiefler (kat. 77 og 78) hadde så å si fra første stund da han ble kjent med Munch i 1902, arbeidet med katalogiseringen av hans grafiske verk. Resultatet ble to bind, *Verzeichnis des graphischen Werks Edvard Munchs*, som kom ut henholdsvis 1907 og 1928. Det

utviklet seg til et nært vennskap dem imellom. Schiefler, som var sorenskriver og en mann med overordentlig ordenssans, hadde som hobby å katalogisere kunstneres grafiske verk. Han kunne det meste om de grafiske teknikkene og elsket det nære studiet av kunstverket.

Under Munchs opphold i Elgersburg i dagene før jul 1905, skapte Munch et grafisk portretthode av vennen (kat. 195) som ifølge Schieflers dagbok 21.12.1905 «tilkom i løpet av en time». Han forteller videre at raderingen, som ble utført i fullt solskinn reflektert av snøen, gjenspeilet ånden i samtalen dem imellom! Det uttrykksfulle hodet er gjennomarbeidet inn i minste detalj, og er blitt ettertidens bilde av den store kunstkjenneren. Brevvekslingen dem imellom viser hvilken støttespiller han ble for Munch. Han ordnet med utstillinger og hjalp med de juridiske sidene ved oppløsningen av noen kontrakter Munch hadde med et par tyske kunsthandlere. Men brevene forteller også om et nært vennskap og om stor tålmodighet fra Schieflers side overfor en kunstner som stadig nærmet seg sammenbruddets rand.

Sommeren 1908 tilbragte Munch i Warnemünde i et stadig håp om å restituere sine nerver. Gustav Schiefler kommer på besøk i sin sommerferie for at Munch skal male hans portrett. Schiefler skriver hjem til sin kone og forteller i detalj hvordan de to portrettene ble malt i løpet av to dager, den 23. og 25. juli 1908:

Da om ettermiddagen, idet det hele begynte, følte jeg meg meget friskere noe som vel også taler ut av bildene. Han har påbegynt to, et mindre og et større, idet han har fiksert opptegningen med kull på lerretet. Jeg sitter helt en face, det venstre benet slått over det høyre og holder den venstre leggen med hendene. Jeg er selvfølgelig meget nysgjerrig hvordan det går videre.[12]

Dagen etter kan han fortelle hvordan Munch, som stadig kommenterer bildet eller nervøst forteller historier fra sitt liv, skifter mellom å male på de to lerreter, hvordan han snart arbeider på hodet, snart på hendene for så plutselig å male bakgrunnen, «fiolett kakkelovn mot gul tapet». Schiefler fant til å begynne med det mindre bildet – som var bestemt for fru Schiefler – bedre når det gjaldt bevegelse, men etterhvert syntes han ikke det mindre – selv om han fremdeles fant det godt – kunne måle seg med det større med uttrykket av «strålende lystighet».

Portrettet er bygget opp ved hjelp av et system av skråstilte malestrøk som gir bildet en egen vitalitet. Denne høyst personlige stilen hadde Munch utviklet sommeren før da han også hadde besøkt Warnemünde, i bilder som det monumentale *Badende menn*, *Amor og Psyche* og *Marats død*. Han så selv på denne stilen som det siste av flere forsøk på å finne en uttrykksform i pakt med det nye århundres krav om «at bryde fladen og linjen», og han skrev i retrospekt:

En række billeder malte jeg ... med utpregede brede

ofte meteren lange linier eller strøg der gik vertikalt, hori-
sontalt eller diagonalt – Fladen blev brudt og en vis præ-
kubismus ytrede sig – Det var rækkefølgen Amor og
Pscyhe Trøst og Mord –

Da portrettet blir utstilt året etter i Ateneum Taidemu-
seo i Helsinki blir det lovprist av kritikerne. Ved siden av
portrettene av Ludvig Meyer, Ludvig Karsten og konsul
Sandberg var også *Selvportrett med pensler* og *Selvpor-*
trett i helvete utstilt. Gösta Strengell skriver i *Hufvud-*
stadsbladet:

Munch er som porträttmålare hvad han över huvud
alltid är – helt instinkt, helt temperament, och als ej
hjärna. Han analyserar ej sina modeller, han plockar ej
sönder dem drag för drag – han genomskådar dem rent
intuitivt, man skulle vilja säga: vid första ögonkastet.
Intrycket störtar sig över honom, däraf denne våldsamhet
i visionen, däraf denna feberaktiga brådska i utförandet –
det är som om den indre bilden när som helst åter skulle
kunne förflyktigas; och Munchs porträt äro ofta som ska-
pade i en andlig kramp, som formade af lavaströmmar
utslungade vid en plötslig eruption.

Og han fortsetter:

Ypperst af alla är dock bilden af Gustav Schiefler. En
duk målad i verkelig furia, utomordentligt liffull, luft- och
ljusomspolad i den grad att silhuetten redan synes nästan
för litet sammanhållen. Med genialisk intuition är färg-
ackordet vald så att det ger grundtonen i den skildrades
naturell: buldrande starkt och glädligt. Och lika lyckligt
uttrycker ställningen mannens osvikliga bonhomie och
goda lynne; den höga färgen skvallrar om robust och fro-
digt välbefinnande – kanskje även om goda middagar –
och blicken lyser fryntlig ur det icke monokelbeväpnade
ögat.[13]

Utstillingen i Helsinki fant sted på et tidspunkt da den
allmenne oppfatningen var at samtidskunsten i Finland
var blitt formalisert og stereotyp i sin provinsialisme. På
samme måte som i Praha i 1905 ble Munchs malerier hilst
velkommen som en forløsende impuls. På denne bak-
grunn er det forståelig at det nettopp var det eksperimen-
telle portrettet av Gustav Schiefler som ble innkjøpt til
Finlands nasjonalmuseum (kat. 77). Den andre versjonen
ble ervervet av Gustav Schiefler.

Like før Munch mottok oppdragene å male Friedrich
Nietzsche og Esche-familien, hadde han foreslått for sin
venn Gustav Schiefler at han skulle radere portrettet av
dennes lille datter Ottilie, av Munch kalt «die kleine
Engel». Han skriver fra Åsgårdstrand i 1905: «Ich hätte
so gern 'die Kleine' radiert –.» Munch har store vanske-
ligheter med å fullføre raderingen, selv om han får tilsendt
fotografier å støtte seg til (fig. 19). De mange portrettopp-
dragene har sannsynligvis lagt beslag på Munchs konsen-
trasjon. Han beklager stadig at han ikke har kommet
igang, og skriver blant annet til fru Schiefler i januar

Fig. 19
Ottilie Schiefler, ant. 1905

1906: «Es tut mir leid das die kleine Engel nicht fertig
ist –.» Men det skulle vare enda et år før den lille, sjarme-
rende raderingen forelå (kat. 196).

1. *Herning Avis* 5.9.1904.
2. *Hamburgischer Korrespondent* 29.12.1904.
3. Ludvig Ravensbergs dagbok 3.1.1910, Munch-museets arkiv.
4. Munch-museet, ms. «Tilbakeblikk 1902-08».
5. *Edvard Munch/Gustav Schiefler. Briefwechsel, Band 1, 1902-1904*, Hamburg 1987, s. 106, 107.
6. Munch-museet, ms. «Tilbakeblikk 1902-08».
7. Ludvig Ravensbergs dagbok 2.4.1910, Munch-museets arkiv.
8. Munch-museet T 195, s. 94.
9. For en mer inngående omtale av Nietzsche-portrettet se: Arne Eggum, *Munch og fotografi*, Oslo 1987, s. 84-88.
10. *Der Tag*, nr. 119, 12.3.1903.
11. *National-Zeitung* 16.2.1907.
12. *Edvard Munch/Gustav Schiefler*, op.cit. s. 288.
13. *Hufvudstadsbladet* 14.1.1909.

Kat. 57
Henrik Lund, 1905
Munch-museet

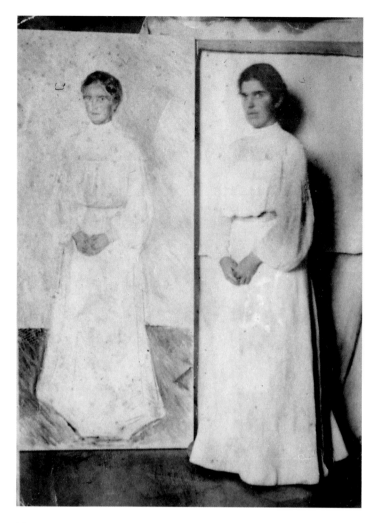

Fig. 3
Ellen Warburg, 1905

Fig. 4
Edvard Munch, 1905

Kat. 63
Herbert Esche, 1905
Privat eie, Sveits

Fig. 7
Erdmute og Hans Herbert Esche, 1905

Kat. 59
Erdmute og Hans Herbert Esche, 1905
Privat eie, Sveits

Kat. 62
Hanni Esche, 1905
Privat eie. Deponert i Bayerischen Staatsgemäldesammlungen,
Neue Pinakothek, München.

Kat. 60
Erdmute Esche, 1905
Privat eie, Sveits

Kat. 61
Hans Herbert Esche med barnepike, 1905
Galleri Bellman, Oslo

Kat. 65
Friedrich Nietzsche, 1906
Munch-museet

Fig. 10
Friedrich Nietzsche
Postkort

Kat. 219
Friedrich Nietzsche, 1906
Litografi. Munch-museet

Kat. 66
Friedrich Nietzsche, 1906
Munch-museet

Kat. 160
Friedrich Nietzsche, 1906
Pastell. Munch-museet

Kat. 221
Andreas Schwarz, 1906
Litografi. Munch-museet

Kat. 220
Fru Schwarz, 1906
Litografi. Munch-museet

Kat. 218
Henry van de Velde, 1906
Litografi. Munch-museet

Kat. 67
Elisabeth Förster-Nietzsche, 1906
Munch-museet

Kat. 158
Elisabeth Förster-Nietzsche, ant. 1904
Tegning. Munch-museet

Kat. 200
Harry Graf Kessler, 1895
Litografi. Munch-museet,

Kat. 201
Harry Graf Kessler, 1895
Litografi. Munch-museet

Kat. 68
Harry Graf Kessler, 1906
Staatliche Museen zu Berlin

Kat. 69
Harry Graf Kessler, 1906
Rolf Stenersens gave til Oslo by

Kat. 77
Gustav Schiefler, 1908
Ateneum Taidemuseo, Helsinki

Fig. 1
«Professor Jacobson elektrifiserer den berømte Maler Munch ...», 1908
Tegning. Munch-museet

1908 – 1912

HJEM TIL NORGE

PÅ DR. JACOBSONS KLINIKK

Etter mange års rastløst liv på kontinentet preget av et selvforsterkende samspill av nerve- og alkoholproblemer og forspilte sjanser, fikk Munch i København høsten 1908 et fullstendig sammenbrudd, paranoide symptomer med hørsels- og synsforstyrrelser ledsaget av en delvis lammelse i høyre ben.

Krisen hadde lenge vært i emning. Da den akutte fasen nærmet seg, skrev Munch urovekkende brev til sine venner i Norge. Harald Nørregaard svarer fra Kristiania 1.10.1909:

Din frygt for at der er kræfter i bevægelse for at putte dig ind i en sindsykeanstalt er jo nemlig bare sykelig hjernespind, forsterket ved følgerne av alkoholmisbruk. Jeg ser, du ogsaa har skremt Jens Thiis, som sendte mig et meget bekymret brev i sakens anledning.

Jeg synes din plan om et landophold er utmerket, og særlig tror jeg, hvis du ikke vil søke en nerveanstalt i Tyskland eller Schweitz, det ville være heldig for dig at komme op i nærheten av doktor Wefring med én gang.

Da brevet fra Nørregaard nådde ham, var Munch imidlertid allerede innlagt på dr. Jacobsons privatklinikk i Kochs vei 21, København. **Dr. Daniel Jacobson** (kat. 79 og 81) var professor og overlege ved Frederiksberg Hospitals nerveavdeling, fungerte også som fengselslege og drev samtidig sin fasjonable privatklinikk, hvor mange skandinaviske kulturpersonligheter fikk sine nerver pleiet.

Munch ble brakt til klinikken av vennen Emanuel Goldstein, og allerede noen dager etter får han besøk av sin venn Christian Gierløff fra Kristiania, som i *Dagbladet* kan berette om en slagferdig og munter maler som virker uforskammet frisk og vital i sykesengen. Ifølge Gierløff forteller Munch:

Forresten – det er benet mitt som er dårlig. Det høire. Enten De vil tro mig eller ei, saa faar jeg massage paa det tre ganger om dagen. Søndage og festdage opptil fem ganger. ... Her ligger jeg som en saaret munch blandt nonner, og de glider ind og ut saa stille og saa omsorgsfulle, og de pleier en med smilende jomfru Maria-omhu og de hører taalmodige og med slik klok blidhet paa mig, selvom jeg skravler løs uavbrutt i timevis.[1]

Etter å ha hvilt seg ut noen uker, skjermet fra utenverden av de vennlige sykesøstre, omvandlet Munch et av rommene på klinikken til atelier og begynte å male sin lege, som var mer enn villig til å stå modell for kunstneren. Munch fortsatte dermed den serie helfigurportretter som han senere skulle omtale som «min kunsts livvakt». Som en innledende fase må han ha utført litografiet (kat. 222) og malt studien av professorens hode (kat. 80). I et senere intervju forteller Daniel Jacobson litt om portrettenes tilblivelse:

Munch var ikke en mann som sa meget. Han kunne sitte og stirre ut gjennem vinduet i timevis, antagelig så han billedene for sig. ... Det var det eiendommelige ved hans måte å male på at han oftest malte ut av sin erindring – ut fra de billeder som hadde dannet sig i hans indre. Når han i sin tid malte Helge Rode og mig, var vi meget sjelden tilstede. De to billedene han malte av mig, malte han som han så mig for sit indre øie, når jeg stod med hendene i siden og så ned på den syge i sengen – vinduslyset var bak mig, og det var dette som gav alle de vakre farvene som en kan se på billedet.[2]

Ved siden av bad og hvile, ble Munch på klinikken også utsatt for en av tidens moderne terapeutiske metoder, såkalt elektrifisering. Det finnes en liten tegning fra Munchs hånd (fig. 1) som viser hvordan en elektrisk strømkrets blir ledet fra et batteri til en kolbe med

Fig. 2
Dr. Daniel Jacobson og
Edvard Munch, 1908

kokende væske gjennom en vakker sykesøster, professoren og pasienten og tilbake til kolben. Øyensynlig bryter og slutter professoren strømkretsen når han berører pasientens panne. På tegningen har Munch skrevet, ikke uten en viss smilende ironi:

Professor Jacobson elektrifiserer den berømte Maler Munch og bringer mandlig positiv og kvinnlig negativ Kraft ind i hans skjøre Hjerne.

De to helfigurportrettene forteller om en selvbevisst nervelege der han står i en bred, nærmest skrevende benstilling med hendene i «hofter fest». I samme positur lar professoren seg også fotografere sammen med maleren da hans portrett på det nærmeste er fullført (fig. 2). Fotografiet røper imidlertid at Munch snarere har redusert enn karikert hans overlegne fremtoning. Portrettet i fotografiet synes nærmest å betrakte modellen med et snev av forundring og ironi i blikket!

Det mindre portrettet (kat. 79) fortoner seg som et forsiktig – i penselstrøkene litt prøvende – forarbeid til det større hovedverket (kat. 81). Det har med sine nesten skrikende farger samtidig preg av eksperiment, av moderne avant-garde, mens det store bildet, som professoren kalte «mit billede», fremstår som et portrett i den store klassiske tradisjon. I begge makter Munch imidlertid å skape en ny variant av et dynamisk forhold mellom individ og rom. Alle avstander mellom professoren og hans omgivelser er udefinerte. Sollyset, som tydeligvis faller inn til venstre bakfra, omdanner luften til en lysende atmosfære av branngule og røde farger. Professor Jacobson er blitt omtalt som både skremmende og diabolsk.

Har Munch villet fremstille ham som en Lucifer i sitt brennende helvete? Psykologisk sett er dette hovedverket blant Munchs helfigurportretter ofte blitt forklart med at Munch har tilstrebet å gjenopprette balansen mellom lege og pasient; i portrettet er det kunstneren som dominerer legen. Med Knappestøperens ord i Peer Gynt «støpes han om». (Det er en kjent sak at Munch på denne tiden var spesielt opptatt av *Peer Gynt* og blant annet laget skisser til dramaet.)

Munch skriver senere at «Når jeg malte var jeg Herren – Jeg følte jeg behersket ham som havde behersket meg -», og ifølge Rolf Stenersen skal Munch ha fortalt:

Jacobsen (sic) var en flink lege. – Han gikk der som en pave blant hvitkledde sykepleiersker og oss bleke syke. Maten var hvit den også. Alt var hvitt uten Jacobsen. Så ville jeg si noe jeg også og fikk ham til å stå for meg. Jeg satte ham inn, stor og skrevende i en ild av alle helvetes farger. Da ba han pent for seg. Ble tam som en due.

«Nå tar vi oss en dram, Jacobsen!»

– Vil De det? sa han.

«Nei da,» sa jeg «Det er bare det at jeg vil si noe jeg også. – Hva slags farge skal jeg sette på skjegget? Er ikke De litt kalvbeint, Jacobsen? Jeg undres hvem som kommer til å kjøpe dette bildet?»

Paven Jacobsen ble min fange. Han ville hverken være kalvbeint eller ha grønt skjegg.[3]

Alt tyder imidlertid på at det var et gjensidig godt forhold mellom nervelegen og hans pasient, og at Munch hadde tiltro til sin lege. Ifølge Emanuel Goldstein uttalte Munch:

Efter Kaptejnens Behandling føler jeg det ofte, naar jeg langsomt rejser mig fra hvilen, som om min Hjerne var et Hav i Blikstille, hvorpaa de syge Tanker sejler bort som store sorte Skibe som noget, jeg bærer, men som ikke vedkommer mig.[4]

På Efterårsudstillingen i København 1909 utstilte Munch tre av hovedverkene han hadde skapt på klinikken, den grafiske serien *Alfa og Omega* samt portrettene av forfatteren Helge Rode og dr. Jacobson. Det sistnevnte vakte uten tvil størst interesse. I en samstemt dansk presse markerte omtalen av maleriet et definitivt gjennombrudd for Munch på dansk jord.

Kritikeren Nic. Lützhöft tolker portrettet som «en Fantasi i Rødt og Svovelgult, et syn – efter Munchs Opfattelse – fra Empyreet».[5] (Empyreet betegner som kjent den ytterste del av universet, den siste himmel, og hos Dante det øverste paradiset.) En annen kritiker omtaler bildet med ordene:

Den geniale Fastholden af noget pludselig sét, et overvældende Indtryk af Farve, Person, Tilsyneladelse i samlet helhed. Det er, som om dette store Billede var blevet til paa én Gang i Kraft af et Øiebliks frugtbar Indskydelse, der slet ikke kunde forme sig anderledes.

Det har nogle af Munchs eijendommeligste og lykke-

lige Egenskaber, af dem, der skaber Respekt for hans imponerende Evner.[6]

På klinikken malte Munch også et portrett av dikteren og forfatteren **Helge Rode** (fig. 3). Etter farens død hadde moren giftet seg med den norske forfatteren Erik Wullum. Helge Rode kom derfor til å tilbringe flere barne- og ungdomsår i Kristiania. Rode og Munch ble tidlig venner og holdt nær kontakt opp gjennom årene. Året før Helge Rode debuterte med diktsamlingen *Hvide blomster* i 1892, utførte Munch et pastellportrett av ham der han sitter med krittpipe og seilerlue og utstråler et muntert, dansk vesen. I Paris i 1898, samme år som Helge Rode utga sitt tredje skuespill, *Dansen gaar*, skapte Munch et inntrengende, grafisk portrett av vennen (kat. 186), et mesterlig dikterportrett hvor Munch har betonet hans tydelig semittiske trekk. *Dansen gaar* er historien om en maler som arbeider på sitt hovedverk, *Livets dans*, noe Munch kommenterte i sitt eget liv da han kort tid senere malte sitt eget *Livets dans* (1898-1899). Mens Munch oppholdt seg på klinikken skrev Helge Rode *Flugten* (1909), hvor hovedpersonen sies å være inspirert av Edvard Munchs skjebne.

Det finnes flere tegninger i Munch-museet der vi kan følge hvordan Munch har arbeidet med å finne frem til modellens positur (kat. 162), en lettere og spenstigere variasjon av den vi kjenner fra portrettet av Ernest Thiel. I maleriet står Rode sidevendt i et frosset skrittmotiv, som kan gi assosiasjoner til hvordan Munch fremstilte mannen i flere av *Livsfrise*-motivene, f.eks. i *De ensomme*. Til høyre for modellen ser vi antydet vegetasjon og bak ham til venstre på veggen et vindu. Som tilfellet også var med professor Jacobson, malte Munch først et portretthode av

Fig. 3
Helge Rode, 1908
Moderna Museet, Stockholm

Fig. 4
Pernille Kirkeby, 1909
Privat eie

Rode (kat. 76) samt trykket et litografi av det samme (kat. 224), som sannsynligvis ble benyttet til å overføre hodet til lerretet for å lette opptegningen, for så å kunne konsentrere seg om selve maleprosessen uten å bekymre seg så meget om portrettlikheten. I motsetning til nervelegens tunge, brannrøde og okergule bakgrunn er Helge Rode malt mot en solfylt fond med lette, antydende penselstrøk slik at skissens karakter bevares i det ferdige maleri.

Det malte portretthodet gjengir hans lille, spisse ansikt med de store, mørke øynene på en fast og sympatisk måte, et venneportrett av en av Munchs mest trofaste venner. Også av hans vakre kone **Edith Rode** (kat. 223) tegnet Munch et besnærende litografisk portretthode. Hun fremtrer like åpen og mild som de bilder Munch skapte omtrent samtidig av sykepleierskene på klinikken. Og av **Emanuel Goldstein** laget han to litografiske portretthoder med og uten hatt (kat. 226) samt en forunderlig parafrase hvor Goldsteins portrett omvandles til en tam leopard som ifølge Munchs påskrift suger på et «tankeben» (kat. 227).

Blant andre bilder som Munch malte mens han var på klinikken, finnes to portretter av den to år gamle **Anne Lise Kirkeby** kalt Pernille (fig. 4), datter av *Politikens* redaktør Anker Kirkeby, en fortryllende liten pike som sikkert har sjarmert kunstneren. I brev av 20. mars 1910 takker redaktøren for portrettet:

Jeg og min Kone vil være i bestandig Taknemligheds-gæld til Dem, fordi De under Deres Ophold hernede i Fjor saa Lejlighed til at male vår lille Pige «Anne Lise». Vi fik Lov at vælge det bedste af de to Billeder, det hænger nu paa Hædersplassen i vort Hjem her som et Husalter, hvor vi daglig holder Andagt. Det lyser som en Sol i Stuen selv paa de graaeste Regnveirsdage. Min lille Pige (der ogsaa hedder «Pernille») kalder det, i Modsætning til sig selv «Pernille Solskin».

Munch laget også to litografier av Pernille. I det ene har hun samme kjole som i de to malte portrettene, noe som indikerer at det sannsynligvis ble utført samtidig. Det andre har et sterkt skisseaktig preg som heller gir assosiasjoner til et skissebokblad enn til et ferdig kunstverk.

Det finnes bevart et fotografi fra klinikkens hage som viser professor Jacobson, Helge Rode og den kjente danske skuespilleren **Albrecht Schmidt**. Av ham skapte Munch et av sine siste, fast formulerte litografiske portretthoder (kat 225). Noe malt portrett utførte dog ikke Munch av denne betydelige skuespilleren, som var en gammel venn av Emanuel Goldstein og tilhørte den lille krets av danske personligheter som regelmessig besøkte Munch under oppholdet på klinikken.

Da tiden nærmet seg at Munch skulle forlate klinikken, ble det bestemt at en av hans nære venner burde ledsage ham hjem til Norge. Harald Nørregaard hadde sagt seg villig, men hadde ikke anledning – slik Munch ønsket – til å følge med på en lengre reise langs kysten av Syd-Norge for å finne et egnet sted hvor han kunne slå seg ned. I et brevutkast, trolig til Harald Nørregaard, skriver Munch:

Jeg kommer vel til at be Ravensberg at komme ned – Han kjenner Professoren – og har det ydre bourgoisimedsig trygge – Dog er jeg ikke ganske fornøid med ham – han er noget for nervøs selv og dertil er han på en måte egensindig.

«JEG HAR FUNNET ET VIDUNDERLIG STED»

Etter således å ha hentet Munch fra klinikken reiste vennen og slektningen Ludvig Ravensberg sammen med Munch langs kysten til de ankom Kragerø og der fant eiendommen Skrubben, et stort hus med mange rom til å arbeide i. Her slår også Ravensberg seg ned som Munchs gjest. (Han var for øvrig selv bildende kunstner som arbeidet i en plakataktig stil først inspirert av Munch, senere av blant andre Willumsen, men samlet seg aldri til å stille ut sine kunstverker, selv om han ofte ble oppfordret av venner.) Den 11. mai skriver Munch til Schiefler at han «har funnet et vidunderlig sted ... og foreløbig har virkelige eller innbilte fiender ikke meldt seg».

Den 13. mai 1909 ankommer så den gamle vennen **Jappe Nilssen** (kat. 82 og 83) for å avløse Ravensberg. Munch mente at han ikke tålte å være alene og trengte derfor stadig selskap. Jappe Nilssen ble værende på post

frem til slutten av juni da han, som han forteller, i hemmelighet bak Munchs rygg maktet å «få fraktet min kuffert ned på bryggen og kom endelig velbeholden ombord ...».

Under dette oppholdet malte Munch to legemsstore portretter av vennen, et stående (kat. 82) og et sittende (kat. 83). Da Ludvig Ravensberg kom tilbake til Kragerø 1. pinsedag, står de to portrettene av Jappe ferdigmalte. Og Ravensberg skriver: «Munch maler nu bedre enn nogensinde, hans opspilede nervesystem modtager indtrykkene saa fine og skarpe, hans to portret af Jappe ... er glimrende.»

Det er fremfor alt portrettet av Jappe Nilssen i full legemsstørrelse som kan ansees som et nytt hovedverk fra Munchs hånd. Koloristisk er bildet slående; en blåfiolett figur mot en kontrasterende, grønntonende bakgrunn. Jens Thiis kan fortelle at dressen ble malt med en dengang ny purpurfarge som var «fryktelig dyr» og bare solgtes i små tuber, men som Munch hadde forelsket seg i og ødslet med i hensynsløse mengder. Jappe Nilssen står med Jens Thiis' ord «ypperlig karakterisert» i en stabil hvilestilling med hendene i bukselommene foran en dør i huset på Skrubben. Billedrommet omkring ham er definert ved hjelp av et skrånende perspektiv, som vi kjenner igjen fra portrettet av Harry Graf Kessler. Korte, parallelle penselstrøk dels drysser som enorme solglimt fritt over hele billedflaten, dels følger de Jappes kontur som en aura. Munch har fanget den karakteristiske, lute skikkelsen med sitt rolige ansikt og årvåkne øyne som følger betrakteren hvor han enn står. Han laget også omtrent samtidig et meget uttrykksfylt tresnitt av vennens hode (kat. 259). Forfatteren Jappe Nilssen, Munchs nære venn fra ungdommen av, var nå blitt fast kunstkritiker i *Dagbladet*, og skulle gjennom de kommende decennier skrive entusiastiske anmeldelser av Munchs mange utstillinger i Kristiania. Da portrettet av ham ble utstilt for første gang i Dioramalokalet i Kristiania i mars 1910, skrev han følgende til Munch:

Mærkelig nok synes blandt portræterne det af mig at stå høiest i kurs. Jeg protesterer jo selvfølgelig selv af alle kræfter, men alle, selv mine nærmeste, min søster og svoger, forråder mig. De synes alle, det er på prikken taget. Og helt ulykkelig følte jeg mig en dag, en pige, som jeg elsker, sagde, at slig, netop slig, så hun mig, da tænkte jeg en stund på Bjørvika.

Etter at Jappe Nilssens portretter var malte, ble det igjen tid for vaktskifte på Skrubben. **Ludvig Ravensberg** (kat. 84) kom tilbake fra Kristiania, og Jappe Nilssen kunne ta seg en pause. Og mandag 7. juni var det Ludvig Ravensbergs tur til å bli portrettert. Dagen etter beretter Ravensberg i sin dagbok at «Munch har idag udi haven malt mit portrait. Det gik i en fei, hurtigere enn en decorationsmaler». Ifølge samme kilde hevder Munch mens han maler at «mine nerver er saa modtagelige og min

Fig. 5
Edvard Munch, Kragerø 1909
Foto: Edvard Munch

Fig. 6
Ludvig Ravensberg, Kragerø 1909
Foto: Edvard Munch

øvelse saa stor at alt kan bli kunst. ... Ja, min evne er nu slig at alt jeg tager i blir kunst». Et par dager senere, torsdag 10. juni 1909, beretter Ravensberg at Munch igjen maler på hans portrett med kommentaren: «Det er som Du plutselig har standset din gang og vil til at tale.»

I portrettet står Ravensberg en face med et forholdsvis frustrert ansiktsuttrykk. Hendene henger tungt ned som om han bar imaginære kofferter. Munch skal også ha truet med å male til koffertene! Iført en tilsynelatende for trang dress og skipperlue ligner han da også mest av alt en hjelpemann. Og det var kanskje snarere som portør og oppasser enn som venn han fungerte denne våren og sommeren. Han hjalp Munch med alt praktisk og måtte finne seg i geniets alle luner. Den lønn han fikk var foruten kunstnerens nærvær «frit Logi og Fattigmandsbakkels» samt at han kunne hente sig et par av Munchs «verdensberømte og nu så dyrt betalte Gravurer». Samtidig med at Munch maler portrettet, får vennen stå modell for et helt annet motiv. Ravensberg forteller i sin dagbok:

Jeg har i formiddag i 10 minutter staaet portrait i haven og nu ligger jeg naken og bliver tegnet som Sigurd Slembe medens Christian Krohg og Gunnar Heiberg bryder mine lemmer med oxehamre og spyd ... en pine der neppe var værre [enn] for meg der laa midt i maurveien.[7]

I maleriet, som har fått tittelen *Sigurd Slembes død* (1909), ligger modellen – etter alt å dømme Edvard Munchs alter ego – utstrakt på marken med armene til side i en positur som gir assosiasjoner til den korsfestede Kristus etter nedtagelsen fra korset. Måten skikkelsen skyter innover i rommet finner vi igjen i *Selvportrett fra*

operasjonsbordet samt *Marats død*, begge motiver som går tilbake på hva Munch kalte sin «lidelseshistorie», historien om den motgang og forfølgelse han hadde opplevd i Norge etter bruddet med Tulla Larsen. At han nå atter en gang tar opp et slikt motiv, kan kanskje forklares av den motgang han igjen begynte å føle i hjemlandet i og med at han i første omgang ble utelukket fra konkurransen om utsmykningen av Universitetets festsal, Aulaen, et prosjekt som sikkert hadde bidratt til at han valgte å slå seg ned i Norge igjen.

Bildet er usedvanlig røft malt, penselstrøkene ligger nærmest som piskeslag over lerretet. Formodentlig ønsket Munch via en historisk stedfortreder å objektivisere hva han opplevde som en fornedrelse. Men maleriet er kanskje først og fremst å oppfatte som en sort spøk. Senere malte han nemlig til et felt over bildet som viser den oppstandne i skyene.

Det finnes et par fotografier tatt med Munchs kamera sommeren 1909. Det ene viser Munch i elegant hvit tropedress med magebelte mellom helfigurportrettene av Jappe Nilssen og Ludvig Ravensberg (fig. 5). Det andre viser Ludvig Ravensberg ved siden av sitt portrett (fig. 6). Det sistnevnte fotografiet ble sendt Ravensberg med følgende spøkefulle bemerkning fra Christian Gierløff:

Her er fotografiet; det viser som det heter i skrivelærerattester: saaledes saa jeg ud før jeg kom til Munch på Skrubben (saa tynd og flad og underernæret) og saaledes ser jeg ud efter kun *seks ukers opphold hos Munch (saa osende sund og kæk og kjukk). (Munch har forresten været nødt til å lægge lit paa maleriet ogsaa; han har malt*

Fig. 7
Edvard Munch i atelieret på Skrubben, Kragerø 1909
Foto: Edvard Munch

over hele kroppen, saa det nu staar i et bedre forhold til din nuværende korpus.)

Et par andre fotografier fra Munchs atelier på Skrubben indikerer hvorfor den nevnte overmalingen ble foretatt. Fotografiene (fig. 7) viser Munch stående mellom helfigurportrettene av Christian Gierløff og Ludvig Ravensberg. Sammenligner vi portrettet av Ravensberg i disse fotografiene med portrettet i de tidligere fotografiene, ser vi at Munch har tilføyd en rekke korte, vertikale penselstrøk som liksom drysser nedover lerretet. Samme type penselstrøk finner vi også i portrettet av Christian Gierløff, noe som tyder på at Munch har villet tilpasse de to maleriene til hverandre teknisk som koloristisk. Men at Munch skulle ha malt Ravensberg fyldigere slik Christian Gierløff skriver, finnes det ikke tegn på.

Da Ravensberg i julehelgen 1909 sammen med Sigurd Høst besøkte Munch i Kragerø, viste Munch frem portrettene han hadde malt av sine venner og hjelpere. Ravensberg noterer i sin alltid medbrakte dagbok: «Mit billede blev nu tat ind, men dette har han nu ødelagt og naar jeg mindes hvor rigtigt og træffende ... det har vært, synes jeg det er sørgelig at se.» På et enda senere tidspunkt har Munch signert og feildatert bildet 1908 samt tilføyd et lite hus på bakketoppen.

Det feiende flotte helfigurportrettet av **Christian Gierløff** (kat. 86) må være malt rett etter at han overtok vaktholdet på Skrubben 7. juli 1909. Det finnes et fotografi av ham hvor han poserer med åpen frakk i solskinnet, nettopp slik han er gjengitt i maleriet, ved siden av det staselige helfigurportrettet i lysende farger (fig. 8). I solveggen bak ham ser vi også portrettene av Jappe Nilssen og Ludvig Ravensberg.

Forfatteren Christian Gierløff skrev sin første omtale av Munchs kunst i *Ørebladet* etter utstillingen hos Blomqvist i 1902. Han hørte til Munchs nære venner og de hadde jevnlig kontakt livet gjennom. Gierløff mottok sogar siste brev fra vennen dagen etter Munch døde. At han hadde fast tilhold på Skåtøy like utenfor Kragerø, var sikkert sterkt medbestemmende til at Munch valgte å slå seg ned nettopp her.

Portrettet gjengir Christian Gierløff stående i Kragerø rett syd for Skrubben. Han står som sagt med åpen frakk og med hatten i den utstrakte, høyre hånden som om han nettopp har tatt den av til hilsen. Skjorten er åpen i halsen, ansiktet er nærmest hummerrødt; tydeligvis har han stått modell en varm solskinnsdag. Sjøen er dyp blå og granittblokken bak ham lyser grå i solskinnet. I denne sammenheng er det rimelig å tolke den blå «flekken» han holder i sin venstre hånd som et tørkle til å tørke svetten med. Gierløff har forbausende nok ikke skrevet om hvordan portrettet kom til i noen av sine mange skrifter om Munch. Vi kan bare gjette på at han ikke har følt seg mer behagelig til mote i varmen enn hva Ravensberg følte seg som Sigurd Slembe i maurstien! Resultatet ble imidlertid et av Munchs mest avvæpnende portretter. Det representerer en kombinasjon av landskapsbilde og portrett som formidler en følelse «av den friskeste Friluft».[8]

Som tidligere nevnt besøker vennene Sigurd Høst og Ludvig Ravensberg Skrubben i juleuken 1909, og Ravensberg fortsetter å notere i sin dagbok 27. desember:

Iaften sidder M[unch], Høst og jeg og taler hyggelig sammen. M[unch] henter ind alle de store portræter han i det sidste har gjort. Det bedste er Gierløffs. Jeg synes han ligner Falk i Kjærlighedens Comedie. Høst synes han ligner en Captain. Munch fortæller at han er i det øieblik han holder en tale til sine bysbørn ...

Vi dør af latter da M[unch] henter ind Direktør Thiis portræt, han som flygtet fra Skrubben for ikke at blive malt. Jeg vil ikke staa som nogen nar sagde han og jeg maa hjem og M[unch] – og H[øst] og jeg ler over parvenuens forfængelighed og rædsel. ... Jeg betoner det komiske ved at Thiis som jo lever af at forstaa kunst og gjøre kunstens kaar begribelige for publikum ikke hadde mere overlegenhed end at han flygtet bort, da Munch kun har tegnet op hans billede. M[unch] svarer det er ikke mere at gjøre noget ved, naar han ikke er mere overlegen.

Portrettet av direktøren for Nasjonalgalleriet, **Jens Thiis** (kat. 85), også en venn fra ungdommen og en ivrig advokat for Munchs kunst, ble således aldri fullført; vi møter fremdeles den første skissemessige opptegningen med farge på lerretet. Bildet ble ifølge den portretterte anlagt i slutten av august 1909 da han besøkte Munch og de gikk lange turer sammen i Kragerøs skjønne omegn. Han selv forteller i sin biografi om Edvard Munch, at portrettet ikke ble fullført fordi han av private grunner skyndsomt måtte reise hjem til Kristiania. Han avbilder det i biografien, men som han skriver: »... ikke fordi jeg beundrer eller vedkjenner mig dets hovmodige mine, men fordi jeg tror det vil more ham å se det her i boken, hva han neppe hadde ventet.» Munch laget også antagelig et par år senere et litografisk portretthode av Jens Thiis, som er datert av Schiefler til 1913 (kat. 233).

Første stoppested på veien langs kysten av Syd-Norge, før han fant sitt Skrubben i Kragerø, var Kristiansand der Munch besøkte sin gamle venn Torvald Stang. Her hadde Stang sin sakførerpraksis, og tidvis besatte han betydelige lokalpolitiske verv. Han var kjent som en kunstelsker og kunstnervenn, men også som et festmenneske og en leve-mann, stadig i pengenød, men med et uoppslitelig humør. Festmennesket Stang viser Munch oss i et fotografi der vennen kommer bærende på et sølvbrett med champagne og glass, tatt sommeren 1909 i Kragerø. Også portrettet av **Torvald Stang** (kat. 87) blir vist frem for vennene jule-helgen 1909, og Ravensberg noterer i sin dagbok at Munch «slæber ind et portræt af Stang, det er den rene Tremor, for han er bleven ældre av at drikke igjen. Han er dog bleven altfor bardsk og pansat».

Det finnes en viss besnærende kompleksitet i portrettet av Stang. Selv om han er ulastelig kledd i dress og hatt, gir han et forunderlig, loslitt inntrykk. Han står en face i en bredbent stilling med den ene hånden i lommen mens han holder pipen i den andre. Munch har brutalt avstreifet den eleganse Stang etter vennenes utsagn alltid tilstrebet, og som vi tydelig ser i Munchs fotografi av vennen. Buk-sene faller i folder, ansiktsuttrykket med den halvåpne munnen virker ukonsentrert og nærmest tafatt. Munch

Fig. 8
Christian Gierløff, Kragerø 1909
Foto: Edvard Munch

Fig. 9
Sigurd Høst, ant. 1910
Privat eie

avskreller ham hele hans sosiale ferniss, og vi aner man-nens «tremor» – alkoholistens skjelvinger. Han gir inn-trykk av ikke å ha en krone i sine dype lommer. Ifølge Ravensberg kunne Munch også drive verbalt med sine venner, «han traf altid noget meget komisk hos dem. 'Stang, du smører nedgangen til helvede med Eau de Cologne'. Stang som bak et værdig væsen skjulte en fortid af arbeidsfør alkoholisme saa bryd ud over vår latter og flyttet sig nervøst paa stolen».[9]

Portrettet av Torvald Stang er etter alt å dømme også malt sommeren 1909 under dennes besøk på Skrubben. Solen står høyt og kaster korte skygger. Koloritten er strålende; dressen er malt i tunge blå og blågrønne toner mens veggen bak lyser i lys turkis og rosa. Ansiktet og hendene er brunrøde som gulvplankene. Det er fargenes fortjeneste at personen tross det fallerte førsteinntrykket vitner om et helstøpt individ. Ett eller to år senere maler Munch også et dobbeltportrett av seg selv og Torvald Stang (kat. 88). Vennen sitter en face i en kurvstol med et vennlig smil om munnen mens kunstneren som sitter vis à vis, snur seg og ser betrakteren i øynene, som om han ser seg selv i et speil. Omtrent samtidig trykker Munch også et litografisk portretthode av vennen, der hans skarpt skårne trekk gir et helt annet, nesten bistert uttrykk (kat. 229).

Munch malte også et portrett av den gamle vennen lek-tor **Sigurd Høst** (fig. 9) som besøkte Skrubben julen 1909 sammen med Ravensberg. Han besøker igjen Munch i julen det påfølgende året, og vi må tro at det er under dette besøket at portrettet blir malt eller iallfall påbegynt. (Det ble første gang utstilt i Dioramalokalet april 1911.)

Portrettet blir tydeligvis sendt hjem til Høst i Bergen,

Fig. 10
Ida Roede, Kragerø 1910
Foto: A.F. Johansen, Kragerø

for han takker for bildet, «ridder Helmer Blaa», i brev datert 20. mai, men uten årstall:

Iforgaars da dagen – den lyse dag – heldet saa smaat, holdt ridder Helmer Blaa sit indtog i min borg.

Gaarsdagen gik med til at anvise den ædle gjest et sømmelig rum og glædes ved hans kinders fine rødme og hans hvælvede pandes skjønhet.

Idag troner han seiersikker i slotssalens baggrund og møter den indtrædendes blik. En og anden studser sagtens over den fremmede ridder, men han har allerede vundet mange venner. Slottets lekende børn, som først veg sky tilbake for hans kjæmpeskikkelse, nærmer sig tillidsfuldt og finder i ham en ven.

Ja – portrættet dekorerer brillant i stuen, bringer en høiere, friskere tone ind. Du burde nu komme og se det hele, det er sandelig et besøk værd.

Maleriet er forunderlig røft malt med nærmest bevisst usystematiske penselstrøk. Lektor Høst sitter bakoverlent ved arbeidsbordet med sigaren i hånden. Selv om den forstørrede kroppen og hånden er noe hjelpeløst malt, skaper Munch i det kanskje ikke helt velykkede portrettet en abrupt rytme som gir fransklektoren en livfull utstråling. Sigurd Høst var en trofast venn livet gjennom. Foruten å hjelpe Munch med utstillinger og salg av arbeider i Bergen, oversatte han Munchs prosadikt til den grafiske mappen *Alfa og Omega* til et ulastelig fransk.

Under sin tid i Kragerø malte Munch kun ett kvinneportrett, nemlig **Ida Dorothea Roede** (kat. 89). Det skjedde sommeren 1910 da hun og hennes mann Halvdan Nobel Roede besøkte Munch på Skrubben. Halvdan Roede var en samler av Munchs kunst og ervervet to bil-

der av Munch under besøket. Det ene var portrettet av fru Ida som viser henne foran husveggen med en slyngende rose på Skrubben, slik vi for øvrig ser henne i et fotografi sammen med sitt portrett (fig. 10). Munch arbeidet på denne tiden med utkast i full størrelse til *Historien* og *Alma Mater* for Universitetets festsal, og i et annet fotografi (fig. 11) ser vi fru Idas portrett oppstilt sammen med helfigurportrettene av Jens Thiis og konsul Sandberg foran utkastet til *Historien*. De øvrige personene på fotografiet er, foruten kunstneren i hvit frakk til høyre, sett fra venstre Munchs husholderske, Ludvig Ravensberg, Jappe Nilssen, Halvdan Nobel Roede og fru Ida.

Portrettet av Ida Roede er malt i en djerv strøkteknikk, som vi også kjenner fra Munchs Kragerø-landskaper fra denne tiden. Hun står i sin fantastiske blomsterhatt med hånden stukket inn i åpningen mellom knappene i den rødfiolette drakten som en kvinnelig Napoleon. Store partier av billedflaten står umalte og bidrar til lysvirkningen. Det synes som om Munch ikke har brydd seg om å avslutte det ekstremt høye bildet oventil.

DIKTERPORTRETT TIL AULAEN

Allerede før innleggelsen på professor Jacobsons klinikk hadde Munch arbeidet på dekorative utkast som høyst sannsynlig var tiltenkt Universitetets nye festsal, som da var på planleggingsstadiet. Munch skriver til Ernest Thiel fra Warnemünde 21. juni 1908:

Jeg tænker paa at male Ibsen og B.B. paa samme dekorative maade som Nietzsche, altså ikke fotografibilleder som naar de fleste malere laver portrætter. Ligesaa Strindberg og Drachmann.

Fig. 11
Foran *Historien* i Munchs uteatelier, Kragerø 1910
Foto: A.F. Johansen, Kragerø

Thiel var ikke begeistret for ideen, og svarer:

Jag är ledsen åt att du målar en ny tafla «i likhet med Nietzsche», ty den mannen förtjenade att du egnade honom ensam ett målningssätt, som du icke tillämpar på någon annan. Han var värd sin konstnär.

Dikterportrettene som Munch henspeiler på, ble alle malt med tynn maling på sugende lerret som gir et inntrykk av al fresco, den teknikk det var mest nærliggende å tro at utsmykningen av Universitetets nye festsal ville forutsette. Ifølge kasselister ble flere slike motiver i store formater ettersendt fra Warnemünde til Kragerø etter at Munch hadde slått seg ned her; *Bjørnstjerne Bjørnson som folketaler* (kat. 73), *Henrik Ibsen på Grand Café* (kat. 72) og *Jonas Lie med familie* (kat. 74). (Bildene av Ibsen og Lie var frie kopier etter langt tidligere malerier.) Alle lerretene var utført i likeartete formater og teknikk. Temaet for de ulike feltene i Aulaen var således begrenset til «veldige decorative portretter» av ledende personligheter i norsk litterært åndsliv. (Portretter av Drachmann og Strindberg i denne teknikken finnes ikke bevart.) I ytterligere et bilde i samme teknikk, som er blitt kalt *Geniene* (kat. 75), hvor Munch sammenstiller Henrik Ibsen, Friedrich Nietzsche og Sokrates i en flom av inspirerende genier, setter Munch det norske åndsliv inn i et felleseuropeisk perspektiv. Å vise hvordan den europeiske kultur hadde forplantet seg til Norge, var for øvrig et hovedtema i den Norgeshistorie som hans onkel P.A. Munch hadde skrevet.

I Ludvig Ravensbergs dagbok fra 11. mai 1909 kan vi lese:

Munch taler om hvordan de store decorationer i Universitetets festsal vilde ligge for ham, han vilde fylde de enorme felter med store decorative billeder af Ibsen, Bjørnson og Jonas Lie, billeder i lighed med Nietzsche.

Her i Kragerø utvikles så nye ideer med *Historien* som det første, sentrale motivet, men Munch slipper foreløpig ikke helt tanken på de monumentale idéportrettene. Den 1. juni utdyper han ifølge Ravensberg sine ideer, men uten å fortelle at skissene allerede foreligger:

Saa de store felter, Nietzsche, Ibsen, Sokrates, de store tænkere med en baggrund af taage, af og til en spræk i taagetæppet og man skimter Egypten med pyramider og Sfinx og store byer. ...

Samme dag studerer de to en tegning, *Mot lyset (Menneskeberget)*, og Ravensberg foreslår at Munch skal bruke denne «til sit udkast til Universitetet og han ble meget begeistret og gik strax ivei dermed». Munch var på dette tidspunkt ikke invitert til konkurransen om utsmykningen. Ravensberg kan imidlertid fortelle at Thiis og Werenskiold er «stemt for at han skal komme med i concurransen». Munch utbryter ifølge Ravensberg: «Norges største maler bliver udelukket. Det er i stilen herhjemme.»[10]

«DEN KOMMENDE TIDSALDERS KUNST»

Det var den samme lille kjernetroppen av venner som hjalp og støttet Munch den første tiden på Skrubben, som allerede mens Munch lå vingeskutt på dr. Jacobsons klinikk hadde forberedt grunnen for Munchs tilbakekomst til Norge som kunstner ved å organisere to utstillinger i Blomqvists Kunsthandel i Kristiania, først en med hans grafiske verk, dernest en med malerier, noe som skulle føre til et endelig gjennombrudd for den så lenge omstridte kunstner. Men allerede under oppholdet på klinikken skjedde et nærmest utrolig sceneskifte i Skandinavia i synet på Munch, og positive nyheter kom i rask rekkefølge. Betydelige innkjøp ble foretatt av hans verker til sentrale samlinger i Skandinavia. Direktøren for Nasjonalgalleriet i Kristiania, Jens Thiis, stod hardt på og bevirket innkjøp av fire arbeider for 10.000 kroner, en pris han ble åpent kritisert for i pressen. Kunstsamleren Rasmus Meyer i Bergen åpnet forhandlinger om en større samling bilder, og samtidig ble sentrale verker innkjøpt til Ateneum Taidemuseo i Helsinki, til Statens Museum for Kunst i København, til Trondhjems Kunstforening og til Bergen Billedgalleri for å nevne de viktigste. På klinikken hadde Munch også mottatt St. Olavs Orden, ridder av første klasse.

Og som toppen på kransekaken ble de ovennevnte to utstillinger hos Blomqvist i mars 1909 en stor suksess. Allerede 27.11.1908 hadde Munch skrevet til Christian Gierløff:

Jeg har nu besluttet mig for en Udstilling i Kristiania. Netop nu har jeg ikke lyst på en Kampudstilling. Som du skriver er det vist bedst at ta først en grafisk Udstilling og saa et Udvalg af alle mine Malerier. Jeg har fortiden udstillinger i München, Breslau, Köln, Bremen og her.

Ved siden av Christian Gierløff ble Jappe Nilssen og Ludvig Ravensberg hans utrettelige hjelpere med utstillingsarbeidet. Resultatet ble en publikumssuksess Munch aldri tidligere hadde opplevd i Norge. Han ble med ett akseptert av det store publikum som Norges største maler, og man stod nærmest i kø for å erverve hans grafiske arbeider og malerier selv til de etter norske forhold skyhøye priser. Men med suksessen kom også misunnelsen. På typisk provinsielt vis måtte han på død og liv settes på plass, og han ble i lang tid effektivt holdt utenfor konkurransen om utsmykningen av Universitetets nye festsal. Det var takket være hans egen innsats og Jens Thiis' utrettelige støtte at han til slutt mottok oppdraget.

Tendensen til å fremheve portrettene, dels på bekostning av hans symbolske arbeider, som begynte med Heilbuts artikkel i *Kunst und Künstler* i 1904, skjøt ytterligere fart i forlengelsen av Munchs opphold på klinikken i København.

Helfigurportrettene ble også i norsk presse fremhevet i kjølvannet av utstillingen hos Blomqvist i mars 1909. Portrettene av Walter Rathenau, Helge Rode, Ludvig Meyer og *Franskmannen* (Marcel Archinard) samt *Selvportrett fra klinikken* var med. Kunsthistorikeren Hans Dedekam stilte Munch i klasse med Frans Hals når det gjaldt kresen og bevisst fargebruk og med Velazquez når det gjaldt «træffende karakteristik, i figurens storhed, i opfatningens og kompositionens mesterlige enkelhed».

Det påfølgende året, i mars 1910, utstilte Munch i Dioramalokalet utkastene til Universitetets nye festsal; han var nå omsider blitt invitert til å delta i konkurransen. Samtidig viste han portrettene av Christian Gierløff og Jappe Nilssen, som ble betegnet som utstillingens ypperste malerier når det gjaldt karakteristikk og malerisk virkning. Og senere på året deltok Munch på en «Portrætutstilling» hos Blomqvist arrangert av Malerindeforbundet. Utstillingen omfattet arbeider av en rekke aktuelle kunstnere – kvinnelige som mannlige – fra 1880-årene til dagens kunstnere. Formålet var å gi et helhetsbilde av den moderne, norske portrettkunst. Munch stilte nå for første gang samtlige av sine norske kolleger, inklusive Erik Werenskiold, Christian Krohg, Eilif Petersen og Hans Heyerdahl, i skyggen. Han var representert med portrettet av Jensen-Hjell (1885) og av søsteren *Inger i sort* fra 1884. Mens disse bildene nærmest var blitt slaktet i pressen henholdsvis i 1885 og 1886, da de var utstilt på Høstutstillingen, ble de nå mottatt som eksempler på Munchs storhet som anskueliggjorde kontinuiteten i hans kunstneriske verk. *Aftenposten*, som på 1880-tallet stigmatiserte de to portrettene, skriver nå:

Først og fremst slaas man af det legemsstore Billede ... af den forlængst afdøde Maler Jensen-Hjell. Det er fra 1885 – hans tidligste Tid – og med hvilket Mesterskab er det ikke alligevel behersket. Ud af den sjelfuldt dæmpede Kolorit lyser en saa vidunderlig gribende Menneskeskildring, og en Karakteristik saa medfølende og inderlig, at den gjør dette af Naturen saare mishandlede Individ til Bærer af en storstilet, tragisk Menneskelighed. Ligesaa fængslende og behersket af en herlig, næsten gammelmesterlig Toneskjønhed er Munchs sortklædde Dameportræt ved Siden af.

Overfor denne myge, harmonisøgende Skjønhed i Munchs Kolorit, som alt i 80-årene – paa et tidlig Stadium i hans Udvikling – stilte Munch ud fra hans naturalistiske Omgivelser, har man et fortrinnligt Udtryk for 80-Aarenes Aand og Væsen og Farvesyn ...[11]

Nærmest uten unntak ble Munchs portretter fremhevet som kvalitativt sett helt enestående, moderne og klassiske på samme tid. Det er således helt forståelig at Munch, da han i 1912 arrangerte en større utstilling i det meget prestisjetunge Thannhauser Moderne Galerie i München, lot utstillingen (fig. 12) domineres av helfigur-

portretter samt store arbeider med figurer i full legemsstørrelse som *Adam og Eva* og *Arbeidere i sne*. Det sistnevnte var malt i forlengelsen av hans enorme innsats i det store format i håp om å dekorere Universitetets nye festsal. Og om arbeidergruppen skriver Hermann Esswein, referert i norsk presse: «Her staar den norske vildmand (Wildling) et ganske litet skridt fra det vegtige, livsglødende monumentalmaleri, som blir den kommende tidsalders kunst.»[12]

Mottagelsen i München, der portrettene er det dominerende innslag, er overstrømmende. Det synes «som om tiden er kommet da den vidt bekjente og meget omstridte maleren Edvard Munch definitivt skal heves opp i Olympien».[13] I sammenligningen mellom Munch og moderne retninger som f.eks. Blaue Reiter, blir disse oppfattet som «en aning antikvert». Munchs «visjonære» kunstverker blir i dette perspektivet sett som utviklingstrinn til hans nåværende stadium. De seks helfigurportrettene blir fremhevet som hovedverker ikke bare i Munchs kunst, men i den moderne kunsten overhodet.

Det er også på denne bakgrunn vi må se invitasjonen av Munch til den store Sonderbund-utstillingen i Köln, som åpnet like etter presentasjonen hos Thannhauser. Her ble han tilbudt en egen sal for å markere sin posisjon som foregangsmann for den moderne kunsten (fig. 13 a, b, c). Ideen hadde vært at Max Liebermann skulle ha fylt en tilsvarende sal med sine verker for å markere sluttstenen i impresjonismens og naturalismens utvikling. Liebermann trakk seg, og Munch ble stående alene som den fjerde hjørnestenen i utstillingen sammen med de forlengst avdøde kunstnerne Cézanne, Gauguin og van Gogh. Munch valgte å fokusere på sine seneste portretter hvis kunstneriske uttrykk ble karakterisert med fellesnevneren «monumental kraft», og hans sal som helhet «en prakt-

Fig. 12
Thannhauser Moderne Galerie, München 1912

Fig. 13, a, b, c
Sonderbund Internationale Kunstausstellung, Köln 1912

full sal». *Hamburger Nachrichten* skriver at «Munchs bilder av menn er ikke portretter lengre, de gir oss vår tids typer heroisk ophøyet. Selv en Hodler, som representerer Schweiz på en verdig måte, blir etter en sammenligning med Munch svakere enn før ...».[14] Og *Berliner Tageblatt* utdyper det karakteristiske ved Munchs nye kunstverker og finner at det ligger i portrettenes enhetlige stil og den tegnekunst de røper. Kritikeren utbryter: «Hvor mange kunstnere klarer idag å stille en figur i full størrelse på bena ... slik at hele mennesket blir portrett og ikke bare hodet.«[15] Og *Aftenposten* summerer opp kritikken fra *Kölnerische Zeitung*:

Om Munchs kunst heter det: Edvard Munchs personlighed er ikke længer ny for os, allerede i 20 aar har han været representeret paa tyske udstillinger. Hans malerkunst hører mer sammen med den gamle naturalisme end med en nyere retning. Den kan maaske kaldes raa, men i flere herreportræter i legemsstørrelse er der dog en bemerkelsesværdig kraft og livsfylde, noget af det, som har gjort Velazquez stor, saa faa sammenligningspunkter der ellers er mellem Munch og Velazquez. I disse bildene taler en kunstner der skaber.[16]

Etter mønstringen i Köln arrangerte Munch en større utstilling i Konstföreningen i Göteborg, en utstilling som igjen markerte et gjennombrudd for ham som aktuell kunstner, denne gang på svensk jord. Den eksplosive, uttrykksladede nordmannen ble tatt imot med entusiasme. En rekke av Munchs mer eksperimentelle malerier, som serien *Det grønne værelset* og eksempler på hans portrettkunst ble vist. *Göteborgsposten* skriver blant annet:

Färgens skönhet och uttryckets fullhet är vad man skall leta efter – ock också finna i Munchs dukar. Se på hans porträtt t. ex. Äfven den enklaste lekman måste inse hur karaktäristiska de äro, hur de ge hela personen som i en uppenbarelse. Man får faktisk veta mera om dessa perso-

ners yttre än hvad man vet om sina närmaste umgängesvänner. Karakteristiken är icke endast gjord med en enastående djärfhet, den är gjord med ren färg, en färg som sjunger och klingar, lyser i fasta ackord eller glöder upp ifrån oroliga djup. Tag t.ex det stora porträttet af förf. Gierløff, den duk som undertäcknade helst skulle vilja se överflyttad til Göteborgs museum.[17]

Utstillingen i Göteborg blir fulgt av en stor mønstring i Stockholm i Salon Joël et par måneder senere, i februar 1913. Og i mars mottar Munch følgende brev fra vennen **Tor Hedberg** i Stockholm, som han for øvrig hadde portrettert i litografi året i forveien (kat. 230):

En dr. Jonny Roosvall, som sett din utställning i Kristiania, vill forsöke samle pengar för att köpa ett af dina porträtt och skänka Nationalmuseum. Till den ändan hafva Museiintendenten Looström, Richard Bergh och jag undertecknat en inbjudan. Nu har jag lofvat fråga dig, om du dels vill låta tala med dig angående priset, och dels möjligen hitsända ett par eller tre porträtt som finnas till salu och hvaribland kunde väljas.

Resultatet ble at Munch sendte fem av sine helfigurportretter til Stockholm: dr. Jacobson, Jappe Nilssen, konsul Sandberg, Helge Rode og Torvald Stang, som for anledningen ble hengt opp i Nationalmuseum på en spesiell visning den 9. og 10. mai. *Nya Dagligt Allehanda* omtaler visningen med ordene:

De fem porträtten, alla fem stående helfigurer af män, bibringa vid första ögonkasten åskådaren intrycket af en vägg i ett klassisk porträttgalleri, detta till att börja med tack vare rent yttre egenskaper, såsom det likartade i format, modellernas uppställning, teknik och färgskala.

Men sedan man sett på taflorna en stund, kommer man tillbaka till det första intrycket, försöker försvara sig emot det, men slipper ej undan. Nej, ordet är rätt valdt. Detta är modernt måleri, så extremt modernt någon kan önska sig, men de nya rönen äro så väl smälta, de nya

Fig. 14
Konstnärshuset, Stockholm, september 1913

Fig. 15
Konstnärshuset etter Munchs omhengning av utstillingen, 1913

uttryckssätten så uttrycksfulla, det hele så naturligt, själfallet och behärskad att man mer än väl känner sig kunna stå för omdömet, att här har modernt porträttmåleri verkligen funnit, eller rättare skapat sig en klassisk form.[18]

Interessen gled etterhvert fra portrettet av Jappe Nilssen til Helge Rode, som ble ervervet etter et par års besværligheter med innsamlingen, og etter at portrettene nok en gang hadde fått dominere en utstilling, denne gang i Konstnärshuset i Stockholm i september 1913, hvor kritikken igjen var fascinert av Munchs evne til livfulle gjengivelser i sin portrettkunst:

Af helfigursporträtten är Schlittgens det äldsta, från 1903. Humoristiskt i sin godmodiga karaktäristik gör det nästan intryck af en Simplicissimus-teckning, som går igen i förstorad skala. De senare porträtten ha en vida starkare målerisk hållning – detta med undantag för den muntra bilden af den fetlagda konsuln med den bredbenta, vaggande sjökaptenshållningen. I professor Jacobsens porträtt har koloriten – flammande gult, rödt, grönt – blifvit hufvudsak på personskildringens bekostnad.

Advokat Stang med surnad ilska i uppsynen är argt uppmålad med grof pensel. Den smärte och smidige, nervöse Helge Rohde med sitt ekorreansikte och sina smala händer kunde däremot ha fordrat en mera raffinerad teckning i harmoni med personens karaktär. Men som en hastig typskiss är bilden utan all fråga genialisk – Helge Rohde är på samma gång ett distingeradt motstycke till Jappe Nielsen med den klumpiga, tvärsäkra ställningen och det buttra uttrycket ... Här bidrar koloriten, som är starkt uppdrifven, våldsam och litet skrikig, till totalintrycket.[19]

Munch tok en tur til Stockholm sammen med Ludvig Ravensberg, dels for å unnslippe visse ubehagelige gjester hjemme i Norge. Ifølge Ravensbergs dagbok gikk de opp «på udstillingen og forandrede ophængningen og skabte en ny udstilling. Vi ordnede arkitektonisk ophængningen med de store portretter som søiler og smaabilleder inde imellom». Det interessante er at det eksisterer fotografier fra Konstnärshuset før (fig. 14) og etter (fig 15) at Munch hadde foretatt denne omhengningen.

1. *Dagbladet* 8.10.1908.
2. *Morgenposten* 16.12.1938.
3. Rolf Stenersen, *Edvard Munch. Nærbilde av et geni*, Oslo 1946.
4. Emanuel Goldstein, *Indtryk fra Munchs ophold på Jacobsons Klinik*, ms. Universitetsbiblioteket i Oslo.
5. *Politiken* 28.11.1909.
6. *Berlingske Tidende* 10.11.1909.
7. Ludvig Ravensbergs dagbok, 8. og 10.6.1909, Munchmuseets arkiv.
8. *Morgenbladet* 21.3.1910.
9. *Edvard Munch som vi kjente ham. Vennene forteller.* Av K.E. Schreiner et al., Oslo 1946, s. 217.
10. Se for øvrig Gerd Woll, «Aula-konkurransen», i *Edvard Munch. Monumentale prosjekter 1909-1930*, utstillingskatalog, Lillehammer Bys Malerisamling, Lillehammer 1993, s. 42f.
11. Schnitler i *Aftenposten* 2.10.1910.
12. *Verdens Gang* 24.3.1912.
13. *Augsburger Postzeitung* 20.2.1912.
14. *Hamburger Nachrichten* 29.5.1912.
15. *Berliner Tageblatt* 27.6.1912.
16. *Aftenposten* 29.5.1912.
17. *Göteborgsposten* 2.11.1912.
18. *Nya Dagligt Allehanda* 9.5.1913.
19. Nordensvan i *Stockholms Dagblad* 8.9.1913.

Kat. 222
Daniel Jacobson, 1908-1909
Litografi. Munch-museet

Kat. 80
Daniel Jacobson, 1908
Munch-museet

Kat. 79
Daniel Jacobson, 1908
Statens Museum for Kunst, København

Kat. 81
Daniel Jacobson, 1908-1909
Munch-museet

Kat. 223
Edith Rode, 1908-1909
Litografi. Munch-museet

Kat. 224
Helge Rode, 1908-1909 Litografi. Munch-museet

Kat. 186
Helge Rode, 1898
Radering. Rolf E. Stenersens
gave til Oslo by

Kat. 162
Helge Rode, 1908
Tegning. Munch-museet

Kat. 225
Albrecht Schmidt, 1908-1909
Litografi. Munch-museet

Kat. 226
Emanuel Goldstein, 1908-1909
Litografi. Munch-museet

Kat. 76
Helge Rode, 1908
Munch-museet

Kat. 227
Emanuel Goldstein, 1908-1909
Litografi. Munch-museet

Kat. 83
Jappe Nilssen sittende, 1909
Munch-museet

Kat. 259
Jappe Nilssen, 1910
Tresnitt. Munch-museet

Kat. 82
Jappe Nilssen, 1909
Munch-museet

Kat. 84
Ludvig Ravensberg, 1909
Munch-museet

Kat. 88
Torvald Stang og Edvard Munch, 1910-1911
Munch-museet

Kat. 229
Torvald Stang, 1912
Litografi. Munch-museet

Kat. 230
Tor Hedberg, 1912
Litografi. Munch-museet

Kat. 231
Wolfgang Gurlitt, 1912
Litografi. Munch-museet

Kat. 89
Ida Dorothea Roede, 1910
Lillehammer Bys Malerisamling

Kat. 85
Jens Thiis, 1909
Munch-museet

Kat. 233
Jens Thiis, 1913
Litografi. Munch-museet

Kat. 73
Bjørnstjerne Bjørnson, ant. 1908
Munch-museet

Kat. 74
Jonas Lie med familie, ant. 1908
Munch.museet

Fig. 1
Edvard Munch med sine venner på biltur, Kristiania, 1913

1912 – 1920

I KJØLVANNET AV INTERNASJONAL SUKSESS

Først hos Thannhauser i München, så på Sonderbund-utstillingen i Köln, slo Albert Kollmann seg nærmest ned for å spre sin entusiasme for Munchs kunst og spesielt for hans portretter. Og i kjølvannet av disse suksessutstillingene fortsatte han nesten frenetisk å virke for Munch i Tyskland. Blant annet bevirket han at Elsa og Curt Glaser, Käte og Hugo Perls samt Carl Steinbart på vegne av sin datter Irmgard bestilte portretter av Munch. De besøkte alle kunstneren i Moss i løpet av sommeren 1913, hvor han hadde installert seg på herregården Grimsrød etter at han måtte forlate Skrubben og Kragerø året i forveien. Samlet utgjør disse oppdragene et godt bilde på Munchs nye situasjon som en etterspurt, nærmest fasjonabel portrettmaler på det nord-europeiske kontinent.

Kunsthistorikeren Curt Glaser ledet på dette tidspunkt den moderne avdelingen i kobberstikkabinettet i Det Kongelige Museum i Berlin. Han hadde allerede tre år tidligere hos Paul Cassirer i Berlin ervervet to Munch-landskaper fra Lübeck for 600 mark pr. maleri. Kollmann skriver til Munch 2. desember 1912:

De har gode venner her i Berlin i dr. Curt Glaser og hans fine frue. Denne damen er datter til en stor forretningsmann i Breslau som allerede besitter et Munch-maleri. Nå ønsker datteren, enebarnet fru Glaser, at hennes far skulle kjøpe nok et stort maleri av Munch. Damen ga meg i oppdrag å henvende meg til Dem herr Munch angående «Arbeidere i sne». Bildet vil komme i meget gode hender og sannsynligvis senere i et offentlig galleri! For det vil ikke bli noen etterkommere som arvinger: bare den eneste datter, fru Glaser, som heller ikke har noen barn. De har meget god smak og lever helt og fullt for kunst.

Da konsul Hugo Kolker i Breslau, Elsa Glasers meget velstående far, mottok *Arbeidere i sne*, kunne han meddele at han fant bildet «storartet» og var stolt over å ha det i sitt eie. Elsa og Curt Glaser var nå ved siden av Kollmann blitt en slags ambassadører for Munchs kunst. Kollmann kunne fortelle at fru Glaser var hans «gode genius» som ledet alle hans skritt. Curt Glaser på sin side arbeidet for at Det Kongelige Museum skulle erverve samtlige av Munchs grafiske trykk. Han holdt som en tysk Jens Thiis innflytelsesrike foredrag om Edvard Munchs kunst, og han hjalp å montere utstillingen hos Paul Cassirer i desember 1912. I 1917 utga han boken *Edvard Munch*, som ble så populær at den allerede året etter utkom i andre opplag. (Et tredje opplag kom i 1922.) Da Curt og Elsa Glaser besøkte Munch i Moss i tiden omkring månedsskiftet juli-august 1913, kom han også på vegne av Paul Cassirer og Høstutstillingen i Berlin for blant annet å forberede en mønstring av utkastene til Munchs Aula-dekorasjoner i den tyske hovedstaden.

Under deres opphold maler så Munch portrettet av **Elsa Glaser** (kat. 95 og 96) og lager dessuten et dobbeltportrett i litografi av **Elsa og Curt Glaser** (fig. 2). Munch har tydeligvis vanskeligheter med å få portrettet av Elsa fra hånden, og er ikke selv riktig tilfreds med det første resultatet. Kanskje var han ekstra selvkritisk fordi han visste at portrettet ville havne i et stort, representativt privatgalleri, på samme måte som hans bilder hos Max Linde i Lübeck, Ernest Thiel i Stockholm og Rasmus Meyer i Bergen. Curt Glaser aksepterer Munchs forslag om å male en ny utgave, selv om han på sin side mente at den første versjonen var blitt et godt bilde.

De to portrettene har samme format og modellen sitter på det nærmeste i nøyaktig samme positur. Den første versjonen (kat. 95) er tettere og mer omstendelig malt. Ansiktsuttrykket er også mer lukket og kanskje vakrere i konvensjonell forstand. Den andre versjonen (kat. 96)

Fig. 2
Elsa og Curt Glaser, 1913
Litografi. Munch-museet

puster på en helt annen måte rent malerisk sett, og Elsa Glasers ansikt har fått et egenartet, dypt personlig uttrykk; hun sitter rak i ryggen og litt foroverbøyd med armene plassert på kurvstolens armlener. Håret er «muse-klippet» og hun er iført en elegant kjole med broderier på skuldrene. Hun er åpenbart en moderne kvinne av sin tid. Skikkelsen og den noe uvanlige stillingen – så å si på spranget – formidler en vitalitet som på en symbolsk måte speiles i maleriet som Munch har plassert i bakgrunnen, *Galopperende hest* (1910-1912). De to bildene er også bygget opp omkring samme fargeskjema; det dype blå i kjolen, den grønnlige veggen og de lette tonene i blått og oker samt de røde innslagene. Den koloristisk sett tyngste utgaven forble hos Munch mens den lysere og lettere utgaven havnet i Hugo Kolkers samling.

I litografiet varierer Munch formelen for dobbeltpor-trett som vi nå kjenner fra en rekke motiver. Curt Glaser står nærmest en face og formidler inntrykket av en resep-tiv sjel med store, milde øyne og et lett smil om munnen. Elsa Glaser er gjengitt i profil med en bestemt og stolt mine, og vi er ikke et øyeblikk i tvil om hvem av de to som forvalter kontrollen og styringen! Dette litografiet er blitt overført til lerret i et dobbeltportrett som finnes i Kunst-museum Basel. Her har Munch skissert inn en liten mannsskikkelse i bakgrunnen sentralt plassert mellom de to. Har han med denne figuren hatt i tankene seg selv, som han følte med en blanding av takknemlighet og irritasjon var blitt adopert av det barnløse paret?

Under ekteparet Glasers besøk ankommer også Albert Kollmann. I den anledning leier Munch en automobil og sammen med sine venner Ludvig Ravensberg, Jappe Nils-sen og Christian Gierløff viser han dem Kristiania fra bil-setene (fig. 1).

I vente på neste tyske ektepar, Käte og Hugo Perls, som

kommer for å la seg portrettere, kan vi tenke oss at Munch har villet forberede seg og derfor invitert sin gamle venn Christian Gierløff og hans hustru Hjørdis til Grimsrød for å male deres portrett. De to dobbeltportret-tene står i alle fall så pass nær hverandre når det gjelder gjengivelsen av lyset og koloritten at det er rimelig å tro at de ble malt i nær tilknytning til hverandre.

Komposisjonelt deles dobbeltportrettet av **Christian og Hjørdis Gierløff** (kat. 90) i to. Som den helt domine-rende av ektefellene troner Christian Gierløff i forgrun-nen iført hatt og frakk i Munchs atelier på Grimsrød. Sto-len som hans ruvende skikkelse sitter i, er høyst sannsyn-lig den samme kurvstolen som nærmest sluker Elsa Glasers vevre skikkelse i hennes portrett. Som en tynn, rank søyle i bakgrunnen fremstår fruen noe tafatt, men tross sin beskjedne og underordnete posisjon behersker hun komposisjonelt sett sin del av billedrommet.

Munch hadde på denne tiden arbeidet med flere, lig-nende grupperinger av mennesker. Han hadde blant annet laget et utkast i tegning og skulptur til et frihetsmonu-ment hvor Mor Norge sitter som en sluttet, kubisk kjegle-figur med en stående ung, slank mann som bryter sine len-ker, ved sin side. I dobbeltportrettet av Christian og Hjør-dis Gierløff blir konstellasjonen den motsatte. Munch benyttet dette motivet i en rekke illustrasjonsutkast og tresnitt til Haakon og Margrethe i Ibsens *Kongsemnerne* (kat. 260).

Kolloritten i portrettet er iøyenfallende. Vinduet til ven-stre slipper inn et rent fiolett lys mens veggene spiller i grønne og gule fargeflekker. Gulvlisten tar opp det fiolette fra vinduet og skaper spenning mellom veggflaten og gul-vets mange dype, brunlige toner. Hun er kledd i blå kjole og brun jakke, og hennes hår spiller i brunt og rødt mens hans dress er malt i grønne farger med fiolette innslag. Dobbeltportrettet må ansees som et av hovedverkene i Munchs portrettkunst fra disse årene, og det ble godt mottatt da det ble utstilt hos Kleis i København i 1917. Th. Oppermann finner at Munchs senere kunst har en «umiddelbar Naturlighed» som feirer mange «Triumfer»:

... en af de skjønneste er knyttet til det store Portræt-billede af Chr. Gierløff og Hustru. Det er et Billede, som rummer eminente Værdier, hvad der ikke alene skyldes Behandlingens Overlegenhet, dets klare, faste Karakteris-tik, dets dristige Farvevirkning, dets djerve penselføring, den Finhed, hvormed Figurenes Stilling og Bevægelse er fastholdt; men fremfor alt den Naturlighed, som præger hele Fremstillingen; i denne Henseende er selv en Rem-brandt i sine bedste Billeder ikke naaet højere.[1]

Og J.P. i *Socialdemokraten* skriver:

Et Billede, som ikke findes bedre i noget Museum af Munchs Kunst er saaledes Portræt-Gruppen «Chr. Gier-løff og Frue». Manden er skildret som <u>Manden</u>*, bred, stor og kraftig, fuld af Virkelyst og Arbejdsglæde, af Selvtillid* og *Selvglæde, Despoten, hvis Vilje, breder sig suverænt, saa at <u>Kvinden</u> i hans nærhed bliver en fin og mild skygge. Bildet er mærkeligt i Kunstnerens Produktion, fordi Kvinden her ikke er følt som Mandens Fordærv. Men det beviser ganske vist ikke, at Munch har skiftet Følelse, kun at han som Portrætkunstner har skildret med en indtrængende Forstaaelse et bestemt foreliggende Forhold.*[2]

Det finnes også en liten, upretensiøs skisse av motivet, et koloristisk og komposisjonelt oppslag til det store portrettet (fig. 3). Og en løs opptegning på lerret av Hjørdis stående ved et bord vitner om et planlagt maleri som aldri ble utført (fig. 4).

I et par komplementerende, grafiske etsninger av ekteparets hoder betoner Munch igjen kontrasten mellom mannen og hustruen. Christian Gierløffs runde ansikt sett en face er tegnet med kraftig etsete streker og formidler en vitalitet av samme art som vi finner i det malte portrettet (kat. 198), mens Hjørdis Gierløffs følsomme trekk er avbildet i profil med lette, raffinert varierte streker (kat. 197). Noen år senere tegner han også et lite rundt hode i koldnål av deres lille sønn **Åge Christian Gierløff** (kat. 199), som for øvrig hadde Edvard Munch som gudfar.

5. august 1911 hadde Hugo og Käte Perls skrevet til Munch og introdusert seg selv (etter at de hadde fått adressen av Max Linde). De opplyste at de nettopp hadde ervervet maleriet *Badende menn* (1907) på Berliner-secessjonen, og at de også var i ferd med å erverve maleriet *Sykesøstrene* (1908). Det de ønsket var enda flere bilder og ba Munch sende fotografier av et par kunstverk som de kunne velge fra ettersom det ikke var mulig å finne Munch-malerier i Berlin. Vi vet ikke hvordan Munch reagerte. Et års tid senere skriver imidlertid Albert Kollmann fra Sonderbund-utstillingen i Köln og forteller at Hugo og

Fig. 3
Skisse til portrettet av Christian og Hjørdis Gierløff, 1913
Epstein Collection, USA

Fig. 4
Hjørdis Gierløff, 1913
Tegning. Munch-museet

Käte Perls har besøkt utstillingen, og at Hugo Perls hilser og ber Munch komme til deres hus i Berlin for å portrettere hans hustru. En måneds tid senere på Munchs utstilling i Graphisches Kabinet treffer Kollmann igjen ekteparet Perls og formidler en ny invitasjon:

De ønsker så meget at De herr Munch kommer til Berlin for å male fruens portrett. Hun har rett mange maleriske kvaliteter; et mahognyrødt hår, tykt og glatt, et stort ansikt og vakre antrekk. Jeg sa, at De vel ikke så lett kommer til Berlin. Men Perls og frue kan meget gjerne reise til Norge. De har lyst til det og finner Hvitsten besnærende. Jeg fikk idag hennes fotografiportrett. Denne damen i nordisk sne ville bli et vakkert bilde.

Også Hugo Perls skriver og ber om å få komme til Munch for at han skal portrettere hustruen med følgende smigrende begrunnelse:

Selv om mange av malerne som vi kjenner her – og det er ikke de dårligste – ofte har ytret ønske om å portrettere min hustru, finnes det ikke til denne oppgaven noen andre enn Dem selv. Og det er sikkert ikke ubeskjedent av meg når jeg uttaler den forhåpning, at det vil gi Dem en utsøkt glede å male hennes bilde, for min frues figur ligner den rødhårete type, som ofte treffes i Deres verker.

Hugo Perls forteller videre at de planlegger en egen bygning i tilknytning til et nytt hus hvor de ønsker seg en freske av Munch. Han kan også fortelle at Max Pechstein har utført veggbilder i spisestuen, åpenbart fordi han mente å vite at Munch likte å bli sett i sammenheng med tidens nye, unge kunst.

Selv om Munch til dels var forberedt på deres besøk, synes det å ha kommet ganske overraskende på ham da ekteparet Perls plutselig ringte og meldte sin ankomst. Det virker som om Munch nokså umiddelbart tok fatt på portrettene av de to. Hugo Perls forteller om deres tilkomst i boken *Warum ist Camilla schön?*[3]:

Vi kom snart til atelieret, et lite værelse med to vinduer, utmerket lys og dype vindusnisjer, slik gamle hus gjerne har. «Stopp», sa Munch da Käte ble stående i en av nisjene, hentet en stol til henne og en til seg selv, et stort lerret – og begynte å male. Først øynene, så nesen, så munnen, så håret og endelig kjolen. Tre kvarter etter var skissen ferdig. Ingen opptegning med blyant eller kull – farge, farge og atter farge! Vi talte om «form og farge», tittelen på en av bøkene fra den gang. Og Munch, den store tegner, sa: «Her har jeg farge på paletten, jeg tar pensel og farge, og så er det allerede nesten et ansikt.» Ingen form uten farge, formen oppstår gjennom fargen. Form og farge er hverken motsetninger eller utfyller hverandre. Uten farge ingen form, det var Munchs syn, som forekom meg høyst tiltalende og innlysende. ... Neste morgen opplevde jeg en overraskelse. Jeg kom inn fra haven og viste Käte, som «satt» flittig, noe ute i haven fra vinduet. Da jeg snudde meg, ropte Munch: «Stå stille, et øyeblikk!» Han kom igjen med et lerret og før vi visste ordet av det, hadde han begynt på dobbeltportrettet. Vi sto nå begge to, da det ikke fantes noen tredje stol, inntil det første og deretter det andre dobbeltportrettet var ferdig. «Wische Sie, ich Male Ihre Frau nochmals?» Så begynte det hele om igjen. «Wir nennen Ihre Frau die 'büssende Magdalena' und Sie beide 'Sie fahrt nach Norwegen, er nach Italien'».

Dobbeltportrettet av **Hugo og Käte Perls** (kat. 93 og 94) har senere fått tittelen *Avskjed*, noe som kanskje går tilbake på Munchs «forutsigelse» om at «hun reiser til Norge, han til Italia». Det er påtagelig hvor sluttet de to menneskene synes å være i seg selv, uten kontakt. Mens han er fremstilt i motlys slik at profilen tegner seg mørk og ansiktstrekkene viskes ut, faller lyset fra vinduet over henne og modellerer hennes karakteristiske ansikt. Lyset skiller således de to fra hverandre, på samme måte som Munch noen år tidligere hadde tolket motivet *Amor og Psyche*, hvor morgenlyset signaliserer at de to skal skilles for alltid. Slik sett kan *Avskjed* oppfattes som en parafrase på *Amor og Psyche*. Også i fargene betoner Munch avstanden mellom de to ektefellene. Hans grønnmalte ansikt står mot den rødfiolette vindusnisjen, hennes røde ansikt og hår mot veggens grønnfarge. Hun har fiolette klær med grønne skygger, han tvert om. Bak henne har Munch malt gule felt for å få ekstra lyskraft i det grønne.

I portrettet av **Käte Perls** alene (kat. 91 og 92) sitter hun med sitt røde hår utslått og virker yngre enn i dobbeltportrettet. Hun sitter vridd på stolen med bena samlet på den ene siden slik at vi ser de brede stripene i setetrekket. Hun har et henført, drømmende uttrykk i ansiktet, mens hun holder håret samlet i hendene foran seg. De spisse trekkene, det Mona Lisa-aktige smilet og det lange, røde håret gir utvilsomt assosiasjoner til Tulla Larsen. Interessant er det hvilken vekt Munch legger på lyset i bildet, som danser omkring på billedflaten som fargedotter i grønt med gule innslag kontrastert av hårets rødtoner, mens hennes fiolette kjole demper og holder kontrasten koloristisk samlet.

Når Munch skapte to versjoner av begge motivene, har grunnen trolig vært at de to bildene skulle bygge hverandre gjensidig opp under arbeidets gang, men også for å ha en replikk til sin egen samling. Vi kan ikke se bort fra at han allerede på dette tidspunkt har hatt i tankene muligheten for et fremtidig museum for sin billedsamling. Perls ervervet det minste bildet av sin hustru Käte med det letteste uttrykket, mens maleriet som forble i Munchs egen samling – for øvrig i breddeformat – gir et mer gedigent inntrykk, riktig et museumsstykke! Et utkast til et portrett av Käte Perls stående i grønn kjole finnes også i Munchmuseet. Munch har tydeligvis villet avbilde henne iført en kjole som stod komplementært til hennes røde hår. Men det kan ikke sies å være særlig inspirert, og det ble da heller ikke fullført.

Hugo Perls forteller at de egentlig var på vei til St. Petersburg, men at oppholdet hos Munch ble så anstrengende for hans hustru at de reiste rett hjem da de var ferdige hos Munch. Bortsett fra den slitsomme sittingen for portrettet, hadde det samtidig bygget seg opp en spenning mellom ekteparet og kunstneren. Hugo og Käte Perls ville skaffe seg så gode grafiske trykk som mulig, plukke perlene så å si, mens Munch ønsket å selge mer ordinære kunstverker og hadde vanskelig for å gjøre gode miner til slett spill. Ludvig Ravensberg, som delvis var tilstede under deres besøk, skriver i sin dagbok:

Fruen, den røde, spisse jødinden ... kunde ikke beherske sig, hun var næsten grov. «Dette skulde Dr. Linde vide at De er bleven slig» o.s.v. Jeg som de hele tiden neppe havde værdiget et blik eller ord blev nu anraabt om hjælp: «Sie müssen uns helfen Hr Ravensberg». Alligevel fik de karret til sig en hel del sjeldne tryk ... det var samlermanien som raste. Afskjeden var bittersøt, især med den rødhaarige tigerinde, hun var spydig. Endelig om eftermiddagen drog de efterladende os matte og udkjørte, men dog med følelsen af at have beholdt fæstningens hovedpunkter.

Vel tilbake i Tyskland får Perls vite at Max Reinhardt, som hadde pengevanskeligheter, skulle selge Munchs frise i Kammerspieltheater i Berlin. Og Perls skriver øyeblikkelig til Munch 26. september 1913 for å få hans tilsagn til å erverve frisen. De vil i så fall la sin utmerkede arkitekt bygge en vakker sal slik at frisen skal komme til sin fulle rett.

Den kanskje største kunstsamleren av de mange velstående mennesker i Tyskland som nå ønsket å skaffe seg verk fra Edvard Munchs hånd, var direktøren for bankhuset Mendelsohn & Co., Carl Steinbart. Han hadde allerede en meget omfattende samling av moderne kunst da han ved Albert Kollmanns formidling fikk kontakt med Edvard Munch. Kollmann skriver 9. desember 1912 at Steinbart hadde sett Sonderbund-utstillingen i Köln, og ønsket at Munch skulle sende ham portrettet av dr. Jacobson og maleriet *Adam og Eva* (1909) til uforbindtlig besiktigelse, noe Munch ikke uten videre gikk med på. Noen uker senere skriver Kollmann at Steinbart nå vurderer å reise til Norge for å kjøpe malerier på stedet. Steinbart ankommer Grimsrød før Käte og Hugo Perls har reist. Perls skriver i sine erindringer:

Nå dukket det opp en velstående prokurist fra bankierhuset Mendelssohn i Berlin med sin vakre datter. Også han bodde hos Arnesen, den pene datteren skulle males av Munch. Vi ble kjent med hverandre ved kveldsbordet. Den svære, temmelig tykke herren snakket med hes stemme, som om han hadde slukt et rivjern. Han stilte merkelige spørsmål: «Hvem har den største Munch-samling?» – Jeg sa: «Rasmus Meyer i Bergen.» «Hvor mange bilder har han?» – «33.» – «Jeg må ha den største Munch-samling eller også slett ingen.».[4]

Steinbart skrev en intensjonskontrakt om kjøp av malerier og grafikk for hele 35.000 mark. Han var selv bare interessert i malerier; de grafiske arbeidene han kjøpte var til hans sønn Curt som studerte kunsthistorie. Kontrakten omfattet portrettet av modellen Ingeborg Kaurin, *Pike i grønt* (95x60 cm) til en pris av 8.000 mark, *Kalkunen* (67x90 cm) til 3.000 mark og portrettet av datteren Irmgard (90x180 cm) til 2.000 mark. For øvrig bestilte han for senere levering blant annet en utgave av Munchs selvportrett med modell, *Forførelsen* (70x100 cm) til 5.000 mark, som dog, hvis Munch malte bildet i større format, ville bli betalt med en proporsjonalt høyere sum.

Sin vane tro malte Munch to temmelig likeartede portrett av **Irmgard Steinbart**. Det mest utarbeidede forble i Munchs eie (kat. 97), det andre ble solgt til en norsk skipsreder og befinner seg i dag i Washington University Gallery (fig. 5). Oppslaget til bildet av en vakker og høyreist kvinne som står på gresset ute i hagen mot en tregren foran grunnmuren til Munchs hus, er nærmest briljant. Det koloristiske skjemaet er enkelt; en hvitkledd kvinne mot en grønntonende vegetasjon, noen røde epler i form av punkter over hodet og i hånden en kortstilket rose, litt gult i hattepynten, litt blått og grårosa i kjolens og hattens skygger. Da Steinbart mottok portrettet, skriver han imidlertid til Munch:

Nå har bildet lykkelig blitt brakt i hus. Lykkelig, sa jeg? Ulykkelig ville være avgjørende riktigere. Det forår-

Fig. 5
Irmgard Steinbart, 1913
Washington University Gallery of Art

saket en liten storm, min frue, mine barn finner absolutt ingen likhet og vil ikke vite av bildet. Jeg selv var igår heller ikke lite forskrekket da jeg så bildet.

Carl Steinbart foreslår at Munch tar tilbake portrettet da det ikke ville tjene noen av dem om han sendte maleriet til en auksjon, og enden på visen ble at han kjøpte for et tilsvarende beløp i grafikk. Han gir også uttrykk for sin tvil om hvorvidt Munch er en så god investering som han hadde trodd, og han tilbyr å returnere modellportrettet av Ingeborg Kaurin (*Pike i grønt*) og *Kalkunen* for 7.500 mark, en langt lavere pris enn de 11.000 han hadde betalt. Som den finansmann han er, er han tydeligvis villig til å ta åpenbare tap umiddelbart! Hvilket av de to portrettene som ble refusert av familien Steinbart, vites ikke. Men det er trolig det som i dag befinner seg i Munch-museet ettersom dette er signert og datert.

Selv om datterens portrett og de to andre bildene returneres, er Carl Steinbart fremdeles interessert i Munch, men hans interesse har tydeligvis skiftet fra portrettmaleren til den dekorative kunstneren. Aula-utkastene til Universitetet i Kristiania vises i Berlin og får strålende mottagelse, og Steinbart ønsker seg «en nordisk sol» i størrelse

Fig. 6
Harald og Marit Nørregaard, 1916-1917
Litografi. Munch-museet

«192x212», som han har et passende rom for. Han mottar både dette og *Forførelsen* som han hadde bestilt tidligere, men er heller ikke denne gang fornøyd. Den 29. desember under arbeidet med årsoppgjøret, finaliseres årets investeringer i Munchs kunst og han skriver: «'Forførelsen' har De selv da De var her ment ikke var noe vellykket bilde, det ser også ut som en antydende tegning. Kvinnen har struma, De selv grønt hår, kort sagt, jeg kunne ikke venne meg til bildet. Størrelsen er forøvrig ikke ifølge avtalen.»

Intermessoet med Steinbart ga opphav til mange Munchske sukk. På den ene siden ønsket han selvfølgelig å selge sin kunst, men kontakten med den strie bankmannen kostet ham «Tinte und Zeit». I brev til Kollmann 27.12.1913 uttrykker Munch på sitt gebrokne tysk: «Herr Perls und Herr Steinbart sind Menschen whelche ungeheuer Einem die Kräfte wekziehen – herr Steinbart hat ganz gut bestellt und auch teilweiss schon bezahlt – aber er macht viele Umstanden –.» Munch er imidlertid ikke lei seg over å måtte beholde portrettet av Irmgard, for som han skriver til Albert Kollmann 17.1.1914: «Ein sehr schönes Portrait seiner Tochter freue ich mich sehr selbst zu besitzen – Sehr gern hatte ich auch Frl. Warburg gehabt.»

I februar blir portrettet av frøken Steinbart utstilt i den fasjonable Salon Gurlitt i Berlin. Munch hadde for øvrig laget et fint og karakteristisk litografisk portrett av kunsthandleren **Wolfgang Gurlitt** (kat. 231) i 1912 da denne besøkte Munch i Kragerø. Utstillingen hos Gurlitt i 1914

skulle befeste Munchs posisjon i Tyskland også blant et bredere lag av kunstinteresserte investorer og liebhabere. Og Munch skriver igjen til Kollmann fra utstillingen: «Dameportrettet som S refuserte, virker storartet og dr. Glaser mener også at det er det beste bildet.» Versjonen som Munch utstilte hos Gurlitt, var imidlertid den usignerte utgaven, altså trolig ikke den utgaven som ble refusert.

I løpet av dette decenniet lot Munch også trykke en rekke litografiske portretthoder som ikke knytter seg til noe malt portrett. De fleste har karakter av tilfeldighetstegninger som primært røper kunstnerens evne til å karakterisere mennesker han kjente på en levende måte. Noen kan imidlertid gi inntrykk av at de egentlig ble konsipert som utgangspunkt for eventuelle portrettoppdrag. Munchs dobbeltportrett av sin gamle venn Harald Nørregaard og hans andre kone Marit kan f.eks. sees som et oppslag til en malt komposisjon (fig. 6). Men når han tegner sin gamle venn Christen Sandberg ved avisen og Ludvig Ravensberg sammen med en venn på varieté, ligner begge på de mange tegninger som myldrer i Munchs skissebøker, som for øvrig nærmest er renset for portrettskisser bortsett fra selvportretter. Ingen av decenniets litografiske portretter gjengir malere eller forfattere. Derimot møter vi flere betydelige personer fra musikkens verden. Sangerinnen **Cally Monrad** (kat. 232) er gjengitt i flere store litografier som kan tyde på at Munch hadde ønsker om å male hennes portrett. Han tegner **Christian Sindings** (kat. 228) kulerunde hode på en måte som bringer i minnet hans fine portrett av Gustav Schiefler, og han gjør et følsomt portrett av **Richard Strauss** (kat. 238) da denne besøker Kristiania i 1917.

PORTRETTMALEREN PÅ EKELY

I 1916 kjøpte Munch eiendommen Ekely på Skøyen like ved Kristiania, og etter 14 år slo han seg igjen ned i hovedstaden. Han hadde nylig fullført dekorasjonene til Universitetets Aula og var nå omsider en anerkjent kunstner i sitt hjemland, som skulle komme til å motta flere portrettoppdrag de nærmeste årene.

Advokat **Hieronymus Heyerdahl** (1917, kat. 101, 102 og 103) hadde vært ordfører i Kristiania i årene 1912 til 1914 og da hans portrett skulle males til rådhusets portrettgalleri, ble Edvard Munch valgt til oppdraget. Heyerdahl forteller i et senere intervju:

Da jeg skulle males som ordfører, sa jeg Munch, da det ble spørsmål om maler. Munch kom på sin lune og rolige måte flere ganger opp på kontoret mitt og satte seg ned og begynte å prate. Han gjorde ingen ting med papir og blyant, men så en dag hadde han med en liten kobberplate som han brukte en fin stift på.[5]

Fig. 7 a, b
Blomqvist Kunsthandel, Kristiania, februar 1918

Det eksisterer prøvetrykk av denne raderingen datert mars 1916, som gjør det rimelig å anta at det knudrete, lille grafiske bladet, som neppe kan sies å være særlig vellykket, ble trykket kort tid etter det nevnte besøket. Deretter laget Munch to litografiske portretthoder av Heyerdahl (kat. 236 og 237) datert 1916-1917 i Gustav Schieflers katalog, som antagelig ble benyttet som rene forelegg for å sikre portrettlikheten i to av de tre malte portrettene av ordføreren. Denne gang dreier det seg ikke om replikker, men om tre ganske ulike portretter.

Hovedverket viser Hieronymus Heyerdahl en vinterdag på Karl Johan med Studenterlundens nakne trær og Nationaltheatrets karakteristiske kuppel i bakgrunnen (1917, kat. 101). Han kommer oss i møte i mørk frakk og hilser belevent med hatten mens det yrer av liv omkring ham. For å gi illusjon av bevegelse, kan vi se hvordan Munch har repetert skikkelsens silhuett, som om han ville etterligne bevegelsesuskarpheten i et fotografi. Portrettet har åpenbart sitt utgangspunkt i helfigurportrettet av Christian Gierløff (1909). Men i motsetning til de solsprakende fargene i Gierløffs portrett, er Heyerdahl malt i en meget raffinert koloritt av nærmest utelukkende blå og fiolette toner. Bare den lyse, rødlige hudfargen i ansiktet skiller seg ut i denne sympatiske fremstillingen av den tidligere ordføreren på det vinterkalde Karl Johan. Under intervjuet i *Dagbladet* viste Heyerdahl journalisten et fotografi av dette portrettet. Han mente det var det beste bildet av ham overhodet og undret seg over hvorfor det ikke var mer kjent.

Til ett av de to litografiene har Munch skrevet «Heyerdahl» med lapidarskrift på stenen, hvilket gir portrettet en viss autoritativ karakter (kat. 237). Ansiktstrekkene gjenkjenner vi i et annet portrett av Heyerdahl, hvor han er malt i halvfigur i lys sommerdress mot en gressplen med treklynger i bakgrunnen (kat. 102). Trolig ble litografiet

overført direkte til lerretet. Dette maleriet ble (antagelig langt senere) ervervet av Hieronymus Heyerdahls familie, og kom siden på markedet. Et tredje portrett ble ervervet av portrettgalleriet over byens ordførere i Oslo Rådhus (kat. 103). Her er ordføreren relativt konvensjonelt fremstilt i brystformat idet han med et fast og bestemt uttrykk i ansiktet ser oss i øynene, mens hånden holder sigaretten i en ganske tradisjonell gest.

Alle tre portrettene ble utstilt på Munchs separatutstilling i Blomqvist Kunsthandel i februar 1918 (fig. 7 b). De fikk betegnende nok en ganske reservert mottagelse i pressen med den begrunnelse at de ikke var tilstrekkelig typiske som arbeider av Edvard Munch. Den tilbakeholdne koloritten, begrenset til få fargetoner, må ha virket konvensjonell i forhold til den øvrige kunst han utstilte på denne tiden, men som stort sett var malt de foregående årene. *Morgenbladet*s pseudonym «h.» skriver:

Av advokat Hieronymus Heyerdahls portrætter er det store fra Carl Johan det bedste. Men det er ikke saa knivskarpt i karakteristiken som Munchs portræter pleier at være. Kanske har Munch følt seg litt ufri ved at skulle male repræsentativt.[6]

Og i *Verdens Gang* skriver Arnulf Øverland:

Hvad angaar portrætene av advokat Heyerdahl, ser det ut som om maleren har følt sig trykket av hensyn til hvad byen kunde komme til at mene om portrætligheten. De er ialfald baade penere og kjedeligere end noget andet, han har gjort.[7]

Et par år senere laget Munch også et litografisk portrett av advokatens to døtre **Louise og Else Heyerdahl** (kat. 243), et tiltalende portrett av de to unge damene.

Samtidig med litografiene av Heyerdahl tegner Munch også et litografisk portrett av **Arnstein Arneberg** (1916-1917, kat. 235). Sammen skulle nettopp disse to, politikeren og arkitekten, bli drivkreftene i byggingen av hoved-

Fig. 8
Leopold Wondt, 1916
Privat eie

stadens nye rådhus. Heyerdahl fremla sommeren 1915 en reguleringsplan for Piperviken med rådhuset sentralt plassert på høyden. Etter en idékonkurranse med Heyerdahl som juryformann, fikk arkitektene Arneberg og Poulsson oppdraget. Munch ble umiddelbart et meget aktuelt navn i diskusjonen om den kommende utsmykningen av det nye rådhuset, som man trodde skulle realiseres raskt, men som først ble bygget da Munchs helse var blitt betydelig svekket.[8] Samtidig med at litografiet ble utført, tegnet Arneberg Edvard Munchs nye muratelier på Ekely etter at han hittil hadde måttet holde til i trekkfulle trebygninger.

Leopold Wondt (1916, kat. 98) hadde, etter en karriere som journalist i *Berlingske Tidende*, vært virksom som filmforfatter og regissør, men i september 1914 slått seg som «den første kjøbenhavner ... på eksport». Han tjente en formue på spekulasjoner og kjøpte seg inn i Alexandra-teateret sammen med skuespilleren Albrecht Schmidt, som ble teatrets kunstneriske direktør. Som tidligere nevnt, hadde Munch under oppholdet på professor Jacobsons klinikk i København utført et litografi av Albrecht Schmidt, og det var han som sammen med Storm P. – en annen beundrer av Munch – hadde overtalt Leopold Wondt til å reise til Norge for å la seg portrettere av den norske kunstneren.

Også denne gangen maler Munch to portretter, et mindre av Wondts overkropp i en lett pastellaktig oljeteknikk (som Wondt ervervet for 2.000 kroner, fig. 8) og et større helfigurportrett (kat. 98) hvor han står i et hjørne av rommet, malt i en lignende koloristisk helhetstone, men med

en klarere definert fargeakkord: dyp gråfiolett og rødbrunt mot skimrende lyse, grønnlige toner.

Helfigurportrettet ble såvidt vites aldri utstilt i Munchs levetid. Både koloritten og den noe kantete måten figuren er tegnet på, indikerer at Munch har hatt et sideblikk til kubismen, slik vi eksempelvis kjenner den hos malere som André Lhote i Paris og Per Krohg i Norge. I motsetning til dette noe friserte portrettet har bildet som Wondt ervervet et mer uanstrengt og ledigere uttrykk, noe som kan forklares av at Munch har overført opptegningen fra det store portrettet til det mindre og kunnet utvikle dette videre.

Omkring 1919 kom portrettet i Wondts eie på kunstmarkedet og «møtte» rent tilfeldig et portrett av Oskar Kokoschka i overlyssalen i Galerie Arnold i Dresden i 1923. Dette foranlediget en artikkel av Oskar Schürer, «To moderne portretter» i *Der Cicerone*, hvor de to bildene ble stilt inn i «den store anerekke av europeiske portrett, som bærer vidnesbyrd om sin tids hemmeligheter».

Det var trolig også i 1916 – dateringen er vanskelig å tyde – at Munch malte de to portrettene av godseier **Kai Bisgaard Møller** (kat. 99 og 100). Møller hadde overtatt Thorsø hovedgård i 1885, besatte en rekke offentlige verv, var blant annet ordfører i Torsnes i flere år, stortingsmann for Venstre 1900-1903 og preses i Norges Vel 1906-1922 og var med på å grunnlegge Bøndernes Bank og Bøndernes Hus i Kristiania, hvor det ene av de to portrettene i dag befinner seg.

I det ene portrettet (kat. 99), som forble i Munchs eie, finner vi et enda sterkere preg av en tidstypisk koloritt og komposisjonell oppbygging i en stil i slekt med den internasjonale kubismen enn i portrettet av Wondt. En enkel treklang av dempede blå, grønne og brune fargetoner fanger lyset i felter, malt i en høyt oppdreven rytme. Den dominerende personligheten som sitter ved vinduet med hendene samlet på den runde bordflaten, synes å syde av kraft og energi. Han ser på oss med mysende øyne gjennom tunge øyenlokk.

Portrettet i Felleskjøpets kontor i Bøndernes Hus (kat. 100) er komposisjonelt sett i hovedtrekkene helt likt det som i dag befinner seg i Munch-museet, men sporene av internasjonal kubisme er avstreifet; bildet er malt i en mer flytende, akvarellaktig teknikk med fortynnede oljefarger. Igjen må vi tro at Munch-museets versjon har fungert som en slags studie for den andre utgaven. Men «studien» er kanskje kunsthistorisk sett mer interessant ettersom den forteller om Munchs orientering i sin tids skiftende strømninger.

I sin biografi over Kai Møller, *Herren til Thorsø*, karakteriserer Odd Grande portrettet i følgende ordelag:

På samme tid som han er fjern, trer han levende og nært, nesten fortrolig fram på lerretet. Det milde blikket, den besluttsomme holdningen, den verdige reisningen, alt sier oss at dette er Kai Møller, slik vi kjenner han etter at han har steget fram for oss fra gulnete dagbokblad, fra samtidiges skildringer, fra venners beundring og motstanderes kritikk.

Vi vet ikke om portrettet var et bestillingsverk. Det ble vist på Munchs separatutstilling hos Blomqvist (fig. 9) i 1919 uten opplysning om maleriets eier, men den vakre rammen – som bildet fremdeles har – indikerer imidlertid at det var solgt på dette tidspunkt, kanskje direkte til Bøndernes Hus.

Et nytt portrettoppdrag blir bekreftet i brev til Munch datert 24. juni 1917 fra **Torvald Løchen** (kat. 104 og 105), en bror av maleren Kalle Løchen, som hadde vært Munchs gode venn på 1880-tallet:

Det har glædet min kone og mig meget, at De vil male mig, og jeg takker for det. Wefring har sagt mig, at De vilde kunne begynde i denne eller næste uke. Men jeg er med i nogle forhandlinger mellom Norge og Sverige, og reiser i den anledning nu til Göteborg, hvor jeg blir etpar maaneder. Jeg maa derfor faa lov til senere at høre hos Dem om en anden tid. ...

De husker mig kanske fra Kalles dage –

Torvald Løchen tok juridikum i 1883, hadde blant annet vært ekspedisjonssjef i Landbruksdepartementet i 1900, formann for den departementale jordkomité i 1907-1908 og medlem av reinbeitedelegasjonen 1913-1918. Han var fra 1902 amtmann i Nordre Trondhjems amt, senere ble han fylkesmann i Hedmark. Hans kone Ingeborg Motzfeldt Løchen forteller at hun var tilstede da portrettet ble malt under meget hyggelige omstendigheter på Ekely. I dette tilfellet maler Munch tre portretter. Ett av portrettene er et knestykke (kat. 105) i motsetning til de

Fig. 10
Thorvald Løchen, 1918
Nasjonalgalleriet, Oslo

to andre i helfigur. Det viser en avslappet mann som fryses i et karakteristisk bevegelsesmotiv med den ene hånden i jakkelommen og den andre med sigarett. De dype, kjølige tonene i klærne står mot bakgrunnens gyldne, varme farger, en blek erindring av bakgrunnen i portrettene av professor Jacobson. Opprinnelig har imidlertid også dette vært i helfigur. Det ble utstilt som sådant hos Blomqvist i 1918 (fig. 7 a). Men siden har Munch brettet opp lerretet slik at det idag fremstår i trekvart størrelse.

Fig. 9 a, b
Blomqvist Kunsthandel, Kristiania, oktober 1919

To av portrettene (kat. 104 og fig. 10), hvorav det ene ble ervervet av ekteparet Løchen må nærmest betraktes som dubletter og er uten tvil de mest vellykkede. Atter en gang får vi assosiasjoner – komposisjonelt som koloristisk – til den internasjonale kubismen. Det relativt smale billedfeltet, som liksom «skjøtes» ut til begge sider, gir inntrykket av en nærmest abstrakt romkonstruksjon (som kanskje kan ha vært forårsaket av en speilvirkning). Perspektivet som gir inntrykk av et outrert skrånende scenegulv kjenner vi igjen fra en rekke av Munchs portretter. Løchen kommer mot oss i et nesten manieristisk skrittmotiv, hvor føttene er plassert bak hverandre og i rett vinkel mot hverandre. En tyve års tid senere kommenterer Munch Løchens gange i telefon til Ingeborg Motzfeldt Løchen:

Han går så utmerket, han setter hele foten i bakken, og det er det man skal. Dengang jeg malte ham, så hans gang noe overdreven ut, men det viser seg når man blir gammel om måten å gå på er riktig. Når man kommer i min alder, er det alltid benene som svikter, jeg går ikke så godt. En kan jo ikke regne med sånne som gamle Ola Thommessen, han er udødelig han, og han setter ennå benene fast i marken som to tømmerstokker. Men Løchen har en meget mer forfinet og kultivert måte å gå på.[9]

Det var sannsynligvis i løpet av sommeren 1918 at Munch malte sitt portrett av **Else Mustad** (kat. 106 og 107), datter av forfatteren Johan Nordahl Rolfsen, gift med fabrikkeier Wilhelm Mustad som eide en betydelig kunstsamling og ervervet en rekke malerier av Edvard Munch. I portrettet står Else Mustad med nedslått blikk og støtter seg til et rundt bord. Skrittmotivet og vinden som synes å ta fatt i kjolen, gir bevegelse til skikkelsen. Men ansiktsuttrykket har et alvorlig og innadvendt preg.

Ektemannen ble skuffet da han så maleriet. Han kjente ikke sin hustru igjen, for ham var hun en spirituell og sprudlende kvinne, og han refuserte bildet selv om det dreiet seg om et bestillingsverk. Grunnen til uttrykket skal ifølge familietradisjonen ha vært at hun led av en gryende leddgikt og fant det anstrengende å stå modell så lenge om gangen som Edvard Munch fordret.

I en skissepreget opptegning på lerret i samme format som det ferdige portrettet, har Munch tilsynelatende bare konsentrert seg om ansiktet. Uttrykket er mindre alvorlig og det finnes et anstrøk av øyenkontakt med betrakteren (kat. 107).

Portrettet er koloristisk sett preget av kontrasten mellom den lyskledde kvinnen mot løvverkets grønne og bakkens og bordets mørke bruntoner. Antagelig er bildet malt i det såkalte lysthuset i hagen på Ekely som vi for øvrig kjenner fra flere av Munchs bilder. Portrettet har en aggressiv koloritt som kan gi assosiasjoner til de tyske Brücke-ekspresjonistenes landskapsbilder, særlig Ernst Ludwig Kirchners.

Munch selv må ha ansett at portrettet var et av hans betydelige kunstverk. Han viste det hos Blomqvist i 1919 (fig. 9 b), og da han i 1926 sendte «det bedste jeg havde» til en utstilling i København, ble portrettet av fru Mustad utstilt sammen med hovedverk som *Bohemens død* (1917-1918), *Bohemens bryllup* (1925) og *Galopperende hest* (1910-1912). Jens Thiis skrev rosende om portrettet da det ble vist på utstillingen Nordisk Konst i Göteborg i 1923:

Da har øiet mer tilfredsstillelse av aa vende sig mot et annet portrett i salen, den unge svaie kvinneskikkelse, som lysende og blond er plassert like ved utgangsdøren – fru Mustads portrett – et av de mest henrivende frembringelser av Munchs pensel i de senere aar, en malerisk hyldest til kvinne og ungdom.[10]

Et virkelig sjarmerende maleri fra denne perioden som uberettiget nærmest er glemt, er portrettet av **Ingeborg Roede og Karen Sofie Dedekam** (kat. 108). Det ble utstilt som *Portræt av to backfischer* hos Blomqvist i oktober 1919. Senere har det vært vist som *Nobel Roedes døtre*. Det er imidlertid bare den ene av de to unge pikene som er Halvdan Nobels Roedes datter. Den andre er hennes jevnaldrende venninne Karen, som forteller om bildets tilkomst da de to pikene var 13 år gamle:

Min venninde Ingeborg var nest eldste datter av Halvdan Nobel Roede, som den gang hadde en velstandsperiode og hadde invitert Munch op til Riis Hovedgaard hvor de bodde, for å diskutere et maleri av Roedes 4 døtre. Munch og Roede satt i stuen da Ingeborg og jeg kom inn gjennem døren hvor vi blev stanset av Munch som sa: «Jeg vil ikke male dine 4 døtre men jeg vil male de to vennindene akkurat som de staar der.» Det gjorde han paa fem dager; han hadde nemlig hastverk for aa undgaa fru Roede som var ventende fra Soon om fem dager – han var da litt av en kvindehater. Men vi var unge nok til ikke aa skremme ham og han var helt bedaarende mot oss, holdt en strøm av konversation gaaende for aa adsprede oss. Jeg husker vesentlig at han deklamerte rim for hver farve han satte paa bilde, for eks. «Haapet er lysegrønt, evig og altid skjønt» osv. osv. … jeg tror jeg er den blonde paa høire side av bilde i en blaa violett kjole og Ingeborg i blaagrønn kjole, saavidt jeg husker da.

Munch knytter på en avslappet måte an til sine tidligere portretter, men med bruk av den tidstypiske postkubistiske koloritten, bortsett fra at fargene er varmere og lødigere enn hva vi ellers ser i hans portretter fra disse årene. Portrettet formidler for øvrig inntrykket av et høyborgerlig miljø på Kristianias solside. Da portrettet ble utstilt hos Blomqvist i 1919, skrev Jappe Nilssen:

Der er ennu nogen portretter paa utstillingen, som sikkert hører til Munchs beste – først og fremst de to smaapiker, som staar og ser rett frem for sig, saa sikkert i sin opbygning, saa vel avbalansert i komposisjonen og saa rikt og fyldig i farven.[11]

Fig. 11
Anton Brünings, 1919
Tidl. Hamburger Kunsthalle. Privat eie

Samtidig utfører Munch et litografisk portretthode av Ingeborgs far, **Halvdan Nobel Roede** (kat. 239), som er en tett og karakteristisk gjengivelse av kunstsamleren.

Anton Brünings, tysk av fødsel, drev en sepefabrikk ved Bremen fra århundreskiftet, og ble ved etableringen av De-No-Fa i Fredrikstad i 1912 ansatt som teknisk direktør, en stilling han hadde til han sommeren 1918 gikk av. I den anledning ble det besluttet å la Edvard Munch male hans portrett. En versjon ble fabrikkens eiendom (kat. 111), og en annen kom kort etter Brünings' død i 1922 til Hamburger Kunsthalle hvor den ble renset ut av nazistene i 1938 og solgt til Norge (fig. 11). Mens det forholdsvis konvensjonelle profilportrettet i De-No-Fa viser en eldre mann med skarpskårne trekk som sitter med korslagte armer, hvor spenningen ligger i kroppens monolittiske volum malt i dype blåtoner mot en treklang av farger – gråfiolett, gult og rødbrunt – i vegg og gulv, har portrettet som tidligere var i Hamburger Kunsthalle åpenbare referanser til tysk ekspresjonistisk kunst. Noe av uttrykket i portrettet av Sigurd Høst får her et etterslep.

De to utgavene som i dag befinner seg i Munch-museet (kat. 109 og 110) har tidligere vært registrert som *Portrett av ukjent herre*. De har imidlertid så mange likhetstrekk med portrettene av Anton Brünings at vi må ha lov til å anta at det dreier seg om samme modell på tross av en mer ekspressiv utførelse. Disse to portrettene har en del felles med det som havnet i Hamburger Kunsthalle, men

trekkene er langt mer summarisk malte i store flater slik at uttrykket blir grovt og nesten ubehagelig, noe som understrekes av den dominerende grønntonen i bildene, en nærmest kald og giftig koloritt. Munch-museets to utgaver synes således å være rent eksperimentelle portrett, og eksemplifiserer hvordan Munch arbeider seg ut av den gråbrune tonaliteten i slekt med den internasjonale kubismen og futurismen, og igjen stiller seg inn i en kontekst med den nord-europeiske ekspresjonismen.

1. *Berlingske Tidende* 19.11.1917.
2. *Socialdemokraten* 19.11.1917.
3. Gjengitt i *Kunst og Kultur*, 1962, h. 1, s. 27-46.
4. Ibid.
5. *Dagbladet* 14.5.1947.
6. *Morgenbladet* 16.2.1918.
7. *Verdens Gang* 3.3.1918.
8. Se for øvrig Gerd Woll, «Dekorasjoner av Munch til Rådhuset i Oslo», *Edvard Munch. Monumentale prosjekter 1909-1930*, utstillingskatalog, Lillehammer Bys Malerisamling, Lillehammer 1993, s. 89-104.
9. *Edvard Munch som vi kjente ham. Vennene forteller.* Av K.E. Schreiner et al., Oslo 1946.
10. *Dagbladet* 21.7.1923.
11. *Dagbladet* 1.10.1919.

Kat. 90
Christian og Hjørdis Gierløff, 1913
Munch-museet

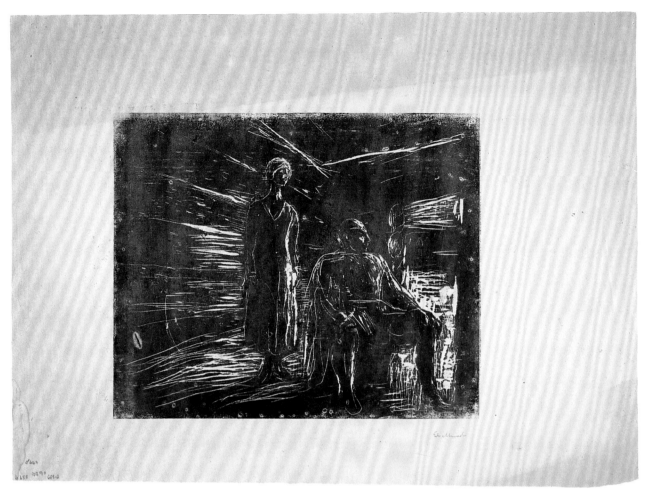

Kat. 260
Kongsemnerne, 1917
Christian og Hjørdis Gierløff
Tresnitt. Munch-museet

Kat. 198
Christian Gierløff, 1913
Radering. Munch-museet

Kat. 199
Åge Christian Gierløff, 1916
Radering. Munch-museet

Kat. 197
Hjørdis Gierløff, 1913-1914
Radering. Munch-museet

Kat. 93
Käte og Hugo Perls, 1913
Munch-museet

Kat. 94
Käte og Hugo Perls, 1913
Galleri Bellman, Oslo

Kat. 91
Käte Perls, 1913
Munch-museet

Kat. 92
Käte Perls, 1913
Öffentliche Kunstsammlung Basel

Kat. 232
Cally Monrad, 1912
Litografi. Munch-museet

Kat. 228
Christian Sinding, 1912
Litografi. Munch-museet

Kat. 238
Richard Strauss, 1917
Litografi. Munch-museet

Kat. 97
Irmgard Steinbart, 1913
Munch-museet

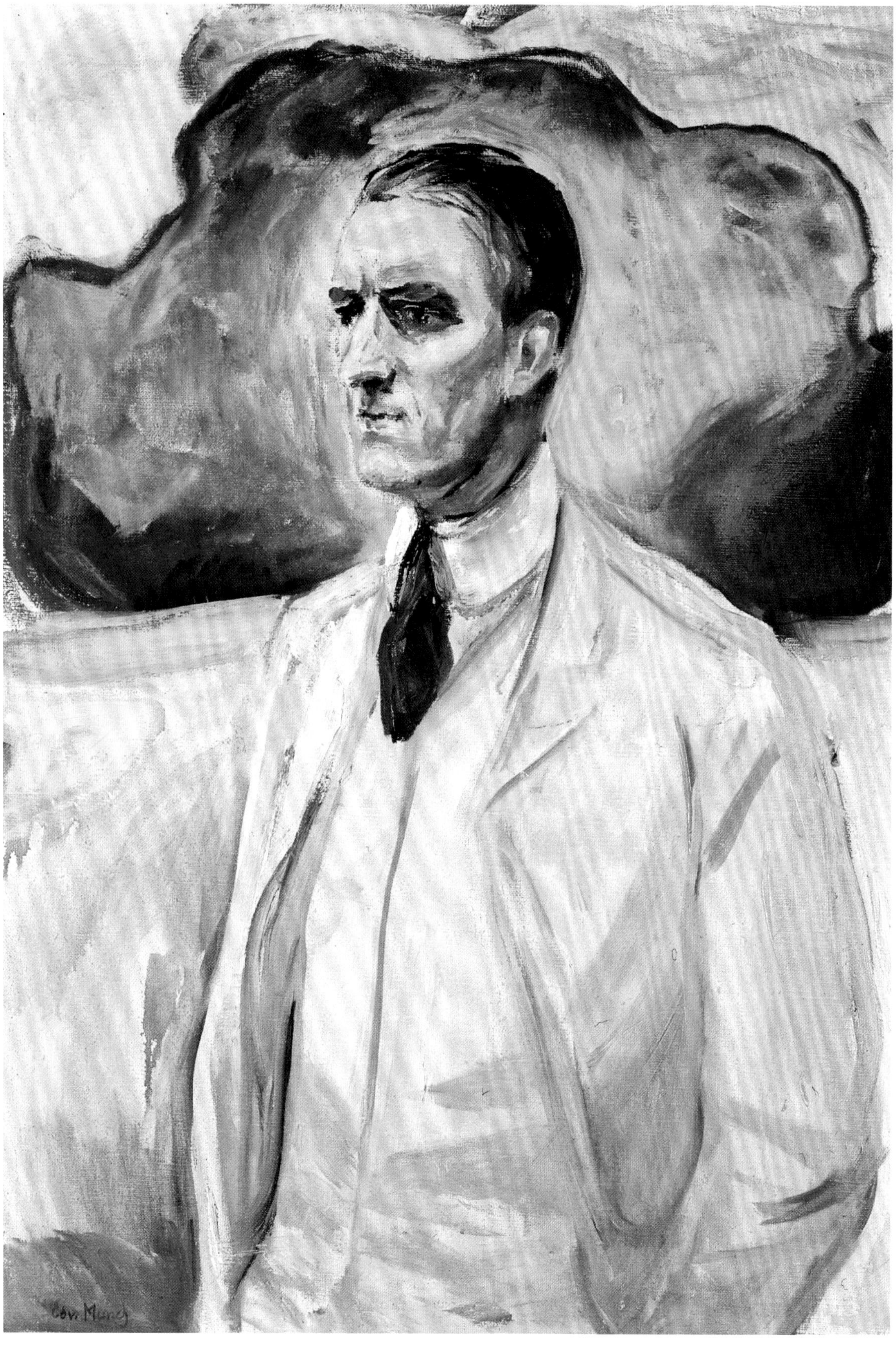

Kat. 102
Hieronymus Heyerdahl, 1917
Helge Steensen, Asker

Kat. 103
Hieronymus Heyerdahl, 1917
Rådhuset, Oslo

Kat. 237
Hieronymus Heyerdahl, 1916-1917
Litografi. Munch-museet

Kat. 235
Arnstein Arneberg, 1916-1917
Litografi. Munch-museet

Kat. 236
Hieronymus Heyerdahl, 1916-1917
Litografi. Munch-museet

Kat. 243
Louise og Else Heyerdahl, 1920
Litografi. Munch-museet

Kat. 101
Hieronymus Heyerdahl, 1917
Munch-museet

Kat. 98
Leopold Wondt, 1916
Munch-museet

Kat. 99
Kai Møller, ant. 1916
Munch-museet

Kat. 100
Kai Møller, ant. 1916
Felleskjøpet Østlandet, Oslo

Kat. 106
Else Mustad, 1918
Munch-museet

Kat. 239
Halvdan Nobel Roede, 1919
Litografi. Munch-museet

Kat. 107
Else Mustad, 1918
Munch-museet

Kat. 108
**Ingeborg Roede og
Karen Dedekam**, 1919
Munch-museet

Kat. 110
Anton Brünings, 1919
Munch-museet

Kat. 109
Anton Brünings, 1919
Munch-museet

Kat. 111
Anton Brünings, 1919
A/S Denofa og
Lilleborg Fabriker, Fredrikstad

Fig. 1
Edvard Munch portretterer direktøren for Kunsthaus Zürich, dr. Ludwig Justi, 1927

1920 – 1930

ET NYTT SAKLIG PORTRETTMALERI

Etter 1920 skjer det et omslag i Munchs kunst, billeduttrykket blir blant annet roligere og mer nøkternt registrerende. Det gjelder såvel hans landskaper som hans portretter, noe vi allerede kan se i portrettet av **Inger Desideria Barth** født Jahn, malt i 1920 (kat. 112 og fig. 2). Hennes mann, overlege Peter Barth, hadde ønsket sin kone portrettert av Edvard Munch. I likhet med Else Mustad led også Inger Barth av leddgikt. Og da hun stod modell på Ekely, forsøkte hun ifølge familien å skjule sin evindelige smerte bak et smil. Det kan synes som om Munch har villet skildre nettopp dette ved å la den belyste, venstre siden av ansiktet preges av et forsiktig smil mens skyggesiden har et noe smertefullt drag. Vi ser henne stilt, nærmest trengt, mot et hjørne av et værelse, uten at det er betonet noen spenning mellom figur og rom. De dype blå og blåfiolette tonene i kjolen og håret klinger sammen med veggens lyse blå og rosa.

Munch maler to varianter av portrettet. Det han signerer og som ekteparet erverver (kat. 112), skiller seg ut ved det fargerike gulvteppet og ved fru Barths skygge som er markert på veggen til høyre. Den andre versjonen (fig. 2) med sine rennende farger og iøyenfallende penselstrøk har bevart et preg av skisse; store partier av lerretet står umalte på en noe umotivert måte. Det ble utstilt samme år hos Commeter i Hamburg som *Damenbildnis* og ervervet av Hamburger Kunsthalle. I en egen artikkel om dette bildet i *Hamburger 8 Uhr Abendblatt*, «Bilder der Hamburger Kunsthalle. Edvard Munch: Dame in Blau», ble det argumentert at bildet «materialiserte metafysisk smerte» og for øvrig allmenngjorde «verdenssmerten i kvinnen». I skyggen av den første verdenskrigen var uttrykk for heroisk lidelse populære, og portrettet ble tydeligvis oppfattet som sådant. Under nasjonalsosialistenes utrenskninger i tyske museer ble maleriet solgt til kunsthandler

Holst Halvorsen i Oslo, som omsatte bildet på en auksjon over Munch-malerier fra tyske museer i 1939.

Munch tegnet samtidig et litografisk portrett av Inger Barth (fig. 3) hvor kvinnen med de rene trekkene sitter i en høyrygget stol og ser ned for seg med et forsiktig, litt stivt smil om munnen. Ifølge familien sprang en gang en liten mus over gulvet mens hun satt modell for Munch, noe som lokket frem en spesiell munterhet hos henne. Munch grep øyeblikket og ropte «sitt stille» – og så laget han tegningen til litografiet. Nederst i venstre hjørne er det antydet en rund form med ører som vi må tro skal representere musen.

I årene etter første verdenskrig var det tyske kunstmarkedet av forståelige grunner så godt som uttørket. Det var derfor naturlig at Munch ble reintrodusert på kontinentet via Sveits. **Dr. Wilhelm Wartmann** (kat. 113, 114 og 115, fig. 4), direktør for Kunsthaus Zürich, hadde tatt kontakt med Munch allerede i tilknytning til suksessen hos Gurlitt i 1914 for å få en Munch-utstilling til Zürich, men første verdenskrig satte en foreløpig stopper for disse planene. Da forholdene i Europa hadde roet seg, tok han igjen kontakt, men nå med Curt Glaser som mellommann. Den omfattende presentasjonen i Kunsthaus Zürich i 1922 skulle bli den første retrospektive utstilling av Munchs verker i et museum. Det var i denne forbindelse at Curt Glasers bok om Munch ble trykket opp i en revidert utgave. Hovedverk fra en rekke eiere ble innlånt slik at man best mulig kunne danne seg et overblikk over Munchs kunst, men med betoning av hans senere arbeider. Og utstillingen ble en betydelig suksess.

Wilhelm Wartmann var også på vegne av den store, sveitsiske kunstsamleren Alfred Rütschi engasjert for å erverve et utvalg Munch-malerier, bilder som det var forutsatt senere skulle skjenkes til Kunsthaus Zürich. Og det

Fig. 2
Inger Barth, 1920
Privat eie

Fig. 3
Inger Barth, 1920
Litografi. Munch-museet

var Alfred Rütschi som ga Munch i oppdrag å male et portrett av Wilhelm Wartmann. I brev av 31. mai 1922 skriver han til Munch:

I en samtale antydet Dr. Wartmann overfor meg at det ville passe Dem å portrettere noen sveitsere. I det jeg antar at dette virkelig er tilfellet, og at jeg ikke har misforstått Herr Dr., tillater jeg meg å fremme det forslag, at De for meg og på min regning portretterer Herr Dr. Wartmann på en måte som synes riktig både for Dem og ham. I øyeblikket er han jo overlesset med arbeid og har liten tid til å sitte modell; beskjeden som han er, har han også nektet å overbringe mitt forslag. Men det ville glede meg meget å eie et portrett av ham malt av Dem. På grunn av Zürich Intrigeforening etc. kan riktignok maleriet ikke utstilles foreløpig og ville måtte nøye seg med en plass hos ham. Jeg håper inderlig at De er sympatisk innstilt til mitt forslag.

Før han returnerte til Kristiania etter utstillingen i Zürich, utførte Munch et litografi (fig. 5) og en første utgave av det malte portrettet av Wartmann (kat. 113) på Grand Hotel Dodler. Litografiet av Wilhelm Wartmanns trill runde hode med strittende snurrbart i trekvartprofil, motsvarer detalj for detalj hvordan han er gjengitt i denne første versjonen av helfigurportrettet som forble i Munchs eie. Wartmann med sitt tilforlatelige ansiktsuttrykk står i en avslappet stilling med venstre fot slengt over den høyre og støtter seg med hendene mot et avlangt

bord overstrødd med bøker. Veggens tapet er gjengitt som et nærmest abstrakt mønster av former som gir assosiasjoner til Kandinskys non-figurative kunstverker.

Et år senere er Munch tilbake i Zürich, tar inn på samme hotell og maler nye portrettversjoner av museumsdirektøren, slik at Alfred Rütschi (som Munch for øvrig portretterte i en tegning, fig. 6) hadde vanskeligheter med å velge, «for jeg kan ikke anlegge meg et galleri av Wartmenner.» Trolig malte Munch først en mindre skisse som bare består av noen få streker på lerretet (kat. 114), deretter et mindre og et større helfigurportrett. Posituren er relativt lik den i fjorårets utgave, men ansiktsformen er noe forandret. Tilsynelatende er rommet det samme, men i så fall er det blitt ommøblert slik at et diagonalt løpende perspektiv oppstår bak Wartmann. Også et fargerikt teppe på gulvet beriker den nye komposisjonen.

Den større utgaven av de to portrettene ble ervervet av Alfred Rütschi og forært til Kunsthaus Zürich i 1929 (kat. 115) (sammen med tre andre bilder av Edvard Munch). Her ser Wartmann på oss med et fast blikk, og bildet har unektelig fått mer av den Munchske energi i uttrykket enn den tidligere versjonen. Det har likefullt en viss letthet i uttrykket samtidig som den portretterte er sett og gjengitt saklig og direkte, uten at vi ledes til å tillegge ham egenskaper på et dypere psykologisk plan. Koloristisk er bildet også svært tilbakeholdent og lett til Munch å være; dempete lysegrønne og rødbrune toner frisket opp av et par innslag av kraftige, rene farger. Sett i relasjon til det lekende spill av former og farger i den aller første versjonen, som har noe av munterheten i koloritt og uttrykk som kjennetegner den franske tradisjonen fra

Matisse til Dufy, gir denne utgaven tross den levende maleriske behandlingen, assosiasjoner til den psykologiske temperatur som fra nå av kjennetegner portretter i den genuint tyske stilen som skulle få betegnelsen «Neue Sachlichkeit». Etter ønske fra Wartmann ble ikke portrettet utstilt i museets faste utstilling før etter hans død. Den mindre utgaven (fig. 4) av de to portrettene fra 1923 ble forært Wartmann etter at Rütschi hadde foretatt sitt valg.

Dr. Wartmann bygget i årenes løp opp den største samling av Munchs verker utenfor Skandinavia. De to avtalte at Kunsthaus Zürich skulle ha en Munch-utstilling hvert tiende år. I 1922 og 1932 ble planen virkeliggjort. På grunn av krigen kunne ingen bilder sendes fra Norge i 1942, men i 1952 organiserte Wartmanns etterfølger den tredje store Munch-utstillingen. Om Wartmanns syn på kunsten, skrev Munch følgende karakteristikk:

Dr. Wartmann som osså er beundrer af fransk kunst og har studeret 6 år i Paris – sa han følte som en mission at arbeide for germansk kunst og en tilslutning af germanske lands kunstnere – Jeg som selv har lært meget af fransk kunst – og så havt beundren for den – føler osså at nu er tiden inde for dette nu lissom meget af fransk beundren går over til snobisme – hvilket jo til alle tider har hændt – og misklædt germanere når deres begeistring er på kogepunktet.[1]

Wartmanns kongstanke var å bygge opp samlingen i Kunsthaus Zürich omkring tre germanske søyler – Arnold Böcklin, Ferdinand Hodler og Edvard Munch. Han forsøkte i hele mellomkrigstiden forgjeves å erverve nyere

Fig. 6
Alfred Rütschi, 1923
Tegning. Munch-museet

hovedverk fra Edvard Munch i et ønske om å skape en vegg i sitt museum som kunne være jevnbyrdig med de nå døde mestre Böcklins og Hodlers arbeider i samlingen I et intervju med «Causée» i *Aftenposten* i 1927 da han besøkte Munchs store retrospektive utstilling i Nasjonalgalleriet i Oslo, uttalte han seg om den norske kunstneren:

Hans billeder er da ogsaa saa meget sundere og mere

Fig. 4
Wilhelm Wartmann,
1923
Kunstmuseum,
St. Gallen

Fig. 5
Wilhelm Wartmann,
1922
Litografi.
Munch-museet

Fig. 7
Birgitte Prestøe, 1924, (ettersignert E. Munch 1928)
Munch-museet

menneskelige end alt det overfladiske pikante og raffi-
nerte, som alltid særpreger franske malere. Det er bare én
maler jeg tør nevne i samme aandedræt som Munch, det
er sweitzeren Hodler ...[2]

I de første årene av 1920-tallet kan vi som sagt konsta-
tere et stilskifte mot en psykologisk avspent, mer lyrisk
gjengivelse av virkeligheten i Munchs kunst, et stilskifte
som på mange måter utgjør en fordypning av impulser fra
sen-kubistisk maleri, inklusive Franz Marc. Noen av de
fineste eksemplene er motivgruppen *Stjernenatt* (1923-
1924), hvor landskapet bygges opp ved et system av
avrundete segmenter. Andre eksempler er hvordan
Munch ved hjelp av sin kjølige modell Birgitte Prestøe
ueksperimenterte et nærmest saklig registrerende por-
trettmaleri (fig. 7). Dels bretter han henne bokstavelig talt
ut i flaten i et geometrisk mønster, dels utvikler han moti-
vet med rom som åpner seg mot stadig nye rom, noe som
på en egenartet måte speiler typiske trekk i tidens tyske
portrettkunst med navn som Beckmann og Dix som de
mest sentrale. Formene konsiperes som stadig glattere og
rundere, et billeduttrykk vi med Julius Meier-Graefe kan
stille i sammenheng med hvordan karosseriet på tidens
elegante automobiler formes.

Ansatser til et maleri som speiler 1920-tallets sans for
de avrundete formene og den enkle psykologiske karakte-
ristikk, finner vi i *Portrett av en ukjent kvinne* (kat. 125),
trolig malt på Ekely høsten 1925. Kvinnen står ute i hagen
foran Munchs hus og holder om det lange perlekjedet
som smykker hennes hals. Den avrundete hatten gjentas i

landskapets former, i formuleringen av hennes ansikt og i
den omfangsrike kåpen. Munch maler henne også i helfi-
gur sammen med to av sine hunder mot grønn vegetasjon
som blir fremstilt som en skulptural vegg. Man har ut fra
overfladisk likhet med et annet portrett som har vært
attribuert fru Maria Agatha Hudtwalcker, tidligere ment
at det var et portrett av denne kvinnen. Men familien går
imot denne antagelsen. Portrettet kan like godt represen-
tere en tidligere modell på besøk hos Munch senere i livet.
Vi vet at Munch flere ganger avportretterte dem ved slike
tilfeller.

Høsten 1925 får Munch besøk av den tyske kunstsam-
leren **Heinrich C. Hudtwalcker** (kat. 116 og 117). Han
hadde i 1905 startet en fabrikk for fiskeolje i Kristiania,
hvor han ble boende til 1912 da han flyttet tilbake til
Hamburg. Under sitt Norgesopphold hadde han bygget
opp en betydelig samling norsk kunst, som han senere i
Tyskland utvidet med verker av hovedskikkelser i
moderne europeisk maleri, fra Toulouse-Lautrec til
Picasso og Braque og de fleste Brücke-ekspresjonistene fra
Ernst Ludwig Kirchner til Emil Nolde samt verker av
sveitseren Ferdinand Hodler. Hudtwalcker skjenket
senere flere arbeider – deriblant sitt portrett – til Ham-
burger Kunsthalle, som i likhet med portrettet av Inger
Barth solgte det til Norge som et ledd i nasjonalsosialiste-
nes kunstpolitikk, hvor det ble omsatt på auksjon hos
Holst Halvorsen i 1939.

I de to portrettene som Munch malte av ham høsten
1925, sitter Hudtwalcker i en avslappet stilling i Munchs
velkjente kurvstol ute i «parken» på Ekely. Han sitter med
den ene armen hengende i rett vinkel over armlenet og
med det ene benet lagt over det andre i rett vinkel, slik vi
kjenner det fra portrettene av Jacob Bratland (1891-
1892) og Gustav Schiefler (1908). Han er bare fremstilt så
uendelig mer avslappet både psykologisk sett og som stil-
uttrykk. Inspirert av kurvstolens myke, skulpturale for-
mer lar Munch så å si disse forplante seg i figuren slik at
det oppstår en helt egenartet, rytmisk bevegelse. Bak-
grunnen har likhetstrekk med formuleringen av vegeta-
sjonen i portrettet av den ukjente kvinnen, bare flatere og
mer avdempet i karakteristikken. Av de to portrettene
valgte Hudtwalcker det hvor det strukturelle i utfor-
mingen er mest betonet (kat. 117). Det mest maleriske i
impresjonistisk forstand beholdt Munch i sin egen sam-
ling. Det finnes også bevart en liten tegning som viser
Hudtwalcker i samme stilling, men sett fra siden (fig. 8),
som vi må tro var det første Munch gjorde.

Munch maler også en meget liten komposisjonsskisse,
hvor han uhyre frekt gjengir ansiktet som en tom oval
uten noen markering av ansiktstrekkene (fig. 9). Dette
vekker mistanken om at han bevisst organiserer motivet
etter kalkulerte, geometriske former; som at venstre over-
arm løper parallelt med høyre leggben og fot i likhet med

Fig. 8
Heinrich C. Hudtwalcker, 1925
Tegning. Munch-museet

Fig 9
Heinrich C. Hudtwalcker, 1925
Munch-museet

høyre arm og venstre underarm som står på det nærmeste loddrett på de førstnevnte linjene. Slik oppstår romlige figurer som tross all bevegelighet gir billedflaten en logisk kontrollert, kjølig oppbygging.

Et kanskje ikke helt vellykket bilde er portrettet av professor i rettsvitenskap **Fredrik Stang** (1927? kat. 126). Han var i perioden 1921-1927 rektor ved Universitetet, en sentral Høyre-politiker og fra 1922 av også formann i Stortingets Nobelkomité. Stang hadde under striden om utsmykningen av Universitetets festsal forsvart Munch med lengre innlegg i pressen og derved tydeliggjort at ikke hele professorsjiktet stod bak den massive avvisningen av Edvard Munchs dekorasjonsutkast. Munch hadde etter at utsmykningen var fullført, forært ham en av skissene, og Stang takket med ordene:

Jeg er ganske overvældet over den elskværdighet De har vist mig ved at sende mig det deilige billede. Det skal faa en hædersplass i mit hus, og det skal ofte minde mig om den glæde det var at kunne arbeide sammen med Dem paa at skaffe Deres forviste festsalsbilleder hjem igjen.

Fredrik Stang er malt i noe over halv størrelse sett mot et hjørne av et værelse på Ekely. Vi kjenner igjen småbildene på veggen bak ham og bokhyllen til høyre. Stang er sett strengt en face, mens han støtter seg med den ene hånden på en stabel bøker og holder den andre knyttet mot hoften (hvor vi tydelig ser at formen modelleres i retning av det glatte og mykt avrundete). Antagelig i en for ham karakteristisk stilling har Stang plassert all tyngde på sitt venstre ben, mens det høyre er skjøvet noe frem. Det kan synes som om Munch har villet la den rette linje som hans venstre arm skaper, løpe parallelt med en fiktiv linje gjennom høyre underarm og lår. Altså en variant av samme utbrettingsprinsipp som i portrettet av Hudtwalcker. Kroppsstillingen fremtrer imidlertid noe forsert, inntvunget i et geometrisk mønster som imidlertid forløses i et rytmisk spill mellom bildenes, bøkenes og bokhyllens

rektangulære former bak figuren. Koloritten virker også noe forsert; den ligner ikke noe vi tidligere kjenner fra Munchs kunst. Stang står i sin blå dress i et ulmende, nærmest fosforiserende rødfiolett lys som kommer fra to kilder. Han kaster nemlig skygge på begge veggene, dypt rødfiolett i den tunge skyggen til høyre og grønnlig i den lettere til venstre. Ansiktet fremtrer som spot-messig belyst, kontrastert av det grønne håret og den grønne barten. Det eksisterer en skisse (fig. 10) som tyder på at Munch fra begynnelsen hadde tenkt å male ham i omtrent samme stilling som Heinrich C. Hudtwalcker, samt et par tegninger i en skissebok hvorav en viser ham i samme positur som i maleriet (fig. 11). Munch trykker også et litografisk portretthode av Stang (kat. 247) hvor vi ser ham i trekvartprofil.

Rolf E. Stenersen (kat. 118 og 119) hadde som ung børsspekulant kontaktet Munch allerede som tyveåring og ervervet flere malerier av ham. Da Munch malte ham, var han allerede i ferd med å bygge opp en betydelig kunstsamling med Munchs verker som det absolutte tyngdepunkt. En sammenstilling av de to portrettene av Rolf Stenersen, begge trolig malt vinteren 1925-1926, viser nok et eksempel på hvordan Munch i disse årene arbeidet seg frem mot et mer formalisert formspråk.

Det minste, mer skissepregete av portrettene (kat. 119) viser hodet av en ung mann med uvanlig energisk utstråling som formidler inntrykket av en nesten hensynsløs personlighet. De fyldige, røde leppene gir noe av det samme brutale inntrykket som i de mest ekspresjonistiske portrettene av Anton Brünings. Også koloristisk binder Munch portrettet av den unge Rolf Stenersen til portrettet av Brünings, eksempelvis er den grønngule veggen i de to bildene malt med samme palett. Det større portrettet (kat. 118), hvor Stenersen sitter med hendene fattet om kneet, har malerisk sett et helt annet preg. Alle former er mykere og glattere avrundet. Dette gjelder ikke bare ansikt og

Fig. 10
Fredrik Stang, 1927
Tegning. Munch-museet

Fig. 11
Fredrik Stang, 1927
Tegning. Munch-museet

kropp, men også sengen han sitter på og de repeterende skyggene bak ham. Man kan si at portrettet viser i interiør det samme som motivet *Stjernenatt* (1923-1924) viser som utsyn gjennom vinduet. Ved hjelp av dette komposisjonsprinsippet får Stenersen også mykere og rundere kinn; et preg av en ubestemt og uferdig ung mann. Koloritten er kjøligere idet de blå og fiolette toner overskygger de grønne og gule. Ser vi dette bildet i sammenheng med den figurative, tyske kunst i tiden, kunst som i en eller annen forstand relaterer til retningen «Neue Sachlichkeit», ser vi at Munch på et lignende vis som denne stiller den portretterte frem som objekt, bare det at Munch samtidig viderefører reminisenser såvel fra det sensuelt impresjonistiske som det uttrykksladete ekspresjonistiske i et malerisk uttrykk som utvilsomt tilhører den nord-europeiske scenen.

Trolig samtidig med at Stenersens portrett ble malt dokumenteres et par møter mellom ham og Munchs nye modell Birgitte Prestøe, som egentlig hette Birgit, men som Munch raskt døpte til Birgitte. I en tegning ser vi Stenersen sitte på divanen noe mer fremoverbøyd enn i maleriet og konversere den unge kvinnen som sitter avslappet i kurvstolen (fig. 12). I en annen komposisjon maler Munch ham uten ansiktstrekk sammen med Birgitte og den sammensunkne, sykdomspregete Jappe Nilssen (kat. 123). De tre sitter omkring et rundt bord med en magnumflaske vin som samlende midtpunkt.

Et absolutt hovedverk i Munchs kunst fra disse årene er dobbeltportrettet av **Lucien Dedichen og Jappe Nilssen** (kat. 122), også malt vinteren 1925-1926. Munch hadde kjent Lucien Dedichen fra ungdommen. Han var nå lege og spesialist i indremedisin med doktorgrad i leversykdommer og hadde en utstrakt praksis som også omfattet Munch. I dette portrettet samler Munch de nye stiltrekk og den komposisjonelle logikk som særpreger hans saklige 1920-talls kunst. Kanskje har han, en gang de to ven-

nene besøkte ham sammen på Ekely, først malt en komposisjonsskisse preget av en fri og utvungen penselføring (kat. 121). Jappe sitter i en sammensunket stilling i kurvstolen vi kjenner fra så mange av Munchs bilder fra Ekely, svekket av sykdommen som skulle føre til hans død noen år senere.

Etter den første skissen maler trolig Munch de to portrettene av henholdsvis **Lucien Dedichen** (kat. 120) og **Jappe Nilssen** (fig. 13). Det mest vellykkede av de to er nok det av dr. Dedichen. Bak hans skulpturale, eggformete hode ser vi portrettene av Munchs oldeforeldre – de som fulgte ham livet gjennom – ramme inn Dedichens hode i et rektangel. Som for å redusere en inneklemt for-

Fig. 12
Birgitte Prestøe og Rolf Stenersen, 1925-1926
Tegning. Munch-museet

nemmelse mellom den avportretterte og omgivelsene, åpnes døren bak ham mot et nytt værelse. Sammenstillingen av figur og rom indikerer at kunstneren har organisert billedflaten som et spill av klart definerte, rektangulære felt etter samme mønster som noen år tidligere i serien *Selvportrett med modell* (1919-1921). Portrettet av Jappe Nilssen i kurvstolen er nærmest en løst antydende, fritt malt skisse, som ikke røper noen tilsvarende organisering av lerretet utover det å tilpasse kroppens former til kurvstolens.

Til slutt smelter Munch sammen de to enkeltportrettene til et organisk hele i det monumentale dobbeltportrettet av Lucien Dedichen og Jappe Nilssen. Vi fornemmer ikke lenger som bevisst kalkulert det levende spillet mellom de nærmest strømlinjeformete ovale og rektangulære former og mellom personene og deres arkitektoniske omgivelser. De overveiende dominante, kjølige fargene, det turkise i soveværelsets vegger og det blå og blåfiolette i mennenes klær, skaper en egenartet stemning som konstrasteres av de varmere tonene i ansiktene, det rødlige lyset som faller inn fra naborommet og de røde tonene i bøkene på det runde bordet. Koloritten er tidstypisk; det er det samme fargeskjema som Munch benyttet i det store portrettet av Rolf Stenersen og i flere modellportretter av Birgitte Prestøe.

1927 representerer to høydepunkter i Munchs kunstneriske karriere, den store retrospektive utstillingen i Kronprinspaleet i Berlin arrangert av det stedlige Nationalgalerie og deretter vist i en utvidet utgave i Nasjonalgalleriet i Oslo. I Berlin ble rekken av store mannsportretter utstilt i en egen sal, mens de her hjemme ble plassert som søyler som samlet de øvrige maleriene (fig. 14 a, b, c, d). Etter utstillingen ønsket Munch å gi et kunstverk til Nasjonalgalleriet, i første omgang et av sine store mannsportrett, som en erkjennelse for direktørens store innsats i denne forbindelse. Han skriver til Thiis 3. juli 1928:

Jeg sender portrættet for at se hvordan det virker. Jeg har ennu ikke avgjort hvilket billede jeg giver men det blir vel dette – men først når jeg får erklæring om at jeg får udlånt billedet til udstillinger – Jeg finder det nødvendig at ha tilladelse til dette da disse mandsportrætter danner min kunsts livvakt.

Jeg har jo osså tenkt på dette at jeg burde have disse portrætter samlet i en sal slig som de hang ifjor – Derfor gir jeg ennu ikke billedet fra mig – ...

På 1920-tallet utførte Munch også flere interessante litografiske portretthoder i forskjellige stiler og teknikker, f.eks. et djervt skissert bilde i tusjteknikk av dikteren **Vilhelm Krag** (kat. 240), et par fint studerte portretter av den aldrende komponisten **Frederick Delius** (kat. 244) og fiolinisten **Arve Arvesen** (kat. 242) et karakteristisk hode av **Ludwig Justi** (kat. 246), direktøren for Nationalgalerie i Berlin. (Det finnes for øvrig et fotografi av Munch mens

Fig. 13
Jappe Nilssen, 1925-1926
Privat eie, Sveits

han arbeider med dette portrettet, fig. 1). Et tett og fint trykk av **Frimann Koren** (kat. 248) skal ha blitt utført samme natt som vennen fra ungdommen døde, og viser ham sett gjennom et nett av vertikale streker. Dette litografiet bygger på flere mer eller mindre mislykkede malte studier fra samme år (fig. 15).

I september 1927, etter den store suksessen med utstillingene i Berlin og Oslo, fikk Edvard Munch besøk av den jevnaldrende, tyske maler Ludwig von Hofmann og hans kone. De ble fotografert i hagen på Ekely av *Aftenposten*. Fotografiet utstråler en hyggelig atmosfære. På bordet står glass og en flaske champagne, og det er ifølge journalisten muntre stemmer som møter ham. Til venstre ser vi «et lerret som øyensynlig hadde vært gjenstand for diskusjon før intervjueren kom». Som et preludium til selve intervjuet beskriver for øvrig journalisten «E.D.» årstiden i poetiske termer som langt på vei stemmer overens også med vegetasjonen i portrettet:

Det er langt paa aaret – men det er endnu ikke høst. For endnu bærer trærnes kroner sin grønne farve, som minder om den brytningens tid, vaaren, hvor mægtige kræfter er i virksomhet, hvor det nye skapes og værdier blir til.[3]

Det tilsynelatende uferdige portrettet viser en kvinne iført en lignende hatt som fru von Hofmann, sittende i samme fluktstol som Edvard Munch i fotografiet. Det skulle derfor være nærliggende å gjette på at bildet fremstilte fru von Hofmann for enden av samme hagebord som vi ser i fotografiet.

Portrettet forble i Munchs eie og et par år senere utstil-

Fig. 14 a, b, c, d
Nasjonalgalleriet, Oslo 1927

ler han det som *Dameportrett i det grønne*. Det eksisterer også en mindre utgave av samme motiv, signert og datert 1929, som kom på kunstmarkedet i USA i 1969 (i dag i Musée des Arts Decoratifs, Paris). Maleriet stammer fra Heinrich Hudtwalckers samling og ifølge familien representerer det hans hustru **Maria Agatha Hudtwalcker** (kat. 124). Hun giftet seg imidlertid med Hudtwalcker først i 1934, men ble hans husbestyrerinne da hans første kone døde allerede i 1924. Hun har trolig i denne egenskap fulgt med ham til Norge og blitt portrettert av Munch.

Også i dette portrettet ser vi ansatser til et formalt spill mellom ovaler og rektangler i myke, runde, glatte former. Men det er bare et utgangspunkt i et maleri som toner nesten for kraftig, renset og fernissert som det er, med vegetasjonens sterke, grønne farger mot kjolens blåfiolette. Kvinnens blide, solbelyste ansikt malt i lys rødt og guloker, får tross grønne skygger et tilforlatelig uttrykk.

Et mer uttalt ny-saklig preg finner vi i portrettet av **Otto Blehr** (kat. 127 og 128). Nyheten om oppdraget ble offentliggjort i forbindelse med forhenværende statsminister Otto Blehrs 80-årsdag 17. februar 1927. *Dagbladet* kunne fortelle at politiske venner ville hedre ham med «å forære ham et portrett av ham selv, malet av Edvard Munch, som formodentlig en gang i fremtiden vil havne i Stortingets galleri av store norske politikere». Munch var trolig da allerede i gang med arbeidet, som imidlertid ble avbrutt da han dro en tur til kontinentet blant annet for å se sin store utstilling i Nationalgalerie i Berlin. Arbeidet ble tatt opp igjen i mai, men portrettet ble ikke endelig avsluttet ettersom Blehr syknet hen og døde i juli måned. I den anledning ble det ufullførte portrettet avbildet i *Dagbladet* 17. juli 1927. I fotografiet er bildet avskåret

like under skrittet og på sidene. Det var kanskje slik – i en mer beskjeden positur enn i helfigur – som man ønsket Blehr i Stortingets portrettgalleri? Det skulle siden gå syv år, først da kom maleriet til Stortinget.

Under arbeidets gang var det flere personer som hadde hatt sin mening om hvordan den forhenværende statsminister burde konsiperes, noe som hadde forstyrret og irritert Munch. Han skriver i et notat at blant andre dr. jur. Arnold Ræstad «gjorde den feil at bearbeide mig» om hvordan Blehr «burde males»:

Han forklarte mig omstændeli at Blehr ikke var slik

Fig. 15
Frimann Koren, 1927
Munch-museet

han i almindelighed virket – Han forklarte mig at han let
så tung og massiv ut både på gaten og i tinget – Han sa
han var som natur livli og lettere – Derfor gav jeg mig til
at snakke og spøke med ham – (Nu synes jo folk portræt-
tet er for let i vægten). Jeg måtte 3 gange forandre opstil-
lingen. Jeg tegnede ham engang osså støttende sig til den
svære stolen som fru Blehr vilde ha med – Stillingen var
udmærket men man likte den ikke.

Da jeg så havde lagt an det nuværende billede som jeg
altså ønsket ham – samtalende med nogen, blev der for-
skrækkelse fordi han åbnet munden –

Nu blev jeg desværre træt af disse forstyrrelser og
gjorde den skjæbnesvangre feil at begynde på det egent-
lige billede i et værelse på Grand – Der var lyset ganske
anderledes og statsministeren var vist også blit svagere –
Han blev jo syg lige efter.

– Det var heldi at prøven i storthinget blev gjort omend
sligt er mig en stor pine – Det virket når det kom på rikti
plads som billede udmærket.[4]

De to portrettene av Otto Blehr har, der han står bred
og jovial godt plantet på gulvet med lett åpen munn og
henholdsvis lorgnett og sigar i hånden, en form for nøk-
tern jordnærhet som er fjern fra det heroiske Nietzsche-
anske som preger portrettene malt 20 år tidligere av frem-
stående menn som Harry Graf Kessler, Walter Rathenau
og Ernest Thiel. Enda tydeligere enn dobbeltportrettet av
Jappe Nilssen og Lucien Dedichen har portrettet av Blehr
et avslappet, naturlig uttrykk, avstreifet alt pompøst og
tilgjort i slekt med tidens moderne kunstretning på tysk
jord, «Neue Sachlichkeit».

Selv om Blehr beviselig stod modell for Munch flere
ganger, foreligger det to fotografier av den forhenværende

statsministeren som Munch uten tvil har brukt som støtte;
i første omgang for et litografi av Blehrs hode (kat. 245),
som han deretter har overført til lerretet. Slik sikret han –
som så mange ganger før – portrettlikheten. På bakgrunn
av en prøveopphenging av maleriet i Stortinget skrev
Munch:

– Hvis det manglet på lighed så havde det pust af salt-
sjø og bris fra blå himmel der omgav ham og så mange af
mændene fra 1905 – Michelsen er jo et godt billede men
det er en lang levse der er klint op ad væggen – I den
anden sal er der svarte billeder fra inkvisitionen i det mør-
keste Spania, på den ene side dommerne – og ofrene i tor-
turskole på den anden side – De grønsalte blå farger i mit
billede luftet godt op – Jeg er altid ræd forat hænge i slige
forsamlingsrum – der på mig virker som ligkammere med
disse portrætter på væggen.[5]

Det var trolig en utbredt oppfatning blant de som
hadde befatning med saken at maleriet på grunn av sin
kraftige koloritt vanskelig lot seg tilpasse Stortingets por-
trettgalleri. Blehrs datter, Marit Blehr Schlytter, skrev til
Munch at statsminister Johan Ludvig Mowinckel «uttrykte
særlig sin glede over at Stortingets galleri skulle
berikes med et billede av Dem og han mente fars portrett
vilde ta sig bedst ut på en vegg for sig selv og vilde foreslå
at det skulle henges i statsrådsværelset hvor far har til-
bragt så meget av sin tid». I et annet brev, datert 22.
august 1928, skriver datteren om sin begeistring for por-
trettet etter et besøk på Ekely:

Det var for os en uforglemmelig oplevelse og det grep
mig sterkt å få se Deres vakre billede av far, som vi begge
synes er ypperlig karakteristisk. Jeg har ligget våken
længe inat og tænkt på det, og det er en stolt tanke å

Fig. 16
Edvard Munch utenfor vinteratelieret på Ekely, 1933
Foto: Ragnvald Væring

Fig. 17
Fotografi av
Stortingets versjon av
Otto Blehrs portrett
under arbeidets gang,
1927-1930

skulle få se det glimrende portrætt i Norges Storting i fremtiden. Der passer det særskildt godt fordi det netop får frem det uttrykk far hadde, når han i debatten var rigtig skarp og rammet bedst.

I et fotografi antagelig fra 1932, som viser Munch blant en rekke av sine kunstverk stilt opp langs de høye veggene som omga vinteratelieret, ser vi Blehrs portrett sentralt plassert (fig. 16). Det er derfor rimelig å tro at dette maleriet ble utsatt for den såkalte «hestekuren»; ved å henge ute skulle kunstverkene oppnå en viss patina, kanskje denne gang for å dempe «pust[en] av saltsjø og bris fra blå himmel» slik at det bedre kunne passe inn blant de øvrige portrettene i Stortinget.

Uvisst av hvilken grunn nøler Munch med å overlevere portrettet til Stortinget. I en ny hilsen fra Marit Blehr Schlytter mer enn tre år senere, 28. desember 1931, skriver hun:

Med vår hjerteligste takk sender vi Dem de beste ønsker om et godt nyttår – hvortil vi knytter det meget egoistiske håp, at De snart må få lyst til å la Stortinget få et av Deres festlige portretter av far. De vet, at vi barn ikke tenke os fars minde hedret på en bedre måte end ved å se hans portrætt – malet av Dem – henge i Stortinget.

Som nevnt av Munch i det ovenfor siterte notat ble et av portrettene malt på Grand Hotel. Den representative bakgrunnen med de høye portierene og det storslåtte gulvmønstret er trolig hentet herfra. Den særpregete, skarpe fargetonen skyldes formodentlig det kraftige elektriske lyset i slike omgivelser. Vi vet fra korrespondansen med Wilhelm Wartmann at Munch på 1920-tallet var spesielt fascinert av det elektriske lyset, og at han ønsket å male bilder i samme lys som de senere ville bli sett.

Sin vane tro laget Munch to alternative portretter, som begge ble fotografert under arbeidets gang. Et tidlig sta-

dium av portrettet som omsider kom til Stortinget, viser bakgrunnen flatere formulert uten det rutete gulvmønsteret (fig. 17). Munch har forsøksvis festet på lerretet en lapp med lengre malte ben enn vi ser i dag. Blehr får derved et lettere og slankere uttrykk.

Den andre versjonen, som nærmest er identisk med den første, beholdt Munch i sin egen samling. Det finnes som sagt et fotografi som viser også dette maleriet på et relativt tidlig stadium i utformingen (fig. 18). I utgangspunktet var det relativt sett røffere malt med skissepregete strøk i portieren og gulvflaten. Portieren til venstre har fått et vegetativt mønster, og gulvet har ikke fått sine karakteristiske ruter. Både lorgnetten og sigaren er antydet i hånden.

De to fullførte portrettene har nærmest identisk fargeskjema, et gyldent grønt gulv, et bakteppe i blått og turkis, ansiktets kontrasterende flater i oker og lys rødt samt det nærmest obligatoriske grønne hår og skjegg. Helhetskoloritten kan kanskje karakteriseres som kjølig fosforiserende. Iallfall gir de to portrettene et koloristisk skjema som utvilsomt springer ut av Munchs nyvunne interesse for å male bilder i elektrisk lys. I Stortingets variant holder Blehr en lorgnett i hånden, i Munch-museets versjon en rykende sigar. I det sistnevnte har han dessuten fått et markert klokkekjede. Ansiktsuttrykkene er litt forskjellige; noe som delvis kan skyldes at i Munch-museets versjon er lorgnetten på nesen blitt antydet.

Ser vi portrettene som form, blir vi slått av hvordan figuren og særlig bena synes å være formet over en lest av metall, inspirert av skulpturale fremstillinger. Slik sett representerer portrettene av Otto Blehr et høydepunkt i

Fig. 18
Fotografi av Munch-
museets versjon av
Otto Blehrs portrett
under arbeidets gang,
1927-1930

vunnet sin meget store, men til nå lite påaktete innflytelse på den levende kunstnergenerasjonen. Men til det kan fremfor alt tilbudet i Kronprinspaleets benyttes.[6]

En annen kritiker, Oscar Bie, sammenstiller Munch med en av de unge, tyske kunstnere, Karl Hofer, som kanskje med Meier-Graefes ord burde la seg influere av «den virkelige mester». Karl Hofers bilder som nettopp var blitt vist hos Flechtheim var preget av ny-saklighet ifølge Bie, men som han utbryter: «Munch overgår ham i alle virkninger.»[7]

Også på den store mønstringen i Mannheim et par måneder i forveien ble Munchs nyere kunst fokusert. Foruten dobbeltportrettet av Jappe Nilssen og Lucien Dedichen ble *Selvportrett med pensel og palett* fra 1925, et maleri som nesten er programmatisk ny-saklig, spesielt fremhevet. I dette selvportrettet står Munch frisk og naturlig ute i solskinnet i oppknappet skjorte. Han lar seg blende av solen, mens den klarblå himmelen med feiende hvite skyer og de friske grønne trærne lyser bak ham. Penselen og paletten gir assosiasjoner til hvordan mennesker ble avbildet med sine redskaper i sitt arbeidsmiljø i den ny-saklige stilen. I bakgrunnen ser vi den karakteristiske atelierbygningen som tre år senere ble erstattet av vinteratelieret.

Etter utstillingen ble dette maleriet ervervet av Kunsthalle Mannheim, nettopp den institusjonen hvor den nye kunstretningen hadde manifestert seg med en utstilling i 1925, hvor de mest fremtredende malerne hadde vært George Grosz og Otto Dix. Munch fulgte for øvrig med interesse Otto Dix' maleri, noe som fremgår av et notat der Munch diskuterer forholdet mellom kunst og fotografi:

Jeg kan derfor beundre og forstå Dix som kunstnerisk må søge lighet – Den mekaniske Fremstillingsmåde i en skjønnsom hånd kan give gode ting –

Og Dix på sin side siterte utvilsomt Munchs ovennevnte selvportrett da han i 1931 malte sitt eget *Selvportrett med pensel og palett.*

de tendenser vi har kunnet følge i Munchs kunst på 1920-tallet.

Julius Meier-Graefe, som mer enn noen annen kunsthistoriker søkte det aktuelle i alle tiders kunst, hevdet i sin analyse av Munchs portretter på utstillingen i Berlin i 1927, at disse var spesielt aktuelle som inspirasjonskilde for moderne kunst:

Til alle tider har Munch skapt portretter, som fullt ut oppfyller hans hensikter. Og i denne kategori, hvor han motivisk ikke skiller seg fra andre kunstnere, står han ved siden av de aller ypperste. Jeg tenker ikke dermed å ville påstå at hans portretter er mer vellykkede som malerier enn portretter av Manet, von Leibel eller von Marée. Heller ikke i portrettet bekymrer Munch seg om tradisjonelle lover og regler og forblir bohemen. Men med sin udisiplinerte hurtigskrift maner han frem psykologiske trekk ved individet, som går i en annen retning enn de andre. Det er ingen fantasier, tvert om skjulte muligheter hos modellen. Han har en sans for typiske gester som en gang imellom, f.eks. i portrettene av Rathenau eller Kessler, fører til en differensiert analyse av uhyggelig sikkerhet. Przybyszewskis portrett, som består av et par streker i pastell og olje – kanskje det mest verdifulle av alle – gjennomskuer polakken inntil siste trevl, og fra det sene dobbeltportrett av hans landsmenn Dedichen og Jappe Nilssen, som ble malt for et år siden, ville skuespillere kunne lære seg naturlige uttrykk. I slike portrett har Munch fastholdt kranieformer, skjelettstillas, hofteben på en slik måte at de virker moderne som de nyeste auto-karosserier. ... Dessverre er det ikke med disse antydninger at Munch har

1. Munch-museet N 231.
2. Udatert avisutklipp i Munch-museet.
3. *Aftenposten* 3.9.1927.
4. Munch-museet, uregistrert notat.
5. Munch-museet, ibid.
6. *Frankfurter Zeitung* 2.4.1927.
7. *Neues Tageblatt* 31.3.1921.

Kat. 112
Inger Barth, 1921
Rolf E. Stenersens gave til Oslo by

Kat. 114
Wilhelm Wartmann, 1923
Munch-museet

Kat. 115
Wilhelm Wartmann, 1923
Kunsthaus Zürich. Schenkung Alfred Rütschi

Kat. 117
Heinrich Hudtwalcker, 1925
Per A. Arneberg, Bermuda

Kat. 116
Heinrich Hudtwalcker, 1925
Munch-museet

Kat. 125
Portrett av en ukjent kvinne, 1925-1927
Munch-museet

Kat. 126
Fredrik Stang, 1927?
Munch-museet

Kat. 247
Fredrik Stang, 1927
Litografi. Munch-museet

Kat. 123
Oslo-boheme I, 1925-1926
Jappe Nilssen, Rolf Stenersen og Birgitte Prestøe
Munch-museet

Kat. 118
Rolf E. Stenersen, 1925-1926
Munch-museet

Kat. 120
Lucien Dedichen, 1925-1926
Privat eie

Kat. 121
Lucien Dedichen og Jappe Nilssen, 1925-1926
Munch-museet

Kat. 122
Lucien Dedichen og Jappe Nilssen, 1925-1926
Munch-museet

Kat. 124
Maria Agatha Hudtwalcker, ant. 1927
Munch-museet

Kat. 248
Frimann Koren, 1927
Litografi. Munch-museet

Kat. 240
Vilhelm Krag, 1920
Litografi. Munch-museet

Kat. 246
Ludwig Justi, 1926-1927
Litografi. Munch-museet

Kat. 244
Frederick Delius, 1920
Litografi. Munch-museet

Kat. 242
Arve Arvesen, 1920?
Litografi. Munch-museet

Kat. 128
Otto Blehr, 1927-1930
Munch-museet

Kat. 245
Otto Blehr, 1926
Litografi. Munch-museet

Fig. 1
Edvard Munch i sitt arbeidsværelse, Ekely 1930
Foto: Edvard Munch

1930 – 1944

PORTRETTMALER INN I DET SISTE

Som for å forberede en siste fase i sin kunst, lot Munch i 1930 bygge et romslig vinteratelier på Ekely hvor han kunne arbeide med store formater, og som hadde egne rom med grafiske presser. Han installerte en kraftig, moderne, elektrisk belysning som supplement til et naturlig overlys. Da atelieret stod ferdig, ble han rammet av en sykdom i sitt høyre øye. Legen forordnet ro og hvile på ubestemt tid. Atelieret kom derfor aldri i bruk etter sine forutsetninger, og ble mest benyttet til skiftende opphengninger av Munchs mange bilder.

På 1920-tallet hadde Munch eksperimentert med en egenartet lappeteppe-teknikk som innebar at han malte skisser på løse lerretflak, som ble montert sammen til monumentale utkast, blant annet til *Menneskeberget* (1927-1929). Selv om sykdom etterhvert satte en stopper for hans tro på at han noensinne kunne makte de store utsmykningsoppgaver, forlot han ikke teknikken med collage-aktige forelegg – spesielt til sine portretter – noe som vitner om at kunstneren idet han nærmet seg 80 år stadig eksperimenterte i sin portrettkunst.

Det første portrettet Munch utførte etter øyensykdommen modnes gjennom en meget omstendelig prosess. **Fritz Heinrich Frølich** (1931, kat. 129, 130 og 169), sivilingeniør og direktør for Bryn og Halden Tændstikfabrik, ønsket å få sitt portrett malt av Edvard Munch. Han var en fremstående oppfinner blant annet av giftfritt fyrstikksvovel og av verkstedmaskiner for fremstilling av eksplosiver, og ble etterhvert leder av bedrifter som produserte hans egne ideer. Han bygget seg opp en betydelig formue og skjenket et anseelig fond til Norges Landbrukshøgskoles skogavdeling. Frølich var kjent som en energisk og aktiv person, som også elsket fart og vakre biler, en aktivitet som førte til KNAs gullmedalje og de svenske, danske og finske automobilklubbers gullplaketter!

Under et par av Frølichs første besøk på Ekely tar Munch en serie fotografier av ham med sitt lille kamera. De viser ham sittende midt i et kaos av kunstverk i arbeidsværelset (fig. 2). Det finnes også et par tegninger som dokumenterer hvordan Munch arbeidet for å finne både en stilling for hodet og for hendene. Antagelig deretter tegner han Frølichs hode på en måte som vi ut fra tidligere erfaringer skulle tro var en forstudie til et litografi. Isteden overføres tegningen til en treplate og han skjærer motivet ut og trykker et tresnitt med et kraftig, nesten aggressivt uttrykk (kat. 265). Samtidig trykkes motivet i rødbrun farge fra platen (via et overføringsmateriale, f.eks. et kalkeringspapir) både på lerret (kat. 266) og på papplate (kat. 129). På papplaten videreutvikler han motivet og tilfører overkroppen og hendene som holder en fyrstikkeske. Deretter synes det som om han har laget en egen trykkplate for bildets nedre del som han så trykker sammen med tresnittet av hodet (fig. 3).

Det er interessant å følge sporene i den intrikate og omstendelige fremgangsmåten, som slik knytter grafikk og maleri intimt sammen i utarbeidelsen av et portrett. Munch samler også motivet i en tegning (kat. 169), hvor han med akvarell og dekkfarge maler en bakgrunn av kolber med kokende væsker som åpenbare symboler for den portretterets forskning, i analogi til hvordan han i sin tid ga Gunnar Heiberg en bakgrunn med champagneglass, og hvordan han i motivet *Kjemien* i Universitetets Aula karakteriserer forskningen på lignende vis. Kolbene blir beholdt i portrettet som ble ervervet av oppdragsgiveren, et ganske tradisjonelt bilde av en industriherre og fremtredende samfunnsborger (kat. 130). Det har imidlertid et fast og enhetlig billeduttrykk, som så å si samler opp i seg all foregående eksperimentering, og som med Munchs ord ifølge Frølich viste «Ingeniøren,

Fig 2
Fritz H. Frølich, Ekely 1931
Foto: Edvard Munch

Fig. 3
Fritz. H. Frølich, 1931
Tresnitt. Munch-museet

Oppfinneren, Kvinneforføreren, Industribaronen».

En lignende demonstrasjon av hvordan Munch vever sammen den grafiske kunsten med maleriet, gir mylderet av arbeider som eksisterer av anatomen og antropologen professor **Kristian Emil Schreiner**. Schreiner forteller selv om hvordan portrettet av ham kom istand:

En gang jeg var ute hos ham, sa Munch at han gjerne ville være med i likkjelleren på det anatomiske institutt. Han fikk sitt ønske oppfylt. Det han så, gjorde et sterkt inntrykk på ham, og han kom senere ofte tilbake til dette. Nå ville han male meg, og utkastet til maleriet ville han gjøre i kjelleren på Ekely. Hver seanse kunne ikke vare lenge, for det var rått og kaldt i kjelleren, og Munch måtte tenke på bronkitten. Lysvirkningen der nede i kjelleren brakte naturlig samtalen inn på Rembrandts kunst. Munch: – For meg står Rembrandt som utenkelig uten Michelangelo. Men han har også lært meget av Dürer. Fylden og velden av Michelangelo, realismen av Dürer. Når jeg ser Dommens dag av Michelangelo og ser hvordan lyset samlet faller på menneskegruppene, så ser jeg kilden til det samlede lyset som faller på Rembrandts mennesker, det er bare blitt mysteriøst. ... En dag sier han: – her sitter vi to anatomer sammen, legemets anatom og sjelens anatom. Jeg forstår nok at De har lyst til å dissekere meg. Men vokt Dem, jeg har også mine kniver. Min «lyst til å dissekere ham» fikk sitt uttrykk i det litografiet, der han fremstiller seg selv liggende på obduksjonsbordet, og jeg stående ved siden. Reversen, hans kniver i meg, fikk i årenes løp forskjellige utformninger. Heldigvis er få av dem kjente.[1]

En liten tegning viser Schreiner ved obduksjonsbordet og kan stamme fra dette besøket i likkjelleren på Anatomisk Institutt (fig. 4). Noe malt portrett av Schreiner er ikke kjent, men derimot skapte Munch et meget vellykket, litografisk portrett i bysteformat (kat. 252), hvor ansiktets skulpturale preg knytter an til de mange, fine litografiske mannsportretter fra tiden etter århundreskiftet, fra Kollmanns via van de Veldes til professor Jacobsons. Belysningen som kommer fra to sider forårsaker en kraftig skygge som ligger som et markert bånd over venstre ansiktshalvdel og gir portrettet en dramatisk spenning.

Med utgangspunkt i dette litografiet arbeider Munch videre i to retninger mot symbolske portretter. Det ene fremstiller Schreiner som Hamlet med hodeskallen i hånden, det andre er en fremtidsvisjon som viser Schreiner idet han som anatom dissekerer kunstneren. *Kristian Emil Schreiner som Hamlet* utvikler Munch ved hjelp av en collage-teknikk i litografi lik den han benyttet i tresnitt under arbeidet med portrettet av Frølich. Han tegner et eget litografi av hendene som holder om hodeskallen (kat. 255) som han siden trykker sammen med portretthodet på et større papir, og som han igjen kraftig bearbeider med akvarell og dekkfarge (kat. 253). Motivet har for øvrig også et mer konkret aspekt, idet Schreiner var ivrig opptatt av frenologi, en vitenskap om mennesket som bygger på studiet av hodeskaller.

I et fotografi fra Ekely tatt av Munch omkring 1932 ser vi en montasje av Schreiner som anatom og som Hamlet i en og samme billedorganisering (fig. 5). Nesten alle deler til denne montasjen, som etter all sannsynlighet var en forberedelse til et ikke realisert maleri, finnes bevart i

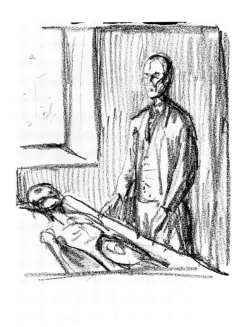

Fig. 4
Kristian E. Schreiner i likkjelleren, 1928-1930.
Tegning. Munch-museet

Fig. 5
Kristian E. Schreiner, 1928-1930
Montasje. Foto: Edvard Munch

Munch-museet (kat. 168). Munchs krefter begynte å skrante, og det er vel helst det som får tjene som forklaring på at han ikke gikk videre med prosjektet.

Munch lager også et par frittstående litografier av de to billedideene, et stort og et lite av professor Schreiner som Hamlet (kat. 249 og kat. 250), hvor han henholdsvis opptrer i renessansedrakt og i sin vanlige arbeidsfrakk samt et av anatomen i arbeid med kunstneren selv liggende på obduksjonsbordet (kat. 251). Med dette motivet realiserer Munch en drøm, som han (alias Nansen) ifølge Herman Colditz' nøkkelroman *Kjærka. Et Atelierinteriør* (1888) ga uttrykk for allerede sommeren 1887:

Nansen tog det flot, gik omkring og hadde ikke tid til at reise noen steder iaar, han; ret nu hver dag skulde han gaa ivei med et stort, et væggestort billede – en obduktionscene. Han vilde male det oppe paa hospitalet, og han hadde allerede talt med flere medicinere, som skulde staa model. Hvergang Nansen kom ind på dette, saa han i aanden hele billedet for sig, kadaveret med blod paa – blod, som var saa dybt og fuldt i farven; han gjorde bevegelser, som om han stod med penslen i haanden og satte farven paa.

Dengang i sin ungdom hadde Munchs intensjoner åpenbart vært et større gruppeportrett à la Rembrandts *Dr. Tulps anatomi-forelesning*, nå i alderdommen ble resultatet et intimt og makabert dobbeltportrett. For øvrig skaper han et par fascinerende tresnitt, nesten drømmeaktige bilder av vennen som i billedmessig uttrykk går utover det som vanligvis defineres som portrett (kat. 263 og 264). Om ikke Munch «testamenterte» anatomen Schreiner sitt hjerte eller sin hjerne, så etterlot

han alle sine litterære dagbøker og notater til vennen for gjennomlesning slik at han på vegne av Munch kunne destruere det han ikke mente burde overleveres ettertiden.

Sommeren 1932 fikk Munch besøk av en gammel venn fra Weimar-tiden, professoren i filosofi ved universitetet i Jena og kunstsamleren **Eberhard Grisebach** (kat. 133 og 135). De to hadde tidligere diskutert filosofiske spørsmål blant annet da Grisebach hilste på Munch i Warnemünde i 1908. Brevvekslingen dem imellom gjennom årene er interessant fordi Munch i sjelden grad uttaler seg om sine kunstverk på et mer filosofisk plan enn vanlig. De utvekslet blant annet tanker om Goethes «Urlys» som fikk et billedlig uttrykk i Munchs utsmykning av festsalen i Universitetet i Oslo.

Under Grisebachs besøk tegner Munch trolig først vennens hode som så blir forelegg for både et portrett i hofteformat og et helfigurportrett, som snart skulle bli utgangspunkt for et vell av nye ideer. Hjemme igjen i Davos skriver Grisebach til Munch 26. september:

Avbildet av min kropp og min sjel ble ferdig eller uferdig tilbake i Deres arbeidsrom. Kanskje er Deres utilfredshet med portrettet et symbol på min egen uferdighet. Jeg kan derved kun støtte meg på Deres bedømmelse. Som modell har man, synes det meg, intet objektivt forhold til sitt portrett. Man kjenner seg selv, med alle svakheter og hemmeligheter, for godt til at man rent ut kan elske sitt eget bilde. I bildet av et annet menneske kan man objektivt sett nyte kunstverdien og ta saklig standpunkt. De to sidene, som De malte av meg, den revolusjonære og den spørrende, er sikkert sanne og virkelige. Kanskje er det min skyld, at jeg ennu ikke har overvunnet

Fig. 6
Fausts spaltning. Eberhard Grisebach, 1932
Foto: Ragnvald Væring

Fig. 7
Fausts spaltning. Eberhard Grisebach, 1932
Foto: Ragnvald Væring

spaltetheten i kroppslig tross og sjelelig spørren, slik at De denne gangen ikke kunne lykkes med et enhetlig portrett som kunne tilfredsstille Dem.

Da Munch første gang traff Grisebach var han en ung, løfterik filosof med pretensjoner om å begrunne kunstens vesen i det skapende mennesket, noe som også blir et tema i hans første filosofiske bøker (for øvrig dedisert til Ferdinand Hodler), hvis ideer om kunstverkets fødsel må ha ligget nær Munchs egne tanker. Hans senere filosofiske forfatterskap ble dessverre preget av en tørr og middelmådig filosofering omkring pedagogiske spørsmål.

De to portrettene av henholdsvis «den revolusjonære» og «den spørrende» Grisebach refererer seg trolig til den tilstanden av helfigurportrettet som vi ser mellom to løse opptegninger i et fotografi Munch fikk tatt kort tid senere (fig. 6), og til det fullførte portrettet i hofteformat (kat. 133). Helfigurportrettet representerer antagelig – med sitt relativt aktive uttrykk – i så fall «den revolusjonære». I det kvadratiske portrettet i hofteformat, malt i gjennomgående brunt mot en blålig bakgrunn, har ansiktet et mer undrende uttrykk, derav trolig betegnelsen «den spørrende». I begge bildene står filosofen i en karakteristisk stilling med høyre hånd i en slags deklarerende gest som indikerer at han foreleser. Han holder noen papirer i venstre hånd mens han støtter den på hoften. Han synes således å være fremstilt i det øyeblikket han «forlater manuskriptet». Det finnes også et lerret i helfigur hvor bare bena er malt. Antagelig har Munch ved å montere ben på hofteportrettet kunnet danne seg et bilde av hvordan et helfigurportrett ville ta seg ut.

Munch svarer Eberhard Grisebach et par uker senere, den 16. oktober 1932, etter å ha tatt for seg portrettene til fornyet vurdering:

Det var jo ren galskap at jeg dengang kom på ideen å male et portrett i legemsstørrelse. På den korte tid!

Jeg er absolutt ingen portrettmaler – selv om jeg har malt gode portrett. De er altså ikke blitt til toppverker, bare til vanlige utkast. Det er forøvrig blitt to psykologisk sett interessante malerier – To sjeletilstander –

En dag slo det meg plutselig at jeg hadde malt Faust og Mefisto (Mefisto som De har kalt opprøreren). I bildet har jeg stilt en ung Margaretha ved siden: Ett bilde! To helt likt kledde menn går ved siden av hverandre på en likeartet men dog forskjellig måte – Man vil tro at det skal forestille meg – min spaltede sjeletilstand.

Nå har Munch skaffet seg et motiv som interesserer

Fig. 8
Fausts spaltning. Eberhard Grisebach, 1932
Foto: Edvard Munch

ham sterkt og som han utvikler i flere stadier, noe vi kan følge gjennom en serie fotografier. I det første fotografiet (fig. 6) ser vi at Munch har benyttet sin unge, vakre modell (som var ny dette året), **Hanna Brieschke** (kat. 137), for Margaretha-skikkelsen. Munch maler så videre på de store helfigurportrettene slik det neste fotografiet viser (fig. 7). I en tredje fase flyttes de to spaltede skikkelsene, Mefistofeles og Faust, tettere sammen og Munch fester løst til overflaten utklipte tøy- eller papirbiter som markerer blant annet et hus, en liten, sort hund, en gås og en gammel kvinne (fig. 8). Til slutt samler han hele komposisjonen i en akvarell (fig. 9) som tydeligst knytter seg til Goethes fremstilling av Fausts spaltning da han reflekterer over sin kjærlighet til Margaretha, og hvor Mefistofeles er tilstede i form av en sort puddel. Munch har imidlertid her gjengitt hunden hvit med en stor, sort flekk over ryggen i likhet med hans egen lille hund, og henlegger hele scenen til Åsgårdstrand som han kort tid etter Grisebachs avreise besøkte sammen med Hanna Brieschke. Og her i Åsgårdstrand maler Munch trolig det som skulle bli den endelige utformingen, hvor Grisebach går som en spaltet Faust ved siden av sitt eget, transparente jeg (kat. 136). Mellom de to skikkelsene ser vi den alltid tilstedeværende Mefistofeles titte frem (et ansikt som synes å stamme fra motivet *Arbeidere i sne*), en gammel kone og to grupper med mennesker – henholdsvis med kvinner og menn – samt en flokk gjess som erstatter hunden og tilfører komposisjonen et element av uro.

Den store komposisjonen som vi kjenner fra fotografiene, forblir uferdig. Helfigurportrettene, slik de er bevart i dag, vitner om at Munch har fortsatt arbeidet noe utover hva det tredje fotografiet viser. Han har blant annet malt «den revolusjonæres» albue inn på dobbeltgjengeren (kat. 135), og dessuten er han blitt overdrysset med ubehagelige vertikale og horisontale skriblerier, som på jakkeoppslaget former seg til et omvendt lite hakekors (kat. 134), streker som ganske enkelt kan gå tilbake på strukturen i stoffet.

Omtrent på samme tidspunkt samstemte Munch i å male et portrett av skipsreder Erling Torkildsens hustru **Maggie Torkildsen** (kat. 132 og 133), født Giertsen. Det var etter et forslag fra hennes svigerfars venn Sigurd Høst at Munch ble kontaktet for å spørre om han ville påta seg oppdraget. Høst fulgte de to til Ekely for å hilse på Munch, som ønsket å inspisere kvinnen før han sa ja. Fru Maggie som bodde i Bergen, tok opphold hos en bekjent i Oslo og var klar til øyeblikkelig utrykning når Munch kalte på henne. Det hendte at hun ble tilkalt, men da hun så ankom, var Munch ikke lenger opplagt og hun måtte returnere med uforrettet sak.

Munch avbilder fru Maggie i kneformat stående i et hjørne av hans atelier, for øvrig samme hjørne hvor han omtrent samtidig tar et av sine berømte fotografiske selv-

Fig. 9
Fausts spaltning. Eberhard Grisebach, 1932
Akvarell. Munch-museet

portrett (fig. 1). Hun er iført en representativ selskapskjole med en rose på venstre skulder og har et lettere reservert uttrykk i ansiktet, som kanskje indikerer at hun ikke helt følte seg på høyde med situasjonen. Munch maler to utgaver i samme format. I den ene versjonen ser vi et mylder av bilder bak henne; i den andre «ryddes» det litt opp. Også i dette tilfellet er det bevart en tegning av hodet i identisk format som det vi finner i portrettene, og som trolig har fungert som forelegg.

Den visuelt avslappete billedrytmen gir assosiasjoner til fransk maleri, primært Matisse, men er samtidig preget av Munchs frie og levende penselføring. Det dekorativt rytmiske, særlig tydelig i versjonen Munch selv beholdt (kat. 132), er noe forenklet i portrettet som Torkildsens ervervet (kat. 131). I det sistnevnte er også fargefeltene klarere definerte; bakgrunnen står gråfiolett til rødbrun, og den sorte kjolen er virkelig sort, ikke dyp gråfiolett som i bildet som forble i Munchs eie.

Samme sommer fikk Munch besøk av en annen skipsrederfrue, den yndige **Henriette Olsen** (1932, kat. 138, 139 og 140), født Mustad og gift med Thomas Olsen. Opprinnelig var planen å male et dobbeltportrett av henne og mannen. Munch skal et par år tidligere ha laget en skisse der de sitter sammen i en sofa. Men denne planen falt i fisk da Munch ble angrepet av øyensykdommen. Ved intervensjon av Pola Gauguin kom imidlertid saken igang igjen. Sammen med ektemannen besøkte Henriette Olsen Munch fire ganger ute på Ekely, hvor hun poserte i en gul sommerkjole under et epletre. Hun står med hendene på ryggen, en stilling som for henne var personlig og naturlig og som Munch var meget fornøyd med fordi han, som han sa, da slapp å male hendene. Posituren knytter

Fig. 10
**Karl W.
Wefring**, 1933
Tegning.
Munch-museet

venn, legen **Karl W. Wefring** (1934, kat. 141 og 142), som ligger syk, og tegner en rekke skisser av ham (fig. 10). Dette leder til en fornyet kontakt dem imellom, og Wefring besøker Munch flere ganger på Ekely, hvor Munch på sin side lider av depresjon, trolig på grunn av de stadige tilbakefall av øyensykdommen som hindrer ham i å arbeide.

Munch hadde hatt kontakt med Wefring allerede som ung, trolig via broren Andreas som studerte medisin samtidig med ham. Wefring hjalp også Munch en gang økonomisk ved å være med på å endossere et lån i Kristiania Folkebank. Han kan også ha hatt en viss kontakt med Munchs familie angående søsteren Laura da han var ansatt som assistentlege ved Gaustad Asyl i 1907, og deretter som vikar for bestyreren på Kristiania Kommunale Asyls kvinneavdeling, senere som overlege for Sinnssykevesenet 1919-1927. Wefring hadde også en betydelig politisk karriere; han ble valgt til stortingsmann for S. Hedmark valgkrets 1915-1918 og for Kristiania 1925-1926. Han var også en praktisk drivkraft og foresto som direktør Rikshospitalets store ombygginger på 1930-tallet.

Det var under disse besøkene på Ekely at Munch malte Wefring. I de tre portrettene som eksisterer sitter han ved åpningen til et bakenforliggende værelse med et rundt bord og en bokhylle med bilde over samt et vindu til høyre. Det er for øvrig det samme værelset som Munch fremstiller speilvendt i noen angstfylte motiv av seg selv malt under øyensykdommen (fig. 11). Munch beholdt selv to av portrettene, mens det tredje – en kulltegning på lerret – fremdeles er i familien Wefrings eie (fig. 12).

I et brev til Sigurd Høst kommenterer Munch sin situasjon i følgende ordelag:

– Jeg har havt så svære påkjenninger de sidste år at det ikke er annet for mig end at isolere mig – Det er hverken bra for mig eller andre at jeg søger selskab – Jeg må som Elektra trække mig tilbage i ensomhed helt – Wefring var vanskelig at male nu var jeg jo osså deprimeret – Han har faste korte bølgelengder og lod sig ikke bedøve af mit langbølgede snak – jeg må ha folk bedøvet hvis jeg skal kunne male dem og jeg hviler i mit vrøvl.

Sønnesønnen, overlege Karl W. Wefring, forteller følgende om kulltegningens tilblivelse:

Munch hadde lovet bestefar et maleri, men da kulltegningen var gjort, var han så fornøyd med resultatet at han ikke ville fortsette. Da min bestefar innvendte at dette ikke var noe maleri, skulle Munch ha tatt en «Flintsprøyte» (fixativsprøyte) og ved hjelp av den sprøytet blå og rødgul farge utover billedet med den kommentar at «nå har du fått et maleri».

Grunnen til at ikke noen av de tre portrettene kan sies å være ferdigmalte, skyldes trolig primært at Wefring igjen ble alvorlig syk.

imidlertid an til en stilling han allerede hadde benyttet i hovedverk på 1890-tallet, f.eks. i portrettene av søsteren Inger (1892) og av Dagny Juel (1893).

Ifølge Henriette Olsen var Munch høflig og elskverdig og meget velinformert om den politiske utviklingen i blant annet Tyskland. De ble gode venner, og Munch tok paret på små utflukter eksempelvis for å se Per Krohgs dekorasjoner i Oslo Lysverkers ekspedisjonshall. Under arbeidet med selve portrettet opptrådte Munch med hvite hansker. Hver seanse varte en times tid, men først det siste kvarteret malte han med en meget lang pensel på strak arm direkte på lerretet, etter å ha diskutert politikk med hennes mann de første tre kvarter.

Den første skissen ble så kalkert over på tre andre lerreter. Munch malte ferdig to bilder som ekteparet fikk velge mellom. Selv ville han ikke uttale seg. De valgte den utgaven hvor ansiktet alene er utarbeidet mens treet med eplene fremtrer som et rent dekorativt mønster (kat. 139); de oppfattet dette portrettet som det mest moderne. En uferdig skisse i samme format som portrettet havnet også i ekteparets eie (kat. 140). Utgaven som forble i Munchs samling gjengir henne mer konkret og «impresjonistisk» (kat. 138); ansiktet er integrert i solskimmeret og en rytmisk bevegelighet behersker hele billedflaten. I denne versjonen ser vi Henriette Olsen stilt mot hjørnet av Munchs hus på Ekely. En slank og elegant kvinne som fremstilles nesten eterisk der hun står i sommerlyset som en moderne Eva under epletreet. Den tiltrekkende, unge kvinnen står i en litt keitet, vridd stilling og ser på skrå ut av billedrommet på en naturlig og tilforlatelig måte. Rundt hushjørnet kommer en mannsskikkelse gående mot oss med hendene i bukselommen som skal representere ektemannen, som alltid var tilstede under seansene.

På høstparten besøker Edvard Munch en gammel

Fig. 11
Motiv fra øyensykdommen, 1930
Munch-museet

Fig. 12
Karl Wefring, 1934
Kulltegning. Privat eie

Da Munch følte seg på det nærmeste restituert fra øyensykdommen, skjer det igjen et markert omslag i hans kunst, nå med bruk av rene, klare fargeflater satt opp mot hverandre på en lite innsmigrende, nærmest aggressiv måte. Inspirasjonen til denne teknikken kan trolig føres tilbake til den store utstillingen av ekspresjonistisk kunst i Kunstnernes Hus i 1932, som omfattet unge, tyske kunstnere som i en eller annen forstand hadde et felles utgangspunkt i Munchs kunst. Denne tyske ekspresjonistiske kunsten har, kanskje klarest slik den kom til uttrykk i Karl Schmidt-Rottluffs seneste malerier, tydelige likhetspunkter med fargevirkningen i Munchs arbeider de kommende årene. Dette er spesielt merkbart i en serie nye versjoner av *Livsfrise*-motivene, hvor vi for øvrig også kan si at Munch viderefører et malerisk uttrykk som i et par decennier hadde preget hans fargetresnitt og grafiske arbeider fargelagt med akvarell.

Denne nye fargestilen kan vi også spore i hans portretter, kanskje enklest i portrettet av Rolf Stenersens hustru **Annie Stenersen** (1934, kat. 143 og 144), datter av brukseier Johan Martin Torgersen. Munch tegnet først en rekke skisser av hodet, hvorav en ble trykket som litografi i en sort og en brunlig versjon (kat. 256). Det er intet innsmigrende ved dette strenge, innadvendte ansiktet. Lyset faller inn fra siden på kinnet og halsen og forårsaker en skygge midt i ansiktet som bidrar til det dystre preget. Munch malte også en større akvarell hvor fargene anlegges (kat. 165); grønn kjole med en iøyenfallende hvit krage – en fichu – mot en guloker bakgrunn, hår og skygge i brunt og røde lepper som et enslig, oppfriskende punkt. Munch maler så to portretter i omtrent samme

størrelse hvor akvarellens motiv blir gjentatt og utøket ned til hoftene, og hvor et brunfiolett gulv blir en del av komposisjonen. Den versjonen Rolf Stenersen valgte til sin samling er kanskje noe overraskende den som fremtrer som minst moderne og som gjengir fru Annie mest dyster og innadvendt (kat. 143). I likhet med mange tidligere portretter har Munch malt atmosfæren omkring henne, men denne gang i relativt uklare farger. Den versjonen Munch beholdt selv (kat. 144) har langt på vei samme preg som akvarellen. Ansiktet, som her balanseres av en særpreget formet hånd i nedre billedkant, har et uttrykk i de grønne øynene som lar oss ane at dette er en kvinne med en karakter som lett lukker seg om seg selv.

Rolf Stenersen forteller i sin innfallsrike stil om omstendighetene omkring portrettet:

En aften møtte min kone og jeg Munch i teateret. Han sa: «Kan dere ikke komme ut til meg? Jeg sto nettopp og så på dere og fikk lyst til å male dere i selskapsklær. Ring meg om noen dager, er De snill». Da jeg ringte sa han: «Nei, nå husker jeg ikke lenger hva jeg ville male. Kanskje det kan bli no av en annen gang.»

Malte han mennesker hendte det at han tok øyemål med penselskaftet, men det var sjelden. Først tegnet han hovedlinjene i bildet med kull. Var han nøyd, tok han ofte et nytt lerret og tegnet nøyaktig om det han hadde tegnet før. Så satte han inn noen få farger. Var han atter nøyd, tok han gjerne et tredje lerret og ga seg til å gjøre om skisse nummer to. Denne skrittvise arbeidsmåte brukte han for ikke under arbeidet å komme vekk fra det han ville fram til.

Munch har i alle sine bilder villet gi sin egen tolkning

av de som satt for ham. Han ville gi en dypere tolkning enn den som kan fanges i et foto. «Jeg kan ikke male mennesker jeg ikke kjenner.»

I et bilde av min kone malte han øynene blå. «De er grønne. Men de virker blå. Jeg prøvde først å male dem grønne. Det gikk ikke, de måtte males blå. Hun er ikke typen som har grønne øyne. De pleier ha rødt hår, lang, spiss nese og tynne lepper. Hun er stillferdig og snill. Hun vet ikke noe om sitt kjønns sanne natur. Øynene måtte males blå. En fargeflekks virkning skifter med fargene rundt den. Jeg har malt henne når hun vil spørre Dem om noe, men ikke vet om hun skal.»

Hun ville helst bli malt med ansiktet rett mot ham og passet på så godt hun kunne for å vende ansiktet mot ham. Munch ba henne aldri å vende seg, men malte henne likevel halvt sett fra siden. Som oftest malte han ansikter sett rett mot ham. «Sett fra siden viser et ansikt rase og slektsegenskaper. Rett forfra sier ansiktet mer om selve mennesket.» [2]

Rolf Stenersen forteller også levende om da Munch malte hans to små sønner:

Han kunne bli så fengslet av malingen at han ikke engang merket at den som satt for ham reiste seg og gikk. Da han skulle male guttene mine som den gang var 10 og 6 år gamle, kom han i bil. Først ville han sitte i bilen og male, men det endte med at han gikk inn i hagen og satte seg der. Han snakket hele tiden mens han satte opp lerret et og fant fram farger og pensler. Etter en stund orket ikke den yngste gutten å stå stille. Han gikk sin vei. Litt etter gikk den eldste også. Munch snakket og malte uten å ta øynene fra bildet. «Dere er snille som står så pent. Barna til Ludvig Meyer sto ikke stille et øyeblikk. Til slutt kastet de stein. Men dere er snille. Nei, nå var jeg heldig. Dette her blir bra, tror jeg. Ja, dere er sannelig snille. Ludvig Meyer, ja. Da jeg ville ha to tusen kroner for det bildet av ham, sa han:

– To tusen kroner for to timer.

'Tyve år og to timer,' sa jeg.

Det ble rettssak av det. Nå skal jeg sette inn litt rødt, tror jeg. Ja, dere er sannelig snille. Se der har vi greven, ja. Den andre har mer kutorvs fjes.»

Han malte bildet ferdig uten å bry seg om at guttene for lengst var løpt sin vei. [3]

Maleriet viser **Johan og Sten Stenersen** (1935, kat. 145 og 146) i hagen hjemme. Johan står med hendene i lommen og ser sin yngre bror springe fremover, slik at vi får et helfigurportrett og et knestykke i samme bilde – et spennende, friskt oppslag til en komposisjon. De to fargerike sønnene er kledd i røde pullovere og gule skjorter som spraker mot det grønne i gresset. Sammen med det rødfiolette i bakgrunnen og det gråfiolette i forgrunnen, hver farge for seg i egne felt, blir det en samlet pang-effekt. Det eksisterer to versjoner av motivet, en malt på papplate

som Rolf Stenersen ervervet (kat. 146) og en som Munch beholdt i egen samling (kat. 145). Den sistnevnte er enda mer enn portrettene av Annie Stenersen preget av en sammenstilling av rene fargefelt som igjen gir assosiasjoner til Munchs akvareller fra samme periode og til hans akvarellerte grafiske *Livsfrise*-motiver. Rolf Stenersen hadde for øvrig bestilt et stort antall av slike arbeider, som Munch malte nettopp dette året. En akvarell av guttene (kat. 167) er enklere og lettere i uttrykket, men her synes Munch å ha moret seg med å tegne ansiktene til guttene som små kopier av faren. En siste utgave er malt på et tynt overføringslerret (kat. 166), noe som indikerer at han kanskje planla et enhetlig bilde av de to guttene, men at dette prosjektet ble lagt på hyllen. At Munch det påfølgende året igjen fikk tilbakefall av øyensykdommen kan trolig tjene som forklaring. Han har for øvrig – uvisst av hvilken grunn – gjentatt motivet på baksiden av lerretet.

Det er antagelig på samme tid at Munch skjærer et egenartet tresnitt av guttenes far **Rolf E. Stenersen** (kat. 261) som viser en langt eldre mann enn i portrettet fra ca. ti år tidligere. Tresnittet er utført med fine streker, men er livet opp til et virkelig uttrykksfullt bilde i en versjon med dekkfarge (kat. 262). Og det må også være på denne tiden at Stenersen tok fatt på manuskriptet til sin originale og meget personlige biografi om Edvard Munch, som han publiserte for første gang i Sverige mens han oppholdt seg her som flyktning under andre verdenskrig, da han for øvrig bodde hos sin gode venn Ebba Ridderstad.

Ebba Ridderstad (1935, kat. 147 og 148) hadde tatt kontakt med Stenersen vinteren 1935. Hun var svensk malerinne, født Pauli, gift med Carl Ridderstad og senere med Gerhard Rappe. Hun pleide å reise til Norge for å gå på ski om vinteren, og en ski-instruktør hadde fortalt henne at Rolf Stenersen hadde den største samlingen av Edvard Munchs arbeider. Ebba Ridderstad oppsøkte derfor Stenersen, som skulle bli en venn for livet. Han ordnet møte med Munch på Ekely og var iallfall noen av gangene tilstede mens hun poserte. Mens portrettet ble malt bodde hun hos søsteren Marika Pauli, som var bosatt i Oslo.

Ebba Ridderstad forteller at da Munch tok til å male henne, var hun brun og fin i ansiktet etter fjellturen. Håret hennes var dengang sort, og hun var kledd i grå persianerjakke og hatt, som Munch tok seg den kunstneriske frihet å male grønnblå. Portrettene ble malt i Munchs arbeidsværelse i hovedbygningen. En gang i blant tok han en liten pause, og de gikk inn på det «lille soveværelset» og drakk litt vin. (Etter at øyensykdommen hadde brutt ut, begynte Munch igjen å smake både vin og konjakk.) Ebba Ridderstad besøkte Munch seks-syv ganger denne vinteren og våren. Munch arbeidet på tre lerreter samtidig, og ifølge Ebba Ridderstad valgte han ut det han anså være det beste portrettet, som hun kjøpte (kat. 147). Det finnes også to andre versjoner – det ene utført i en strekteknikk (kat. 148) som går tilbake på teknikken i *Marats død* (1907), det andre i halvfigur (fig. 13) – samt et dobbeltportrett av **Ebba Ridderstad og Marika Pauli** (kat. 149), alle i Munch-museets samlinger. Ebba Ridderstad ervervet senere via Rolf Stenersen en del grafiske arbeider av Munch; fire litografier og seks tresnitt.

Den unge, friske Ebba Ridderstad må virkelig ha inspirert Munch til å sprake til i livfulle, strålende farger, særlig klart og overbevisende i det portrettet som hun selv ervervet. Hennes solbrune ansikt er malt i rødt over gult, et gult som gjentas rent og sterkt i det ene av bakgrunnens to felt, det andre er malt i et kontrasterende lyst fiolett. Og det røde i ansikt og hals kontrasterer igjen det grønne i kåpe og hatt. Det er en utilslørt logikk i organiseringen av billedflaten som bringer i tankene Henri Matisses berømte *Portrett av Mme. Matisse. Den grønne linjen* (1905). Idet Munch assimilerer inntrykk fra Brücke-ekspresjonistene og deres aggressive fargebruk, skaper han således et portrett som synes å være en bevisst parafrase over Matisses portrett, en parafrase som tydeliggjør hvor følsom Munch er som kolorist. Det er det samme koloristiske grunnskjema som preger de øvrige portrettene av Ebba Ridderstad, bare mer tilslørt.

De portrett som Munch utførte midt på 30-tallet begrenset seg til slike som kom i stand med Rolf Stenersen som mellommann. Han var på denne tiden ytterst aktiv som Munchs hjelpemann, nærmest hans «sekretær», som Ebba Ridderstad uttrykker det. Det var i høy grad på denne tiden Stenersen bygget opp sin store Munch-samling som ble innlemmet i den storslagne gaven til Aker kommune i 1936. Munch selv ble imidlertid stadig svekket og arbeidet lite. Det skulle gå drøye to år før han igjen får en henvendelse om å male et portrett, denne gang gjennom konsul Martin Sibbern Møller, som etter et besøk hos Munch på Ekely skriver den 24. august 1937:

Min svoger direktør Rygg, Norges Bank, skal males og han vil gjerne bli malt av Dem. Efter oppdrag tillater jeg mig å spørre Dem om De kunde være villig til å male ham. Rygg har et karakteristisk ansikt, og jeg kan tenke mig at det vilde interesere Dem å forevige ham.

Et halvt års tid senere var bildet på plass i direksjonsværelset i Norges Bank, og Møller skriver igjen den 24. februar 1938:

Nu har jeg sett og beundret Deres maleri av min svoger Rygg. Det kan ikke ha en bedre plass. Da jeg åpnet døren inn til direksjonsvær. var det første jeg fikk øye på maleriet på veggen midt imot. Der sitter Rygg lyslevende ved sitt arbeidsbord. Jeg gikk lenge og så på maleriet og blev mer og mer begeistret for det. Det er et glimrende billede. Og jeg sa til min svoger: «Dere (direksjonens medlemmer) som ser det hver dag vil bli mer og mer glad i maleriet». Uten å være fagmann er jeg meget interessert i malerier og nyder å se god kunst, slik som dette maleri, hvor

Fig 13
Ebba Ridderstad, 1935
Munch-museet

jeg beundrer det hele: Rygg, stillingen, de fint malte hender, de vakre farver, forgrunnen, bakgrunnen. Jeg kommer til å gå og se det oftere.

Nicolai Rygg (1937-1938, kat. 150) beretter selv levende og detaljert om sine timer hos Munch, hvor Munch blant annet kommenterer Ryggs utseende og selve portrettet:

Hendene er det eneste på Dem som virker nervøst. Det kan jeg merke litt, men det er jo rimelig. Ja, hendene forteller meget. De gir et levende minespill. Kan De ikke få hendene i samme stilling som De hadde dem en gang? Det er forøvrig meget vanskelig og umulig å få hendene i nøiaktig samme stilling som før. Hver stilling adskiller sig fra alle tidligere. Nei, det er ikke så nøie om De sitter ganske rolig eller ikke. Cézanne sa: De skal sitte aldeles rolig med hodet, som et eple der er hengt opp i en snor. De har tatt på Dem en annen dress i dag, og det er ikke som det skal være. Foldene faller anderledes.

Nei, det er ikke så vanskelig å få det rette uttrykk i øinene. Mennesket er en helhet og trer frem i alle deler. Jeg så en dag vi gikk og spaserte ute i haven, et glimt i Deres øine, og det har jeg måttet søke å gjengi. Nå har De noe grønt i øinene, men Deres øine er jo blå. Nei, det har ikke noe med sinnsstemning å gjøre, det er belysningen. ...

Ja, jeg har utført dette arbeid under meget ugunstige forhold, så syk som jeg var i den første tid. Men det har vært mig til nytte å stelle med det. Kanskje jeg kunde fort-

Fig. 14
Nicolai Rygg, 1937-1938
Tegning. Munch-museet

Fig. 15
Nicolai Rygg, 1937-1938
Tegning. Munch-museet

Fig. 16
Nicolai Rygg, 1937-1938
Foto: Ragnvald Væring

satt den første stillingen, bak en stol med hånden på stol-
ryggen. Men jeg ble så lei av den. Jeg kjente Dem ikke
dengang og det må jeg først gjøre.

Jeg ville nå en gang male et rolig billede. De forstår at
dette er gammeldags. Jeg har malt det for min egen inter-
esse, og jeg er i høi grad tilfreds med det.[4]

Den første posituren, hvor Rygg står bak en stolrygg,
er bevart i en tegning (fig. 14), og det finnes også bevart en
skisse som viser ham i presis samme positur som i det
malte portrettet (fig. 15). Hva Rygg ikke nevner, er at
Munch sikret seg motivet ved at han fikk Ragnvald
Væring til å ta et fotografi av banksjefen (fig. 16). En ver-
sjon av portrettet kom til Norges Bank og er datert
2.2.1938 på lerretet, en annen versjon i pastellteknikk (i
dag i Statistisk Sentralbyrå) fikk Rygg som en personlig
erindring.

Mens banksjef Nicolai Rygg var sin tids mest betyde-
lige økonom i Norge, så var **Henrik Bull** (1939, kat. 151
og fig. 17) på sin side en av tidens mest betydelige norske
arkitekter. Han representerte den «nye stilen rundt århun-
dredeskiftet» – art nouveau og Wienerbarokk – og hadde
tegnet Nationaltheatret (1891-1899), Historisk Museum
(1898-1902) og Regjeringsbygningen (1898-1906).
Munch og Bull hadde for øvrig fulgt hverandre først i
småskolen på Gjertsens skole, og deretter på Den Kgl.
Tegneskole. Ifølge søsteren Inger hadde også Munch en
gang hatt intensjonen å bli arkitekt. De fikk igjen kontakt
da Munch engasjerte ham til å tegne et nytt og større vin-
teratelier i 1929. Og ifølge brev fra Henrik Bull til for-

henværende direktør for Oslo kommunes kunstsam-
linger, Johan Langaard, oppsøkte Munch ham på eget ini-
tiativ i 1932 eller 1933 på hans kontor på Kunst- og
Håndverkskolen, hvor han var direktør, for å tegne hans
portrett. Bull beretter:

Det er nemlig så at Munch først ville tegne mig. Han
kom derfor op på Håndverksskolen, hvor jeg den gang
var direktør og så sat vi og pratet om gamle dager da sko-
len het «tegneskolen» og vi var begge to elever hos Mid-
delthun, og mens vi pratet tegnet han med litografisk kritt
og sån besøkte han mig 3 ganger tror jeg. Tegningen ble
overført til sten og der findes ganske mange trykk av det.

Resultatet ble et fremragende litografisk trykk (kat.
257) som griper arkitekten i et karakteristisk øyeblikk i
en livlig samtale. På det eksemplaret Munch ga arkitek-
ten, har han spøkefullt skrevet:

Let tilbakelenet i sin chaiselong saa han paa sin mot-
stander med et venlig men noget listig blik. Han hævet saa
revolveren tok et sikkert sigte og skøt ham ned.

Bull forteller videre:

Så gik der nogen år og han fik lyst til å male et portrett,
det var vel antagelig 1937. Jeg hadde imidlertid sluttet på
Håndverksskolen og hadde god tid til å sitte for ham ute
på Ekely hvor jeg besøkte ham av og til. Først malte han
en forstudie, et lite billede, som jeg nu har på min vegg.
Det store portrett satt jeg ikke mange ganger for ham, jeg
tenker en 4 ganger. Han maler og vi prater og på den
måten kom portrettet i stand. Jeg satt i hjørneværelset,
hvor han malte og opholdt sig, hvor han spiste alle mål,

sov og hørte på radio, som han kunne rekke når han lå i sengen.

Portrettet som Munch forærte Bull er signert 1939, og er preget av raske penselstrøk. Bull sitter en face i den velkjente kurvstolen som nå er dekket til med et teppe (fig. 17). Portrettet har en høyt oppdrevet, nesten nervøs rytme som bringer i tankene portrett som Munch malte i begynnelsen av århundret, og som gjerne settes i sammenheng med den nord-europeiske ekspresjonismen. Det større portrettet (kat. 151) har en helt annen psykologisk temperatur. Bull sitter i en nærmest identisk stilling som i litografiet, men er på en logisk strukturert måte brettet ut i flaten slik vi blant annet kjenner det fra modellportrettene av Birgitte Prestøe, men uten at det etableres noen særlig dybdevirkning i rommet. Hele uttrykket ligger i spillet mellom farger og former i billedflaten, en tradisjon i maleriet som i de første tiår av det 20. århundre hadde hatt Paris som sitt sentrum.

SISTE ÅRET

Fra sommeren 1943 – Munchs siste – finnes bevart en merkelig serie malte utkast som viser kunsthandler **Rolf Hansen** (kat. 152 og 153), innehaveren av galleriet Moderne Kunst i Oslo, sittende på en benk i hagen på Ekely. Også i dette tilfellet tar Ragnvald Væring et foto-

Fig. 17
Henrik Bull, 1939
Privat eie

Fig. 19
Erik Pedersen, 1943
Tegning. Privat eie

grafi som utvilsomt har tjent Munch som hjelp og støtte under arbeidet. Det finnes også to små tegninger, en av hodet og en av hendene, som helt tydelig er forstudier til maleriet (kat. 173 og 174). På en annen liten skisse av hele motivet (kat. 175) har kunstneren laget en påskrift som om den var bestemt for en dagbok: «Jeg maler en liten skidse»!

Forhistorien til de fire malte skissene og en akvarell kjenner vi ikke. Alle er i relativt store formater hvor billedutsnittet og hodestillingen varieres. Under prosessens gang skar Munch ganske enkelt ut hodet i et av maleriene

Fig. 18
Erik Pedersen, 1943
Fargekritt. Solomon R. Guggenheim Museum, New York

(kat. 152), kanskje for å overføre det til de andre lerre-tene. Koloritten er nesten ubehagelig kraftig og skiller seg ut fra alt han tidligere hadde malt, som for nok en gang å vise at han ikke henfalt til stereotype gjentagelser.

Sitt aller siste portrettoppdrag tok Munch fatt på sen-høsten 1943. Modellen var **Erik Adolf Pedersen** (kat. 170), administrerende direktør ved A/S Freia Chokolade Fabrik. Han var meget kunstinteressert, var styremedlem i Nationaltheatrets Venner og medlem av representant-skapet samme sted samt styremedlem i Selskabet Kunst på Arbeidsplassen. Pedersen hadde som Johan Throne-Holsts nærmeste medarbeider vært drivkraften i oppbyg-gingen av den store skulpturparken ved Freia, forestått kontakten med Munch da han utsmykket kantinen ved fabrikken med en variant av *Livsfrisen* i 1922, og i 1932 bestilt en bronsefigur av Munchs skulptur, *Arbeidere i sne*, som Munch for øvrig først solgte til Freia kort tid før sin død.

Et par av skissene tyder på at Munch har hatt i tankene et portrett av Pedersen sittende i kurvstolen (kat. 171 og 172) eller stående en face. Men de tre utkastene til hodet har utvilsomt den største uttrykkskraften (kat. 170, fig. 18 og 19). I en liten artikkel i *Kunst og Kultur* skriver Erik Pedersen om kontakten med Munch gjennom årene og spesielt om hvordan det siste portrettet (fig. 18) oppstod, mens de begge satt i Munchs gamle familiesofa:

Plutselig blir han helt stille. Han stirrer på meg og sier: «Sitt stille akkurat slik – så skal jeg forsøke å tegne Dem.» Han fikk fatt i en papplate på gulvet, et kasselokk som det enda var spiker i. Han gjorde en rask skisse. «Nå får vi se en annen gang hvad vi har gjort,» sa han.

Utover høsten ringte han stadig til mig. Hver gang måtte jeg helst komme straks. Det var så mange ting han hadde på hjertet. Det var krigen, og det var legemlige skrøpeligheter. Men den første skissen hviler på ham, og så en dag skal han tegne mig stående. Flere «løse hoder» har han alt tegnet – og særlig ett som han gjorde på ti minutter med rød og blå oljeblyant blev meget vellykket. «Behold det slik – ikke gjør mere med det da, Munch!» sier jeg momentant. Han setter allikevel et par kraftige blå streker op som skygge. «Det blev ikke dårligere for det!» «Er det ikke rart, De,» legger han til, «Idag er jeg så slapp og dårlig at jeg nesten ikke kan stå på benene – da er jeg så sensibel at jeg kan lage de fineste ting.»

Jeg har sittet og sett på Munch mens han arbeidet. Det har vært en stund av intens konsentrasjon, for ikke å si ekstase. Hele skikkelsen viser den voldsomme anspen-nelse, legemet dirrer, munnen beveger sig som han vilde si noe, øinene lyser.[5]

Ifølge Pedersen ble de tre «løse hodene» signert 14. januar 1944, ni dager før Edvard Munch sovnet inn på Ekely.

1. *Edvard Munch som vi kjente ham. Vennene forteller.* Av K.E. Schreiner et al., Oslo 1946, s. 11-12.
2. Rolf Stenersen, *Edvard Munch. Nærbilde av et geni*, Oslo 1946, s. 64-65.
3. Ibid.
4. Nicolai Rygg, «Noen timer med Edvard Munch», *Kunst og Kultur*, 1946, s. 173-198.
5. Erik Pedersen, «Det siste arbeide», *Kunst og Kultur*, 1946, s. 199-204.

Kat. 129
Fritz H. Frölich, 1931
Munch-museet

Kat. 265
Fritz H. Frölich, 1931
Tresnitt. Munch-museet

Kat. 266
Fritz H. Frölich, 1931
Tresnitt. Munch-museet

Kat. 169
Fritz H. Frölich, 1931
Gouache. Munch-museet

Kat. 130
Fritz H. Frölich, 1931
Knut H. K. Frölich, Stavern

Kat. 250
Kristian Emil Schreiner, 1928-1930
Litografi. Munch-museet

Kat. 249
Kristian Emil Schreiner,
1928-1930
Litografi. Munch-
museet

Kat. 252
Kristian Emil Schreiner, 1928-1930
Litografi. Munch-museet

Kat. 255
Kristian Emil Schreiner, 1928-1930
Litografi. Munch-museet

Kat. 253
Kristian Emil Schreiner, 1928-1930
Litografi. Munch-museet

Kat. 168
Kristian Emil Schreiner, ca. 1932
Montasje av blandet teknikk. Munch-museet

Kat. 263
Kristian Emil Schreiner, 1928-1930
Tresnitt. Munch-museet

Kat. 264
Kristian Emil Schreiner, 1928-1930
Tresnitt. Munch-museet

Kat. 251
Kristian Emil Schreiner, 1928-1930
Litografi. Munch-museet

Kat. 135
Eberhard Grisebach, 1932
Munch-museet

Kat. 134
Eberhard Grisebach, 1932
Munch-museet

Kat. 137
Hanna Brieschke, 1932
Munch-museet

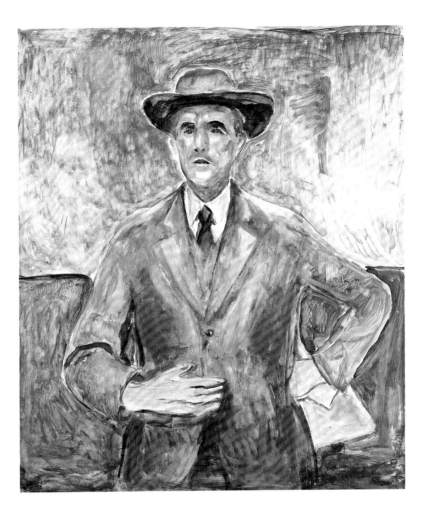

Kat. 133
Eberhard Grisebach, 1932
Munch-museet

Kat. 136
Fausts spaltning, 1932
Eberhard Grisebach
Munch-museet

Kat. 131
Maggie Torkildsen, 1932
Privat eie

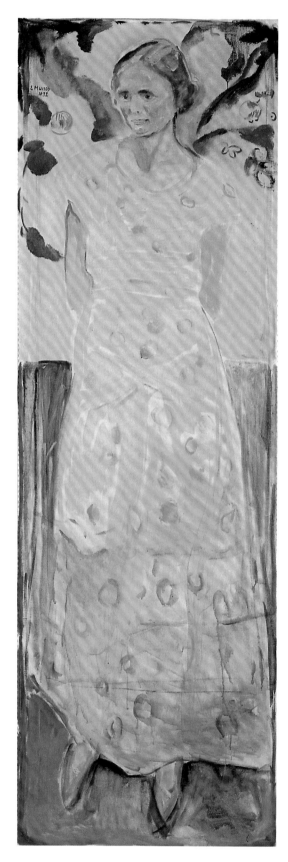

Kat. 139
Henriette Olsen, 1932
Privat eie

Kat. 140
Henriette Olsen, 1932
Privat eie

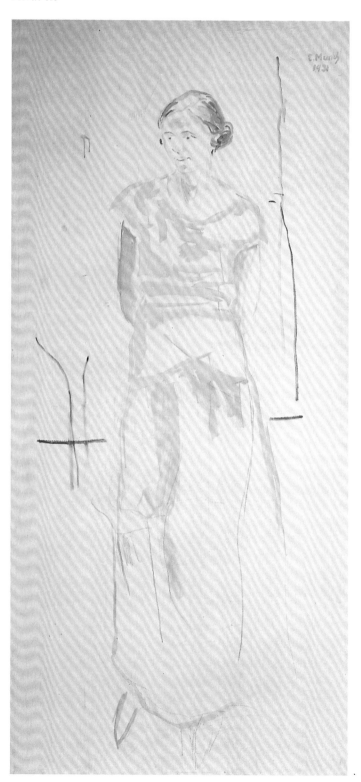

Kat. 138
Henriette Olsen, 1932
Munch-museet

Kat. 142
Karl Wefring, 1934
Munch-museet

Kat. 141
Karl Wefring, 1934
Munch-museet

Kat. 262
Rolf Stenersen, 1935
Tresnitt. Munch-museet

Kat. 143
Annie Stenersen, 1934
Privat eie

Kat. 256
Annie Stenersen, 1934
Litografi. Munch-museet

Kat. 144
Annie Stenersen, 1934
Munch-museet

Kat. 165
Annie Stenersen, 1934
Akvarell. Munch-museet

Kat. 146
Johan Martin og Sten Stenersen, 1935
Sten Stenersen, Oslo

Kat. 166
Johan Martin og Sten Stenersen, 1935
Blandet teknikk. Munch-museet

Kat. 167
Johan Martin og Sten Stenersen, 1935
Akvarell. Munch-museet

Kat. 148
Ebba Ridderstad, 1935
Munch-museet

Kat. 149
Ebba Ridderstad og Marika Pauli, 1935
Munch-museet

Kat. 147
Ebba Ridderstad, 1935
Privat eie

Kat. 150
Nicolai Rygg, 1937-1938
Norges Bank, Oslo

Kat. 151
Henrik Bull, 1939
Munch-museet

Kat. 257
Henrik Bull, ca. 1939
Litografi. Munch-museet

Kat. 153
Rolf Hansen, 1943
Munch-museet

Kat. 173
Rolf Hansen, 1943
Tegning. Munch-museet

Kat. 174
Rolf Hansens hender, 1943
Tegning. Munch-museet

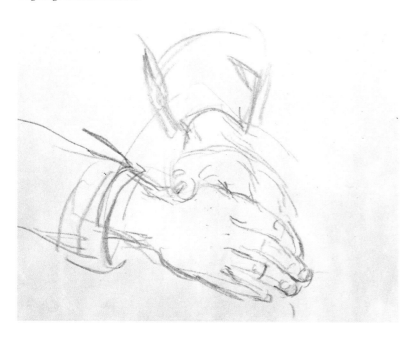

Kat. 152
Rolf Hansen, 1943
Munch-museet

Kat. 175
Rolf Hansen, 1943
Tegning. Munch-museet

Kat. 170
Erik Pedersen, 1943
Tegning. Munch-museet

Kat. 171
Erik Pedersen, 1943
Tegning. Munch-museet

Kat. 172
Erik Pedersen, 1943
Tegning. Munch-museet

MALERIER

Kat. 1
Laura Munch, 1880-1881
Olje på papp
17.5 x 14.5 cm
Munch-museet, M 1045
(Ill. side 29)

Kat. 2
Christian Munch i sofaen, 1881
Olje på papir
21.5 x17.5 cm
Munch-museet, M 1048
(Adoptert av Normarc AS)
(Ill. side 30)
UTSTILLINGER
Oslo, Nasjonalgalleriet, juni-juli 1927
(kat. 282)
Oslo, Kunstnernes Hus, 1951 (kat. 7)

Kat. 3
Laura Munch, 1883
Olje på papp
26.2 x 20.7 cm
Munch-museet, M 1052
(Ill. side 31)

Kat. 4
Ved kaffebordet, 1883
Christian Munch og Karen Bjølstad
Olje på lerret
45 x 77 cm
Munch-museet, M 627
(Adoptert av Fina Exploration u.a.s.)
(Ill. side 30)
UTSTILLINGER
Oslo, Nasjonalgalleriet, juni-juli 1927
(kat. 10)
Washington, National Gallery of Art, 1979
Milano, Palazzo Reale, 1985-86 (kat. 3)
Roma, Palazzo Braschi, 1986
Oslo, Galleri K, 1989

Kat. 5
Andreas Singdahlsen, 1883
Olje på lerret
45 x 34 cm
Munch-museet, M 1054
(Ill. side 33)

Kat. 6
Hjalmar Borgstrøm, ant. 1883
Olje på lerret
24.3 x 20 cm
Signert nederst til høyre: *E. Munch*
Privat eie
(Ill. side 32)

UTSTILLINGER
Oslo, Nasjonalgalleriet, juni-juli 1927
(kat. 24)
Oslo, Hammarlund, 1952 (kat. 133)

Kat. 7
Aasta Carlsen, 1883?
Olje på lerret
46 x 30.5 cm
Munch-museet, M 640
(Ill. side 42)

Kat. 8
Karl Jensen-Hjell, 1885
Olje på lerret
180 x 100 cm
Signert nede til venstre: *E. Munch 1885*
Privat eie
(Ill. side 35)
UTSTILLINGER
Kristiania, Den 2.den aarlige
Kunstudstilling, oktober-november, 1885
(kat. 72b)
Kristiania, Studentersamfundet, april-mai
1889 (kat. 40)
Kristiania, Tostrupgården, september-
oktober 1892 (kat. 41)
Berlin, Verein Berliner Künstler, november
1892 (kat. 50)
Düsseldorf, Schulte, november 1892
(kat. 50)
Berlin, Eqvitable Palast, desember 1892
(kat. 50)
København, Kleis, februar-mars 1893
(kat. 49)
Dresden, Victoriahaus, mai 1893 (kat. 48)
Stockholm, Konstföreningen, oktober 1894
(kat. 8)
Kristiania, Blomqvist, september-oktober
1910
Oslo, Nasjonalgalleriet, juni-juli 1927,
(kat.18)
Oslo, Kunstnernes Hus, september-oktober
1932 (kat. 198)
Oslo, Kunstnernes Hus, 1951 (kat. 31)
Zürich, Kunsthaus, 1952 (kat. 1)
Sao Paulo, Museu de Arte Moderna, 1953
(kat. 1)
Venezia, Biennalen, 1954 (kat. 3)
München/Köln, Haus der Kunst, 1954-55
(kat. 5)
København, Kunstforeningen, 1955 (kat. 5)
Odense, Fyns Stiftsmuseum, 1955 (kat. 5)
Bern, Kunstmuseum, 1958 (kat. 2)
Wien, Akademie der Bildenden Künste,
1959 (kat. 2)
Warzawa, Muzeum Narodowe, 1959
(kat. 2)

Frankfurt am Main, Steinernes Haus,
1962-63 (kat. 1)
Oslo, Nasjonalgalleriet,
«Jubileumsutstilling», 1964 (kat. 52)
Kiel, Kunsthalle, 1964 (kat. 54)
New York, Guggenheim, 1965-66 (kat. 4)
Schaffhausen, Museum zu Allerheiligen,
1968 (kat. 4)
Stockholm, Nationalmuseum, 1968
(kat. 231)
Århus, Aarhus kunstmuseum, 1975
(kat. 150)
Humlebæk, Louisiana, 1976 (kat. 1)
Kiel, Kunsthalle, 1979 (kat. 2)
Oslo, Nasjonalgalleriet, 1988 (kat. 79)
Essen/Zürich, 1987 (kat. 7)

Kat. 9
Tête-à-tête, 1885
Karl Jensen-Hjell og en ukjent kvinne
Olje på lerret
66 x 76 cm
Munch-museet, M 340
(Ill. side 34)
UTSTILLINGER
Berlin, Verein Berliner Künstler, november
1892 (kat. 25)
Düsseldorf, Schulte, november 1892
(kat. 25)
Berlin, Eqvitable Palast, desember 1892
(kat. 25)
København, Kleis, februar-mars 1893
(kat. 25)
Dresden, Victoriahaus, mai 1893 (kat. 25)
?Stockholm, Konstföreningen, oktober
1894 (kat. 30 el. 31)
Kristiania, Dioramalokalet, oktober-? 1904
Praha, Manes, februar-mars 1905 (kat. 63)
Oslo, Nasjonalgalleriet, 1945
København, Raadhushallen, 1946 (kat. 3)
Stockholm, Liljevalchs, 1947 (kat. 3)
Göteborg, Konstmuseum, 1947 (kat. 3)
Chicago/St. Louis/ Colorado Springs/
Detroit/ Boston/ LosAngeles/ Minneapolis/
New York/Washington/San Francisco, 1950
(kat. 4)
Brighton/Glasgow/London, 1951 (kat. 4)
Haag, Gemeentemuseum, 1951-52 (kat. 4)
Paris, Petit Palais, 1952 (kat. 4)
Bern, Kunstmuseum, 1958 (kat. 1)
Wien, Akademie der Bildenden Künste,
1959 (kat. 1)
Rotterdam, Museum Boymans van
Beuningen, 1958-59 (kat. 1)
New York, Guggenheim, 1965-66 (kat. 3)
München/London/Paris, 1973-74 (kat. 4)
Dresden, Albertinum, 1984
Milano, Palazzo Reale, 1985-86 (kat. 5)

Roma, Palazzo Braschi, 1986
Essen/Zürich, 1987 (kat. 8)
Mexico City, Centro Cultural Arte
Contemporaneo, 1988 (kat. 1)

Kat. 10
Dagny Konow, 1885
Olje på lerret
49.7 x 35 cm
Privat eie
(Ill. side 43)

Kat. 11
Klemens Stang, 1885
Olje på lerret
87.5 x 67.5 cm
Signert øverst til venstre: E. *Munch*
Christiansands Billedgalleri
(Ill. side 37)

Kat. 12
Skipsrederen, 1885
Fredrik Lidemark
Olje på lerret
198 x 110 cm
Signert nede til venstre: E. *Munch*
Privat eie
(Ill. side 36)
UTSTILLINGER
Chemnitz, Kunsthütte, november-desember
1929 (kat. 4)
Leipzig, Kunstverein, desember-januar
1929-30 (kat. 4)
Frankfurt am Main, Steinernes Haus,
1962-63 (kat. 6)
New York, Guggenheim, 1965-66 (kat. 7)
Schaffhausen, Museum zu Allerheiligen,
1968 (kat. 7)

Kat.13
Andreas Munch, 1885
Olje på lerret
40 x 28.5 cm
Art Fuji Co., Ltd., Tokyo
(Ill. side 39)

Kat. 14
Christian Munch med langpipe, 1885
Olje på papp
37.5 x 28 cm
Munch-museet, M 1056
(Ill. side 39)
UTSTILLINGER
Oslo, Kunstnernes Hus, 1951 (kat. 33)
Washington, National Gallery of Art, 1979

Kat. 15
Thorvald Torgersen, 1886
Olje på lerret
100 x 68 cm
Signert nede til høyre: *Munch 86*
Rolf E. Stenersens gave til Oslo by, A 215
(Ill. side 38)
UTSTILLINGER
Stockholm, Konstakademien, mars-? 1937
(kat. 2)
Amsterdam, Stedelijk, mai-juni 1937
(kat. 3)
Oslo, Nasjonalgalleriet, høsten 1940
(kat. 319)
Oslo, Kunstnernes Hus, 1948 (kat. 96)
Oslo, Oslo Rådhus, 1950-52 (kat. 125)
Amsterdam, Stedelijk, 1962 (kat. 87)
Oslo, Nasjonalgalleriet, 1962 (kat. 78)
München/London/Paris, 1973-74 (kat. 6)

Kat. 16
Jus, 1887
Knud Knudsen, Bernt A. B. Hambro og
Johan Michelsen
Olje på lerret
82 x 125 cm
Privat eie
(Ill. side 45)
UTSTILLINGER
Kristiania, Kunstudstillingen, september-
oktober 1887 (kat. 301)
Zürich, Kunsthaus, juni-august 1922
(A1, utenfor katalog)
Mannheim, Kunsthalle, november-januar
1926-27 (kat. 2)
Berlin, Nationalgalerie, mars-mai 1927
(kat. 14)
Oslo, Nasjonalgalleriet, juni-juli 1927,
(kat. 28)
Oslo, Kunstnernes Hus, 1951 (kat. 37)
Zürich, Kunsthaus, 1952 (kat. 3)
Bern, Kunstmuseum, 1958 (kat. 3)
Frankfurt am Main, Steinernes Haus,
1962-63 (kat. 2)
Kiel, Kunsthalle, 1979 (kat. 3)

Kat. 17
Andreas Bjølstad på dødsleiet, 1888
Edvard Munchs morfar
Olje på papp
56.5 x 37 cm
Munch-museet, M 1094
(Ill. side 40)
UTSTILLINGER
Oslo, Kunstnernes Hus, 1951 (kat. 39)

Kat. 18
Karen Bjølstad, 1888
Edvard Munchs tante
Olje på lerret
54.5 x 36.5 cm
Signert nede til høyre: *Edvard Munch 1888*
Munch-museet, M 1057
(Ill. side 41)
UTSTILLINGER
Oslo, Nasjonalgalleriet, juni-juli 1927
(kat. 284)
Oslo, Kunstnernes Hus, 1951 (kat. 38)

Kat. 19
Aften, 1888
Laura Munch
Olje på lerret
75 x 100.5 cm
Signert nede til høyre: *Edvard Munch 1888*
Thyssen-Bornemisza Collection, Madrid
(Ill. side 46)
UTSTILLINGER
Kristiania, Kunstudstillingen, september-
oktober 1888 (kat. 108)
Kristiania, Studentersamfundet, april-mai
1889 (kat. 36, 46 el. 61)
Berlin, Verein Berliner Künstler, november
1892 (kat. 9)
Düsseldorf, Schulte, november 1892
(kat. 9)
Berlin, Eqvitable Palast, desember 1892
(kat. 9)
København, Kleis, februar-mars 1893 (kat. 9)
Dresden, Victoriahaus, mai 1893 (kat. 9)
Berlin, Nationalgalerie, mars-mai 1927
(kat. 16)
Oslo, Nasjonalgalleriet, juni-juli 1927
(kat. 32)
Oslo, Kunstnernes Hus, september-oktober,
1932 (kat. 199)
Chicago/St. Louis/Colorado
Springs/Detroit/Boston/Los
Angeles/Minneapolis/New
York/Washington/San Francisco, 1950
(kat. 5)
Haag, Gemeentemuseum, 1951-52 (kat. 5)
Warzawa, Muzeum Narodowe, 1959
(kat. 3)
Frankfurt am Main, Steinernes Haus,
1962-63 (kat. 4)
New York, Guggenheim, 1965-66 (kat. 5)
Australia, vandreutstilling, 1979-80 (kat. 7)
Hamburger, Kunsthalle, 1986 (kat. 77)
Lugano, 1989 (kat. 3)

Kat. 20
Sommernatt. Inger på stranden, 1889
Inger Munch
Olje på lerret
126.4 x 161.7 cm
Signert nede til venstre: *E. Munch 1889* og
øverst til venstre: *E Munch 1889*
Rasmus Meyers Samlinger, Bergen
(Ill. side 47)
UTSTILLINGER
Kristiania, Kunstudstillingen, 1889 (kat. 79)
Kristiania, Tostrupgaarden, september-
oktober 1892 (kat. 3)
Berlin, Verein Berliner Künstler, november
1892 (kat. 13)
Düsseldorf, Schulte, november? 1892
(kat. 13)
Berlin, Eqvitable Palast, desember 1892
(kat. 13)
København, Kleis, februar-mars 1893
(kat. 13)
Dresden, Victoriahaus, mai 1893 (kat. 13)
Köln, Sonderbund, mai-september 1912
(kat. 522)
Berlin, Nationalgalerie, mars-mai 1927
(kat. 17)
Oslo, Nasjonalgalleriet, juni-juli 1927
(kat. 33)
Amsterdam, Stedelijk, mai-juni 1937 (kat. 6)
Bergen Billedgalleri/Rasmus Meyers
Samlinger, «Edvard Munch», 1959 (kat. 6)
Bergen Billedgalleri/Rasmus Meyers
Samlinger, «Edvard Munch», 1962 (kat. 6)
Stockholm, Nationalmuseum, 1968
(kat. 232)
Washington, National Gallery of Art, 1978
(kat. 25)
New York, MOMA, 1979
Tokyo/Sapporo/Nara/Nagoya, 1981-82
(kat. 8)
Washington/New York/Minneapolis,
1982-83 (kat. 62)
Göteborg, Konstmuseum, 1983 (kat. 62)
London, Hayward Gallery, 1986 (kat. 56)
Düsseldorf, Kunstmuseum, 1987 (kat. 56)
Paris, Musée du Petit Palais, 1987 (kat. 68)
Essen/Zürich, 1987 (kat. 17)
Bergen Billedgalleri, «Edvard Munch i
Bergen», 1993 (kat. 6)

Kat. 21
Charlotte Dørnberger, 1889
Olje på lerret
47 x 35 cm
Privat eie, Sveits
(Ill. side 40)
UTSTILLINGER
Oslo, City Auksjon, 1948 (kat. 74)

Oslo, Kunstnernes Hus, 1951 (kat. 36)
Oslo, Lies Auksjonsforretning A/S, 1962
(kat. 40)
Stockholm, auksjon, 1962

Kat. 22
Karl Dørnberger, 1889
Olje på lerret
133.5 x 91.5 cm
Signert nede til høyre: *E. Munch 1889*
Museum der Bildenden Künste, Leipzig
(Ill. side 44)
UTSTILLINGER
Kristiania, Studentersamfundet, april-mai
1889 (kat. 38)
Chemnitz, Kunsthütte, november-desember
1929, (kat. 3)
Leipzig, Kunstverein, desember-januar
1929-30 (kat. 3)
Berlin, Staatlicher Museum, 1972 (kat. 164)
Wien, Künstlerhaus, 1989-90 (kat. V/2/39)

Kat. 23
L'Absinthe. Une confession, 1890
Jappe Nilssen og Hans Jæger (?)
Pastell og kull på lerret
58 x 96 cm
Signert øverst til høyre: *E. Munch 1890*
Privat eie
(Ill. side 65)
UTSTILLINGER
Kristiania, Kunstudstillingen, oktober-
november 1890 (kat. 90)
Kiel, Kunsthalle, 1979 (kat. 4)

Kat. 24
Gunnar Heiberg, 1890
Pastell på lerret
73.5 x 59.5 cm
Signert nede til høyre: *E. Munch*
Privat eie
(Ill. side 66)
UTSTILLINGER
Kristiania, Tostrupgaarden, september-
oktober 1892 (kat. 50)
Berlin, Verein Berliner Künstler, november
1892 (kat. 51)
Düsseldorf, Schulte, november 1892 (kat. 51)
Berlin, Eqvitable Palast, desember 1892
(kat. 51)
København, Kleis, februar-mars 1893 (kat. 51)
Dresden, Victoriahaus, mai 1893 (kat. 49)
Stockholm, Konstföreningen, oktober 1894
(kat. 12)
Kristiania, Dioramalokalet, september-
oktober 1897 (kat. 21)
Kristiania, Hollændergården, september-?
1901 (kat. 60)

Kat. 25
Olga Buhre, 1890
Olje på lerret
73 x 59cm cm
Statens Museum for Kunst, København
(Ill. side 71)
UTSTILLINGER
Oslo, Nasjonalgalleriet, juni-juli 1927
(kat. 42)
København, Kunstforeningen, 1955
(kat. 22)
Odense, Fyns Stiftsmuseum, 1955 (kat. 22)
Schaffhausen, Museum zu Allerheiligen,
1968 (kat. 15)
Oslo, Kunstnerforbundet, 1968 (kat. 16)
Paris, Musée d'Orsay, 1991-92 (kat. 20)
Munch-museet, «Munch og Frankrike»,
1992 (kat. 20)
Frankfurt, Schirn Kunsthalle, 1992 (kat. 20)

Kat. 26
Jappe Nilssen, 1891
Pastell på papir
60.4 x 44.8 cm
Signert nede til høyre: *E. Munch 1891*
Privat eie
(Ill. side 66)
UTSTILLINGER
Kristiania, Dioramalokalet, oktober, 1904
(kat. 43)
Helsingfors, Ateneum Taidemuseo, januar-?
1909 (kat. 15)
København, Haghfelt, 1954 (kat. 3)

Kat. 27
Jacob Bratland, 1891-1892
Olje på lerret
100 x 66 cm
Munch-museet, M 998
(Ill. side 72)
UTSTILLINGER
Oslo, Tostrupgården, september-oktober
1892 (kat. 42)
Berlin, Verein Berliner Künstler, november
1892 (kat. 49)
Düsseldorf, Schulte, november 1892
(kat. 49)
Berlin, Eqvitable Palast, desember 1892
(kat. 49)
København, Kleis, februar-mars 1893
(kat. 48)
Dresden, Victoriahaus, mai 1893 (kat. 47)
Stockholm, Konstföreningen, oktober 1894
(kat. 14)
Kristiania, Dioramalokalet, september-
oktober 1897 (kat. 20)
Kristiania, Hollændergården, september-?
1901 (kat. 32)

Oslo, Nasjonalgalleriet, juni-juli 1927
(kat. 288)
Stockholm, Liljevalchs, 1947 (kat. 6)
Göteborg, Konstmuseum, 1947 (kat. 6)

Kat. 28
Thor Lütken, 1892
Olje på lerret
81.5 x 65 cm
Signert nede til venstre: *E. Munch 1892*
Fredrik Einarsson Lütken, Barcelona
(Ill. side 72)
UTSTILLINGER
Kristiania, Dioramalokalet, september-
oktober 1897 (kat. 18)
Barcelona, Centre Cultural de la Fundacio
Caixa de Pensions, 1987 (kat. 2)

Kat. 29
Ludvig Meyer, 1892
Olje på lerret
214.5 x 103.5 cm
Signert litt over midten til venstre:
E. Munch 1892
Trondhjems Kunstforening
(Ill. side 73)
UTSTILLINGER
Stockholm, Konstföreningen, oktober 1894
(kat. 9)
Berlin, Ugo Barroccio, mars 1895 (kat. 23)
Kristiania, Blomqvist, oktober 1895
Bergen, Kunstforeningen, november-
desember 1895
Stavanger, Kunstforeningen, januar-? 1896
Kristiania, Dioramalokalet, september-
oktober 1897 (kat. 28)
Dresden, Arno Wolfframm, desember 1900
(kat. 22)
Praha, Manes, februar-mars 1905 (kat. 60)
Hamburg, Commeter, mars-? 1906
København, Kunstforeningen, november-?
1908
Helsingfors, Ateneum Taidemuseo, januar
1909 (kat. 3)
Kristiania, Blomqvist, mars-? 1909
Trondheim, Kunstforeningen, april-? 1909
Bergen, Kunstforeningen, mai-? 1909
Oslo, Nasjonalgalleriet, juni-juli 1927
(kat. 273)
Oslo, Kunstnernes Hus, 1951 (kat. 61)
Munch-museet, «Edvard Munch og den
tsjekkiske kunst», 1971 (kat. 60)
München/London/Paris, 1973-74 (kat. 14)

Kat. 30
August Strindberg, 1892
Olje på lerret
120 x 90 cm
Signert øverst til høyre: *E. Munch*
Moderna Museet, Stockholm
(Ill. side 67)
UTSTILLINGER
Berlin, Eqvitable Palast, desember-januar
1892-93 (kat. 55)
Stockholm, Konstföreningen, oktober 1894
(kat. 16)
Kristiania, Blomqvist, oktober-? 1895
Bergen, Kunstforeningen, november-
desember 1895
Stavanger, Kunstforeningen, januar-? 1896
Berlin, Cassirer, desember 1904 (kat. 45)
Kristiania, Dioramalokalet, oktober-? 1904
(kat. 38)
Praha, Manes, februar-mars 1905 (kat. 107)
Hamburg, Commeter, mars-? 1906
Weimar, Großherzogliches Museum,
november-? 1906 (kat. 8)
Bielefeld, Kunst-Salon Fischer, april 1907
(kat. 8)
København, Kunstforeningen, november-?
1908
Helsingfors, Ateneum Taidemuseo, januar
1909 (kat. 2)
Kristiania, Dioramalokalet, mars-april 1910
(kat. 15)
Kristiania, Dioramalokalet, april-? 1911
(kat. 100)
Kristiania, Kunstforeningen, februar-? 1913
(kat. 57)
Stockholm, Konstnärshuset, september
1913 (kat. 2)
Bremen, Kunsthalle, februar-mars 1914
(kat. 252)
Frankfurt, Kunstverein, januar 1914
Stockholm, Nationalmuseum, 1944 (kat. 8)
Göteborg, Konstmuseum, 1944 (kat. 8)
Stockholm, Nationalmuseum, «Strindberg
som målare och modell», 1949 (kat. 76)
Stockholm, Thielska Galleriet, 1963 (kat. 3)
Munch-museet, «Edvard Munch og den
tsjekkiske kunst», 1971 (kat. 107)
München/London/Paris, 1973-74 (kat. 15)
Malmö, Konsthallen, 1975 (kat. 4)
Munch-museet, «Munch og Strindberg»,
1976
Essen/Zürich, 1987 (kat. 28)

Kat. 31
Holger Drachmann, 1893? 1898?
Tempera på plate
72 x 55 cm
Signert nede til høyre: *E.M.*
Munch-museet, M 985
(Ill. side 69)
UTSTILLINGER
Dresden, Arno Wolfframm, desember 1900
(kat. 47)
Kristiania, Hollændergården, september-?
1901 (kat. 23)
Berlin, 5. Berliner Secession, april-mai 1902
(kat. 183)
Kristiania, Dioramalokalet, oktober-? 1904
(kat. 32)
Bremen, Kunstverein, februar-april 1906
(kat. 247)
Weimar, Großherzogliches Museum,
november-? 1906 (kat. 5)
Bielefeld, Kunst-Salon Fischer, april 1907
(kat. 5)

Kat. 32
Dagny Juel (Przybyszewska), 1893
Olje på lerret
148,5 x 99.5 cm
Munch-museet, M 212
(Ill. side 70)
UTSTILLINGER
Berlin, Ugo Barroccio, desember-? 1893
(kat. 3)
Stockholm, Konstföreningen, oktober 1894
(kat. 15)
Kristiania, Blomqvist, mars-? 1909
Bergen, Kunstforeningen, april-? 1909
Kristiania, Dioramalokalet, mars-april 1910
(kat. 42)
Kristiania, Kunstforeningen, februar-? 1913
(kat. 49 el. 60)
Oslo, Nasjonalgalleriet, juni-juli 1927
(kat. 71)
København, Raadhushallen, 1946 (kat. 12)
Stockholm, Liljevalchs, 1947 (kat. 17)
Göteborg, Konstmuseum, 1947 (kat. 17)
Chicago/St. Louis/Colorado
Springs/Detroit/Boston/Los
Angeles/Minneapolis/New
York/Washington/San Francisco, 1950
(kat. 10)
Brighton/Glasgow/London, 1951 (kat. 9)
Haag, Gemeentemuseum, 1951-52 (kat. 10)
Paris, Petit Palais, 1952 (kat. 9)
Warzawa, Muzeum Narodowe, 1959
(kat. 7)
New York, Guggenheim, 1965-66 (kat. 16)
München/London/Paris, 1973-74 (kat. 18)
Malmö, Konsthallen, 1975 (kat. 8)

Humlebæk, Louisiana, 1976 (kat. 6)
Stockholm, Liljevalchs, 1977 (kat. 14)
Warzawa, Muzeum Narodowe, 1977
Berlin, Alka
(kat. 11)
Berlin, Akademie der Künste, 1984
Essen/Zürich, 1987 (kat. 32)

Kat. 33
Selma Fontheim (Harden), 1893-1894
Pastell på papir
97 x 65.5 cm
Baroniet Rosendal, Rosendal
(Ill. side 79)

UTSTILLINGER
Kristiania, Blomqvist, oktober 1895
Oslo, Kunstforeningen, november 1936
(kat. 57)

Kat. 34
Nora Mengelberg, 1894
Olje på lerret
96 x 72 cm
Signert øverst til venstre: *E. Munch 1894*
Privat eie, Sveits
(Ill. side 80)
UTSTILLINGER
Berlin, Die Freie Secession, mai 1919
Zürich, Kunsthaus, juni-august 1922 (kat. 8)
Bern, Kunsthalle, september-? 1922
Basel, Kunsthalle, oktober 1922
Zürich, Kunsthaus, 1952 (kat. 10)
Bern, Kunstmuseum, 1958 (kat. 15)
Schaffhausen, Museum zu Allerheiligen,
1968 (kat. 18)
Basel, Kunstmuseum, 1985 (kat. 3)

Kat. 35
Botho Graf Schwerin, 1894
Pastell/fargekritt på papp
79 x 65 cm
Signert midt på til høyre: *Edv. Munch*
Munch-museet, M 1066
(Ill. side 79)
UTSTILLINGER
Berlin, Nationalgalerie, mars-mai 1927
(kat. 45) («Eberhard von Bodenhausen»)
Oslo, Nasjonalgalleriet, juni-juli 1927
(kat. 96) («Eberhard von Bodenhausen»)

Kat. 36
Ludvig Meyers barn, 1894
Eli, Rolf og Karl Meyer.
Olje på lerret
104 x 123.5 cm
Signert øverst til høyre: *E. Munch*
Kunstmuseum Bern
(Ill. side 81)
UTSTILLINGER
Kristiania, Blomqvist, oktober 1895
Bergen, Kunstforeningen, november-
desember 1895
Stavanger, Kunstforeningen, januar-? 1896
Oslo, Kunstnernes Hus, 1951 (kat. 68)

Kat. 37
Stanislaw Przybyszewski, 1895
Pastell og olje på papp
62.5 x 55.5 cm
Signert øverst til venstre: *E. Munch 95*
Munch-museet, M 134
(Ill. side 76)
UTSTILLINGER
Kristiania, Dioramalokalet, september-
oktober 1897 (kat. 24)
Dresden, Arno Wolfframm, desember-?
1898 (kat. 16)
Dresden, Arno Wolfframm, desember-?
1900 (kat. 44)
Berlin, 5. Berliner Secession, april-mai 1902
(kat. 182)
Kristiania, Dioramalokalet, oktober-? 1904
(kat. 35 el 47)
Praha, Manes, februar-mars 1905 (kat. 75)
Magdeburg, Magdeburgischen Museum,
januar-? 1906
Hamburg, Commeter, mars-? 1906
Kristiania, Dioramalokalet, april-? 1911
(kat. 75)
München, Thannhauser, februar 1912
(kat. 32)
Kristiania, Tivoli Festivitetslokale, mai-juni
1914 (kat. 17)
Berlin, Nationalgalerie, mars-mai 1927
(kat. 47)
Oslo, Nasjonalgalleriet, juni-juli 1927
(kat. 94)
Hannover, Kestner-Gesellschaft, oktober
1929
Munch-museet, «Edvard Munch og den
tsjekkiske kunst», 1971 (kat. 75)
Humlebæk, Louisiana, 1976 (kat. 19)
Stockholm, Liljevalchs, 1977 (kat. 24)
Warzawa, Muzeum Narodowe, 1977
(kat. 13)
Milano, Palazzo Reale, 1985-86 (kat. 25)
Roma, Palazzo Braschi, 1986
Essen/Zürich, 1987 (kat. 33)

Kat. 38
Oscar og Ingeborg Heiberg, 1896
Pastell på lyst gulbrunt velurpapir
65 x 84.5 cm
Signert øverst til høyre: *E. Munch* 96
Munch-museet, M 1110
(Ill. side 83)

Kat. 39
Paul Herrmann og Paul Contard, 1897
Olje på lerret
54 x 73 cm
Signert nede til venstre: *E. Munch* 97
Österreichische Galerie, Wien
(Ill. side 101)
UTSTILLINGER
Paris, Salon des Artistes Indépendants,
april-mai 1897 (kat. 834)
Kristiania, Dioramalokalet, september-
oktober 1897 (kat. 17)
Dresden, Arno Wolfframm, desember 1900
(kat. 45)
Kristiania, Hollændergården, september-?
1901 (kat. 57)
Berlin, 5. Berliner Secession, april-mai 1902
(kat. 184)
Köln, Sonderbund, mai-september 1912
(kat. 526)
Kristiania, Kunstforeningen, februar-? 1913
(kat. 54)
Berlin, Gurlitt, februar 1914 (kat. 69)
Chemnitz, Gerstenberger, juli 1921
(kat. 16)
Berlin, Nationalgalerie, mars-mai 1927
(kat. 62)
Oslo, Nasjonalgalleriet, juni-juli 1927
(kat. 104)
Wien, Kunsthistorisches Museum/Akademie
der Bildenden Künste, 1956-57 (kat. 46)
Wien, Akademie der Bildenden Künste,
1959 (kat. 14)
München, Haus der Kunst, 1964 (kat. 391)
Darmstadt, Kunsthalle, 1976-77 (kat. 130)

Kat. 40
Marie Helene Holmboe, 1898
Olje på lerret
116.5 x 112 cm
Øverst til høyre: E. Munch 1898
Rasmus Meyers Samlinger, Bergen (Ill. side 78)
UTSTILLINGER
Bergen Billedgalleri, «Portretter og
figurbilder i Bergens Billedgalleri og Rasmus
Meyers samlinger», 1956-57 (kat. 194)
Bergen, Rasmus Meyers samlinger, «Edvard
Munch. Festspillutstilling», 1967
Bergen Billedgalleri, «Edvard Munch i
Bergen», 1993 (kat. 20)

Kat. 41
Tulla Larsen, 1898-1899
Olje på tre
46 x 38 cm
Signert nede til høyre: *Edv. Munch*
Rolf E. Stenersens gave til Oslo by, A 70
(Ill. side 104)
UTSTILLINGER
Oslo, Nasjonalgalleriet, 1962 (kat. 86)
Munch-museet, «Rolf E. Stenersens gave til
Oslo by», 1973-74

Kat. 42
Tulla Larsen, 1898-1899
Olje på lerret
119.5 x 61 cm
Munch-museet, M 740
(Ill. side 104)
UTSTILLINGER
Munch-museet, «Edvard Munch og den
tsjekkiske kunst», 1971 (kat. 84)

Kat. 43
Christen Sandberg, 1901
Olje på lerret
214.5 x 147cm
Signert øverst til høyre: *E. Munch*
Munch-museet, M 3
(Ill. side 111)
UTSTILLINGER
Kristiania, Hollændergården, september-?
1901 (kat. 61)
Kristiania, Blomqvist, september-? 1903
(kat. 34)
København, Den Frie Udstilling, september
1904 (kat. 5)
Kristiania, Dioramalokalet, oktober-? 1904
(kat. 48)
Berlin, Cassirer, desember 1904 (kat. 44)
Praha, Manes, februar-mars 1905 (kat. 115)
København, Kunstforeningen, november-?
1908
Helsingfors, Ateneum Taidemuseo, januar
1909 (kat. 21)
Kristiania, Dioramalokalet, mars-april 1910
Kristiania, Dioramalokalet, april-? 1911
(kat. 86)
München, Thannhauser, februar 1912 (kat. 7)
Köln, Sonderbund, mai-september 1912
(kat. 528)
Kristiania, Kunstforeningen, februar-? 1913
(kat. 43)
Stockholm, Konstnärshuset, september
1913 (kat. 8)
Frankfurt, Kunstverein, januar 1914
Berlin, Gurlitt, februar 1914 (kat. 3)
Düsseldorf, Flechtheim, mars-april 1914
(kat. 19)

Berlin, Nationalgalerie, mars-mai 1927
(kat. 69)
Oslo, Nasjonalgalleriet, juni-juli 1927
(kat. 118)
London, Royal Society of British Artists'
Galleries, september-oktober 1928
(kat. 133)
Stockholm, Konstakademien, mars-? 1937
(kat. 21)
Amsterdam, Stedelijk, mai-juni 1937
(kat. 12)
Brüssel, Palais des Beaux-Arts, 1950
(kat. 52)
Zürich, Kunsthaus, 1952 (kat. 25)
Brüssel, Palais des Beaux-Arts, 1952
(kat. 12)
Sao Paulo, Museu de Arte Moderna, 1953
(kat. 5)
New York, Guggenheim, 1965-66 (kat. 33)
Munch-museet, «Edvard Munch og den
tsjekkiske kunst», 1971 (kat. 115)
München/London/Paris, 1973-74 (kat. 37)
Essen/Zürich, 1987 (kat. 62)

Kat. 44
Albert Kollmann, 1901-1902
Olje på lerret
81.5 x 66.5 cm
Signert nede til venstre: *E. Munch*
Kunsthaus Zürich
(Ill. side 113)
UTSTILLINGER
Berlin, Cassirer, januar 1903
København, Den Fri Udstilling, september
1904 (kat. 6)
Kristiania, Dioramalokalet, oktober-? 1904
(kat. 49)
Kristiania, Dioramalokalet, april-? 1911
(kat. 15)
Berlin, Gurlitt, februar 1914 (kat. 21)
Zürich, Kunsthaus, «Ausstellung Edvard
Munch im Zürcher Kunsthaus», juni-august
1922 (kat. 13)
Bern, Kunsthalle, september-? 1922
(kat. 12)
Basel, Kunsthalle, oktober 1922 (kat. 12)
Mannheim, Kunsthalle, november-januar
1926-27 (kat. 72a)
Berlin, Nationalgalerie, mars-mai 1927
(kat. 72)
Oslo, Nasjonalgalleriet, juni-juli 1927
(kat. 121)
Hannover, Kestner-Gesellschaft, oktober
1929
Chemnitz, Kunsthütte, november-desember
1929 (kat. 14)
Leipzig, Kunstverein, desember-januar
1929-30 (kat. 10)

Hamburg, Kunstverein, februar 1930
Bielefeld, Kunsthaus, mars-april 1931
(kat. 2)
Zürich, Kunsthaus, juli-september 1943
(kat. 366)
Zürich, Kunsthaus, 1950 (kat. 30)
Köln/Hamburg/Lübeck, 1951 (kat. 6)
Zürich, Kunsthaus, «Edvard Munch», 1952
(kat. 26)
Winterthur, Kunstmuseum, 1954 (kat. 7)
München/Köln, Haus der Kunst, 1954-55
(kat. 47)
Wien, Akademie der Bildenden Künste,
1959 (kat. 24)
Basel, Kunstmuseum, 1985 (kat. 6)
Essen/Zürich, «Edvard Munch», 1987
(kat. 63)

Kat. 45
Jonas Lie med familie, 1902
Olje på lerret
69.5 x 103 cm
Munch-museet, M 38
(Ill. side 116)
UTSTILLINGER
Berlin, Cassirer, januar 1903
Helsingfors, Ateneum Taidemuseo, januar
1909 (kat. 12)
Bergen, Kunstforeningen, mai-? 1909

Kat. 46
Aase Nørregaard, 1902
Olje på lerret
196 x 105.5 cm
Signert nede til høyre: *E. Munch*
Munch-museet, M 709
(Ill. side 107)
UTSTILLINGER
Kristiania, Blomqvist, september-oktober
1902
Kristiania, Dioramalokalet, oktober-? 1904
(kat. 30)
Praha, Manes, februar-mars 1905 (kat. ?)
Helsingfors, Ateneum Taidemuseo, januar
1909 (kat. 27)
München, Thannhauser, februar 1912 (kat. 8)
Kristiania, Kunstforeningen, februar-? 1913
(kat. 42 eller 59)
Göteborg, Konsthallen, mars-? 1923
(kat. 184)
Oslo, Nasjonalgalleriet, juni-juli 1927
(kat. 287)
Munch-museet, «Edvard Munch og den
tsjekkiske kunst», 1971 (kat. 41)
München/London/Paris, 1973-74 (kat. 43)
Stockholm, Liljevalchs, 1977 (kat. 33) sjekk
Warzawa, Muzeum Narodowe, 1977
(kat. 18)

Munch-museet, «Munch og fotografi»,
1987
Humlebæk, Louisiana, 1988 (kat. 11)
Newcastle, Polytechnic Gallery, 1989
(kat. 19)

Kat. 47
Landgangsbroen. Damene på broen, 1902
Aase Nørregaard
Olje på lerret
184 x 205 cm
Bergen Billedgalleri, Bergen
(Ill. side 106)
UTSTILLINGER
Kristiania, Blomqvist, september-oktober
1902
Köln, Sonderbund, mai-september 1912
(kat. 544)
Berlin, Nationalgalerie, mars-mai 1927 (kat. 77)
Oslo, Nasjonalgalleriet, juni-juli 1927
(kat. 131)
Bergen, Rasmus Meyers samlinger, «Edvard
Munch. Festspillutstilling», 1967
Munch-museet, «Edvard Munch og den
tsjekkiske kunst», 1971 (kat. 45)
Bergen Billedgalleri, «Edvard Munch i
Bergen», 1993 (kat. 33)

Kat. 48
Marta Sandal, 1902
Pastell på lerret
63.5 x 31.5 cm
Signert nede til høyre: *E.M.*
Privat eie, Sveits
(Ill. side 108)
UTSTILLINGER
København, Haghfelt, 1954 (kat. 5)
Basel, Kunstmuseum, 1985 (kat. 12)

Kat. 49
Ingse Vibe, 1903
Olje på lerret
161 x 70 cm
Signert øverst til høyre: *E. Munch*
Munch-museet, M 272
(Adoptert av L. Gill-Johannessen AS)
(Ill. side 110)
UTSTILLINGER
?Kristiania, Dioramalokalet, oktober-?
1904 (kat. 45)
Praha, Manes, februar-mars 1905 (kat. 44)
Weimar, Großherzogliches Museum,
november-? 1906 (kat. 22)
Chemnitz, Kunsthütte, mars-? 1906
Bielefeld, Kunst-Salon Fischer, april 1907
(kat. 27)
München, Thannhauser, februar 1912
(kat. 29)

Kristiania, Kunstforeningen, februar-? 1913
(kat. 52)
Oslo, Nasjonalgalleriet, 1945
Munch-museet, «Edvard Munch og den
tsjekkiske kunst», 1971 (kat. 44)
Munch-museet, «Munch og fotografi»,
1987
Humlebæk, Louisiana, 1988 (kat. 13)
Newcastle, Polytechnic Gallery, 1989
(kat. 23)

Kat. 50
Dr. Lindes fire sønner, 1903
Olje på lerret
144 x 199.5 cm
Signert nede til høyre: *E. Munch*
Museum für Kunst und Kulturgeschichte
der Hansestadt Lübeck
(Ill. side 117)
UTSTILLINGER
Berlin, Cassirer, november 1903
Wien, Die Secession, januar-mars 1904,
(kat. 33)
Weimar, Großherzogliches Museum,
november-? 1906 (kat. 14 el. 26)
Zürich, Kunsthaus, juni-august 1922
(kat. 20)
Bern, Kunsthalle, september-? 1922
Basel, Kunsthalle, oktober 1922
Dresden, Internationale Kunstausstellung,
juni-september 1926 (kat. 240)
Mannheim, Kunsthalle, november-januar
1926-27 (kat. 12)
Berlin, Nationalgalerie, mars-mai 1927
(kat. 76)
Oslo, Nasjonalgalleriet, juni-juli 1927
(kat. 130)
Hannover, Kestner-Gesellschaft, oktober
1929
Chemnitz, Kunsthütte, november-desember
1929 (kat. 17)
Leipzig, Kunstverein, desember-januar
1929-30 (kat. 13)
Frankfurt, Städelschen Institut, juni 1931
(kat. 171)
Amsterdam, Stedelijk, mai-juni 1937
(kat. 15)
Köln/Hamburg/Lübeck, 1951 (kat. 10)
Zürich, Kunsthaus, 1952 (kat. 30)
München/Köln, Haus der Kunst, 1954-55
(kat. 51)
Bern, Kunstmuseum, 1958 (kat. 41)
Lübeck, Museum für Kunst und
Kulturgeschichte der Hansestadt, «Die
Lübecker im Portrait. 1780-1930», 1973
(kat. 203)
Essen/Zürich, 1987 (kat. 65)

Kat. 51
Max Linde, 1904
Olje på lerret
226.5 x 101.5 cm
Signert nede til høyre: *Edv. Munch 1904*
Staatliche Galerie Moritzburg Halle,
Tyskland
(Ill. side 119)
UTSTILLINGER
Berlin, Cassirer, desember 1904
(kat. 39 el. 47)

Kat. 52
Max Linde, 1904
Olje på lerret
133 x 81 cm
Signert nede til høyre: *E. Munch 1904*
Rolf E. Stenersens gave til Oslo by, A 74
(Ill. side 119)
UTSTILLINGER
Berlin, Cassirer, desember 1904
(kat. 39 el. 47)
Berlin, Cassirer, januar 1905
Zürich, Kunsthaus, august-september 1925
(kat. 314)
København, Kunstforeningen, 1946
(kat. 39)
Stockholm, Riksförbundet för bildande
konst, 1946-47 (kat. 36)
Oslo, Kunstnernes Hus, 1948 (kat. 73)
Oslo, Sogn studentby, 1952
Bern, Kunstmuseum, 1958 (kat. 46)
Amsterdam, Stedelijk, 1962 (kat. 94)
Munch-museet, «Rolf E. Stenersens gave til
Oslo by», 1973-74
Bergen, Bergen Billedgalleri, 1974 (kat. 24)

Kat. 53
Marcel Archinard, 1904
Olje på lerret
54 x 56 cm
Signert nede til høyre: *E. Munch*
Munch-museet, M 1000
(Ill. side 115)

Kat. 54
Harry Graf Kessler, 1904
Olje på lerret
86 x 75 cm
Signert øverst til høyre: *E. Munch 1904*
Privat eie
(Ill. side 148)
UTSTILLINGER
København, Den frie Udstilling, september
1904 (kat. 4)
Berlin, Cassirer, desember 1904 (kat. 38)
Kristiania, Dioramalokalet, oktober-? 1904
(kat. 41)

Berlin, Cassirer, januar 1905
Mannheim, Kunsthalle, november-januar
1926-27 (kat. 18)
Berlin, Nationalgalerie, mars-mai 1927
(kat. 85)
Oslo, Nasjonalgalleriet, juni-juli 1927
(kat. 134)
Frankfurt am Main, Steinernes Haus, 1962-
63 (kat. 33)
New York, Guggenheim, 1965-66 (kat. 37)
Schaffhausen, Museum zu Allerheiligen,
1968 (kat. 37)
Stockholm, Nationalmuseum, 1968
(kat. 241)

Kat. 55
Tyskeren, 1904
Hermann Schlittgen
Olje på lerret
200 x 120 cm
Signert nede til høyre: *E. Munch 190 ?*
Munch-museet, M 367
(Ill. side 114)
UTSTILLINGER
København, Den frie Udstilling, september
1904 (kat. 7)
Kristiania, Dioramalokalet, oktober-? 1904
(kat. 36)
Berlin, Cassirer, desember 1904 (kat. 36)
Berlin, Cassirer, januar 1905
Praha, Manes, februar-mars 1905 (kat. 57)
Weimar, Großherzogliches Museum,
november-? 1906 (kat. 11)
Bielefeld, Kunst-Salon Fischer, april 1907
(kat. 12)
Kristiania, Dioramalokalet, mars-april 1910
(kat. 12)
Helsingfors, Ateneum Taidemuseo, februar-
mars 1911
Kristiania, Dioramalokalet, april-? 1911
Wien, Künstlerbund Hagen, januar-februar
1912 (kat. 39)
New York/Buffalo/Toledo/Chicago/Boston,
The American-Scandinavian Society/The
Amercian Art Galleries, desember-?, 1912-
13 (kat. 143)
Stockholm, Konstnärshuset, september
1913 (kat. 9)
Berlin, Gurlitt, februar 1914 (kat. 62)
Dresden, Internationale Kunstausstellung,
juni-september 1926 (kat. 242)
Mannheim, Kunsthalle, november-januar
1926-27 (kat. 8)
Berlin, Nationalgalerie, mars-mai 1927
(kat. 70)
Oslo, Nasjonalgalleriet, juni-juli 1927
(kat. 119)
London, Royal Society of British Artists'

Galleries, september-oktober 1928
(kat. 132)
Stockholm, Konstakademien, mars-? 1937
(kat. 9)
Amsterdam, Stedelijk, mai-juni 1937
(kat. 13)
Brüssel, Palais des Beaux-Arts, 1952
(kat. 11)
Zürich, Kunsthaus, 1952 (kat. 24)
Wien, Akademie der Bildenden Künste,
1959 (kat. 25)
Munch-museet, «Edvard Munch og den
tsjekkiske kunst», 1971 (kat. 57)
München/London/Paris, 1973-74 (kat. 45)
Stockholm, Liljevalchs, 1977 (kat. 34)
Warzawa, Muzeum Narodowe, 1977
(kat. 17)

Kat. 56
Albert Kollmann og Sten Drewsen, 1904-
1906
Olje på lerret
59 x 73.5 cm
Signert øverst til høyre: *E. Munch*
Hamburger Kunsthalle, Hamburg
(Ill. side 112)
UTSTILLINGER
Berlin, Gurlitt, februar 1914 (kat. 20)
Zürich, Kunsthaus, juni-august 1922
(kat. 14)
Bern, Kunsthalle, september-? 1922
Basel, Kunsthalle, oktober 1922
Berlin, Nationalgalerie, mars-mai 1927
(kat. 73)
Oslo, Nasjonalgalleriet, juni-juli 1927
(kat. 122)
Chemnitz, Kunsthütte, november-desember
(kat. 15)
Leipzig, Kunstverein, desember-januar
1929-30 (kat. 11)
Bielefeld, Kunsthaus, mars-april 1931 (kat. 3)
Köln/Hamburg/Lübeck, 1951 (kat. 7)
München/Köln, Haus der Kunst, 1954-55
(kat. 46)
Bern, Kunstmuseum, 1958 (kat. 37)

Kat. 57
Henrik Lund, 1905
Olje på lerret
67 x 57 cm
Munch-museet, M 617
(Ill. side 137)
UTSTILLINGER
Trondheim, Kunstforeningen, 1975 (kat. 2)
Munch-museet, «Munch og fotografi»,
1987
Humlebæk, Louisiana, 1988 (kat. 20)

Newcastle, Polytechnic Gallery, 1989
(kat. 28)

Kat. 58
Ellen Warburg, 1905
Olje på lerret
180 x 100 cm
Signert nede til høyre: *E. Munch 05*
Kunsthaus Zürich, Schenkung Alfred
Rütschi
(Ill. side 139)
UTSTILLINGER
Berlin, Cassirer, januar-februar 1907
(kat. 80)
Chemnitz, Gerstenberger, juli 1921 (kat. 2)
Zürich, Kunsthaus, «Ausstellung Edvard
Munch im Zürcher Kunsthaus», juni-august
1922 (kat. 24)
Zürich, Kunsthaus, «Edvard Munch. Paul
Gauguin», februar-mars 1932 (kat. 4)
Köln/Hamburg/Lübeck, 1951 (kat. 17)
Zürich, Kunsthaus, «Edvard Munch», 1952
(kat. 34)
Winterthur, Kunstmuseum, 1954 (kat. 12)
München/Köln, Haus der Kunst, 1954-55
(kat. 66)
Bern, Kunstmuseum, 1958 (kat. 48)
Lausanne, Palais de Beaulieu, 1964
(kat. 201)
Basel, Kunstmuseum, 1985 (kat. 13)
Essen/Zürich, 1987 (kat. 66)

Kat. 59
Erdmute og Hans Herbert Esche, 1905
Olje på lerret
147 x 153 cm
Signert nede til høyre: *E. Munch 1905*
Privat eie, Sveits
(Ill. side 141)
UTSTILLINGER
Berlin, Secession, april-september 1906
(kat. 195)
Köln, Sonderbund, mai-september 1912
(kat. 535)
Berlin, Gurlitt, februar 1914 (kat. 70)
Berlin, Cassirer, april-? 1921 (kat. 1)
Dresden, Galerie Arnold, mai-juni 1921
Chemnitz, Gerstenberger, juli 1921 (kat. 1)
Chemnitz, Kunsthütte, november-desember
1929 (kat. 24)
Leipzig, Kunstverein, desember-januar
1929-30 (kat. 20)
Hamburg, Kunstverein, februar 1930
Zürich, Kunsthaus, februar-mars 1932
(kat. 8)
Zürich, Kunsthaus, juli-september 1943
(kat. 357)
Zürich, Kunsthaus, 1952 (kat. 36)

München/Köln, Haus der Kunst, 1954-55
(kat. 63)
Essen/Zürich, 1987 (kat. 69)

Kat. 60
Erdmute Esche, 1905
Olje på lerret
76 x 68 cm
Signert øverst til venstre: *E. Munch*
Privat eie, Sveits
(Ill. side 143)
UTSTILLINGER
Zürich, Kunsthaus, februar-mars 1932
(kat. 7)
Zürich, Kunsthaus, juli-september 1943
(kat. 358)
Zürich, Kunsthaus, 1952 (kat. 35)
Köln/Hamburg/Lübeck, 1951 (kat. 18)
München/Köln, Haus der Kunst, 1954-55
(kat. 64)
Bern, Kunstmuseum, 1958 (kat. 49)
Wien, Akademie der Bildenden Künste,
1959 (kat. 34)
Frankfurt am Main, Steinernes Haus,
1963-63 (kat. 36)
Schaffhausen, Museum zu Allerheiligen,
1968 (kat. 40)
Basel, Kunstmuseum, 1985 (kat. 14)

Kat. 61
Hans Herbert Esche med barnepike, 1905
Olje på lerret
73 x 57 cm
Signert øverst til venstre: *E. Munch*
Privat eie
(Ill. side 143)

Kat. 62
Hanni Esche, 1905
Olje på lerret
81 x 70 cm
Signert øverst til høyre: *E. Munch 1905*
Privat eie. Deponert i Bayerische Staats-
gemäldesammlungen, Neue Pinakothek,
München
(Ill. side 142)
UTSTILLINGER
Berlin, Secession, april-september 1906
(kat. 194)
Berlin, Gurlitt, februar 1914 (kat. 58)
Mannheim, Kunsthalle, november-januar
1926-27 (kat. 22)
Berlin, Nationalgalerie, mars-mai 1927
(kat. 92)
Oslo, Nasjonalgalleriet, juni-juli 1927
(kat. 142)
Chemnitz, Kunsthütte, november-desember
1929 (kat. 18)

Leipzig, Kunstverein, desember-januar
1929-30 (kat. 19)
Hamburg, Kunstverein, februar 1930
Zürich, Kunsthaus, februar-mars 1932
(kat. 9)
Zürich, Kunsthaus, juli-september 1943
(kat. 360)
München/Köln, Haus der Kunst, 1954-55
(kat. 62)

Kat. 63
Herbert Esche, 1905
Olje på lerret
70 x 55 cm
Signert øverst til høyre: *E.M.*
Privat eie, Sveits
(Ill. side 140)
UTSTILLINGER
Zürich, Kunsthaus, februar-mars 1932
(kat. 10)
Zürich, Kunsthaus, juli-september 1943
(kat. 362)
Zürich, Kunsthaus, 1952 (kat. 37)
Essen/Zürich, 1987 (kat. 68)

Kat. 64
Albert Kollmann, 1906?
Olje på preparert lerret
72 x 80 cm
Munch-museet, M 595
(Ill. side 115)
UTSTILLINGER
Stockholm, Liljevalchs, 1947 (kat. 39)
Göteborg, Konstmuseum, 1947 (kat. 36)

Kat. 65
Friedrich Nietzsche, 1906
Fargekritt og kull på papp
71 x 91 cm
Munch-museet, M 254
(Ill. side 144)
UTSTILLINGER
?Kristiania, Dioramalokalet, mars-april
1910 (kat. 73)
?Kristiania, Blomqvist, oktober 1919
(kat. 35)
München, Stadtmuseum, 1970 (kat. 928)
Zürich, Kunsthaus, 1977
Berlin, Nationalgalerie, 1978 (kat. 15)
Milano, Palazzo Reale, 1985-86 (kat. 52)
Roma, Palazzo Braschi, 1986
Munch-museet, «Munch og fotografi»,
1987
Humlebæk, Louisiana, 1988 (kat. 62)
Newcastle, Polytechnic Gallery, 1989
(kat. 33)

Kat. 66
Friedrich Nietzsche, 1906
Olje på lerret
200 x 130 cm
Munch-museet, M 724
(Ill. side 145)
UTSTILLINGER
Berlin, Cassirer, januar-februar 1907
(kat. 75)
?Kristiania, Dioramalokalet, mars-april
1910 (kat. 73)
?Kristiania, Blomqvist, oktober 1919
(kat. 35)
München, Stadtmuseum, 1970 (kat. 925)
Århus, Aarhus kunstmuseum, 1975
(kat. 165)
Malmö, Konsthallen, 1975 (kat. 25)
Humlebæk, Louisiana, 1976 (kat. 29)
Zürich, Kunsthaus, 1977
Berlin, Nationalgalerie, 1978 (kat. 16)
Stockholm, Moderna Museet, 1984
Munch-museet, «Munch og fotografi»,
1987
Humlebæk, Louisiana, 1988 (kat. 24)

Kat. 67
Elisabeth Förster-Nietzsche, 1906
Olje på preparert lerret
164.5 x 100 cm
Signert øverst til venstre: *Edv. Munch 1905*
Munch-museet, M 378
(Ill. side 147)
UTSTILLINGER
Zürich, Kunsthaus, juni-august 1922
(kat. 29)
Bern, Kunsthalle, september-? 1922
(kat. 35)
Basel, Kunsthalle, oktober 1922 (kat. 35)
Göteborg, Konsthallen, mars-? 1923
(kat. 183)
Mannheim, Kunsthalle, november-januar
1926-27 (kat. 30)
Berlin, Nationalgalerie, mars-mai 1927
(kat. 100)
Oslo, Nasjonalgalleriet, juli-juni 1927
(kat. 150)
Amsterdam, Stedelijk, mai-juni 1937
(kat. 17)
München, Stadtmuseum, 1970 (kat. 933)
München/London/Paris, 1973-74 (kat. 49)
Zürich, Kunsthaus, 1977
Munch-museet, «Munch og fotografi»,
1987
Humlebæk, Louisiana, 1988 (kat. 31)
Newcastle, Polytechnic Gallery, 1989
(kat. 35)

Kat. 68
Harry Graf Kessler, 1906
Olje på lerret
200 x 84 cm
Signert øverst til venstre: *Harry Graf
Kessler Weimar 9-11 juli 1906 Edvard
Munch*
Staatliche Museen zu Berlin
(Ill. side 149)
UTSTILLINGER
Hamburg, Commeter, mars-? 1906
Berlin, Cassirer, januar-februar 1907
(kat. 96)
Mannheim, Kunsthalle, november-januar
1926-27 (kat. 31)
Berlin, Nationalgalerie, mai-juni 1927
(kat. 99)
Oslo, Nasjonalgalleriet, juni-juli 1927
(kat. 149)
Chemnitz, Kunsthütte, november-desember
1929 (kat. 27)
Leipzig, Kunstverein, desember-januar
1929-30 (kat. 22)
Hamburg, Kunstverein, februar 1930
Köln/Hamburg/Lübeck, 1951 (kat. 20)
München/Köln, Haus der Kunst, 1954-55
(kat. 67)
Wien, Akademie der Bildenden Künste,
1959 (kat. 39)
Schaffhausen, Museum zu Allerheiligen,
1959 (kat. 125)
Berlin, Nationalgalerie, «Triumph der
Farbe», 1960 (kat. 125)
Darmstadt, Kunsthalle, 1976-77 (kat. 132)
Berlin, Nationalgalerie, «Edvard Munch.
Der Lebensfries», 1978 (kat. 12)
Essen/Zürich, 1987 (kat. 71)

Kat. 69
Harry Graf Kessler, 1906
Olje på lerret
122.5 x 77 cm
Rolf Stenersens gave til Oslo by, A 219
(Ill. side 149)
UTSTILLINGER
Munch-museet, «Rolf E. Stenersens gave til
Oslo by», 1973-74

Kat. 70
Walter Rathenau, 1907
Olje på lerret
200 x 105 cm
Signert øverst til høyre: *E. Munch Febr
1907*
Märkisches Museum, Berlin
(Ill. side 151)
UTSTILLINGER
Berlin, Gurlitt, februar 1914 (kat. 52)

Berlin, Akademie der Künste, mai 1923
Berlin, Nationalgalerie, mars-mai 1927
(kat. 111)
Essen, Kunst und Technik, juni-? 1928
Chemnitz, Kunsthütte, november-desember
1929 (kat. 31)
Leipzig, Kunstverein, desember-januar
1929-30 (kat. 26)
Hamburg, Kunstverein, februar 1930

Kat. 71
Walter Rathenau, 1907
Olje på lerret
220 x 110 cm
Signert nede til venstre: *E. Munch*
Rasmus Meyers Samlinger, Bergen
(Ill. side 150)
UTSTILLINGER
Berlin, Cassirer, september-oktober 1907
(kat. 109)
Berlin, Secession, april 1908 (kat. 183)
Kristiania, Blomqvist, mars-? 1909
Bergen, Kunstforeningen, april-? 1909
Oslo, Nasjonalgalleriet, juni-juli 1927
(kat. 163)
Amsterdam, Stedelijk, mai-juni 1937
(kat. 21)
Stockholm, Konstakademien, mars-? 1937
(kat. 65)
Haag, Gemeentemuseum, 1949-50 (kat. 64)
Chicago/St. Louis/Colorado
Springs/Detroit/Boston/Los
Angeles/Minneapolis/New
York/Washington/San Francisco, 1950
(kat. 41)
Brighton/Glasgow/London, 1951 (kat. 40)
Haag, Gemeentemuseum, 1951-51 (kat. 41)
Paris, Petit Palais, 1952 (kat. 38)
München/Köln, Haus der Kunst, 1954-55
(kat. 69)
København, Kunstforeningen, 1955
(kat. 44)
Odense, Fyns Stiftsmuseum, 1955 (kat. 44)
Bergen Billedgalleri, «Portretter og
figurbilder i Bergens Billedgalleri og Rasmus
Meyers samlinger», 1956-57 (kat. 195)
Amsterdam, Stedelijk, 1957 (kat. 86)
Bergen Billedgalleri/Rasmus Meyers
samlinger, «Edvard Munch», 1959 (kat. 29)
Bergen Billedgalleri/Rasmus Meyers
samlinger, «Edvard Munch», 1962 (kat. 29)
New York, Guggenheim, 1965-66 (kat. 45)
Bergen, Rasmus Meyers samlinger, «Edvard
Munch. Festspillutstilling», 1967
Essen/Zürich, 1987 (kat. 72)
Bergen Billedgalleri, «Edvard Munch i
Bergen», 1993 (kat. 25)

Kat. 72
Henrik Ibsen på Grand Café, ant. 1908
Olje på lerret
135.5 x 180.5 cm
Munch-museet, M 717
(Ill. side 183)
UTSTILLINGER
Kristiania, Dioramalokalet, mars-april 1910
(kat. 56)
Kristiania, Blomqvist, oktober-? 1915
(kat. 28)
Bergen, Kunstforeningen, februar 1916
(kat. 22)
Bern, Kunstmuseum, 1958 (kat. 40)
Wien, Akademie der Bildenden Künste,
1959 (kat. 27)
Rotterdam, Museum Boymans van
Beuningen, 1958-59 (kat. 15)
Zürich, Kunsthaus, 1976 (kat. 3)
Grimstad, Reimanngården, 1976 (kat. 1)
Berlin, Nationalgalerie, 1978 (kat. 17)
Munch-museet, «Munch og fotografi»,
1987
Humlebæk, Louisiana, 1988 (kat. 25)
Munch-museet, «Edvard Munch og Henrik
Ibsen», 1992 (kat. 17)

Kat. 73
Bjørnstjerne Bjørnson, ant. 1908
Olje på lerret
145 x 226 cm
Munch-museet, M 716
(Ill. side 182)

Kat. 74
Jonas Lie med familie, ant. 1908
Fargekritt og kull på lerret
140 x 219 cm
Signert nede til venstre: *E. Munch*
Munch-museet, M 711
(Ill. side 182)
UTSTILLINGER
Helsingfors, Amos Andersons
konstmuseum, 1979 (kat. 11)

Kat. 75
Geniene. Ibsen, Nietzsche og Sokrates m. fl.,
ant. 1908
Olje på lerret
134 x 175 cm
Munch-museet, M 917
(Ill. side 183)
UTSTILLINGER
Munch-museet, «Edvard Munch og Henrik
Ibsen», 1992 (kat. 10)

Kat. 76
Helge Rode, 1908
Olje på lerret
48.5 x 41 cm
Signert nede til høyre: *E. Munch 1908*
Munch-museet, M 111
(Ill. side 173)
UTSTILLINGER
Chemnitz, Kunsthütte, november-desember
1929 (kat. 35)
Leipzig, Kunstverein, desember-januar
1929-30 (kat. 30)
København, Raadhushallen, 1946 (kat. 45)
Stockholm, Liljevalchs, 1947 (kat. 65)
Göteborg, Konstmuseum, 1947 (kat. 65)
Munch-museet, «Munch og fotografi», 1987
Humlebæk, Louisiana, 1988 (kat. 34)
Newcastle, Polytechnic Gallery, 1989
(kat. 39)

Kat. 77
Gustav Schiefler, 1908
Olje på lerret
135 x 119.5 cm
Ateneum Taidemuseo, Helsinki
(Ill. side 153)
UTSTILLINGER
Helsingfors, Ateneum Taidemuseo, januar
1909 (kat. 11)
Frankfurt am Main, Steinernes Haus,
1962-63 (kat. 37)
Helsingfors, Amos Andersons
konstmuseum, 1979 (kat. 17)
Essen/Zürich, 1987 (kat. 73)

Kat. 78
Gustav Schiefler, 1908
Olje på lerret
86 x 80 cm
Signert øverst til høyre: *Edv. Munch
Warnemünde 1905* (sic)
Privat eie, USA
(Ill. side 152)
UTSTILLINGER
Berlin, Gurlitt, februar 1914 (kat. 2)
Hannover, Kestner-Gesellschaft, oktober
1929
Chemnitz, Kunsthütte, november-desember
1929 (kat. 26)
Leipzig, Kunstverein, desember-januar
1929-30 (kat. 21)
Hamburg, Kunstverein, februar 1930
Schaffhausen, Museum zu Allerheiligen,
1968 (kat. 62)
Houston/New Orleans/San Antonio,
1976-77 (kat. 65)
West Palm Beach, The Norton Gallery of
Art, 1986 (kat. 44)

Kat. 79
Daniel Jacobson, 1908
Olje på lerret
128.5 x 73.5 cm
Signert øverst til høyre: *E. Munch 1908,
København*
Statens Museum for Kunst, København
(Ill. side 170)
UTSTILLINGER
Wien, Secession, mars-april 1931 (kat. 68)
København, Kunstforeningen, 1955
(kat. 46)
Odense, Fyns Stiftsmuseum, 1955 (kat. 46)
Schaffhausen, Museum zu Allerheiligen,
1968 (kat. 65)
Oslo, Kunstnerforbundet, 1968 (kat. 17)

Kat. 80
Daniel Jacobson, 1908
Olje på lerret
55.5 x 43.5 cm
Munch-museet, M 230
(Ill. side 170)
UTSTILLINGER
?Kristiania, Tivoli Festivitetslokale, mai-juni
1914 (kat. 33)
København, Raadhushallen 1946
Stockholm, Liljevalchs, 1947 (kat. 66)
Göteborg, Konstmuseum, 1947 (kat. 66)
Munch-museet, «Munch og fotografi»,
1987
Humlebæk, Louisiana, 1988 (kat. 36)
Newcastle, Polytechnic Gallery, 1989
(kat. 43)

Kat. 81
Daniel Jacobson, 1908-1909
Olje på lerret
204 x 111.5 cm
Signert øverst til venstre: *Edv. Munch
København 1909*
Munch-museet, M 359A
(Ill. side 171)
UTSTILLINGER
Kristiania, Blomqvist, mars-? 1909
Bergen, Kunstforeningen, april-? 1909
København, Charlottenberg, november
1909
Kristiania, Dioramalokalet, mars-april 1910
(kat. 39)
Helsingfors, Ateneum Taidemuseo, februar-
mars 1911 (kat. 95)
München, Thannhauser, februar 1912
(kat. 5)
Köln, Sonderbund, mai-september 1912
(kat. 549)
Kristiania, Kunstforeningen, februar-? 1913
(kat. 47)

Stockholm, Konstnärshuset, september
1913 (kat. 5)
Berlin, Gurlitt, februar 1914 (kat. 42)
København, Charlottenborg, november-
desember 1915 (kat. 275)
Bergen, Kunstforeningen, februar 1916
(kat. 52)
Zürich, Kunsthaus, juni-august 1922
(kat. 35)
Bern, Kunsthalle, september-? 1922
Basel, Kunsthalle, oktober 1922
Göteborg, Konsthallen, mars-? 1923
(kat. 173)
Pittsburg, Carnegie Institute, oktober-
desember 1926 (kat. 181)
Oslo, Nasjonalgalleriet, juni-juli 1927
(kat. 186)
København, Raadhushallen, 1946 (kat. 44)
Stockholm,Liljevalchs, 1947 (kat. 67)
Göteborg, Konstmuseum, 1947 (kat. 67)
Chicago/St. Louis/Colorado
Springs/Detroit/Boston/Los
Angeles/Minneapolis/New
York/Washington/San Francisco, 1950
(kat. 46)
Brighton/Glasgow/London, 1951 (kat. 45)
Haag, Gemeentemuseum, 1951-52 (kat. 46)
Paris, Petit Palais, 1952 (kat. 43)
Venezia, Biennalen, 1954 (kat. 29)
Roma, Palazzo delle Esposizioni, 1955
(kat. 4077)
Bern, Kunstmuseum, 1958 (kat. 63)
Rotterdam, Museum Boymans van
Beuningen, 1958-59 (kat. 21)
Wien, Akademie der Bildenden Künste,
1959 (kat. 46)
New York, Guggenheim, 1965-66 (kat. 50)
Stockholm, Nationalmuseum, 1968
(kat. 243)
München/London/Paris, 1973-74 (kat. 61)
Århus, Aarhus kunstmuseum, 1975
(kat. 177)
Humlebæk, Louisiana, 1976 (kat. 35)
Stockholm, Liljevalchs, 1977 (kat. 275)
Warzawa, Muzeum Narodowe, 1977
(kat. 26)
Helsingfors, Amos Andersons
konstmuseum, 1979 (kat. 30)
Munch-museet, «Munch og fotografi»,
1987
Humlebæk, Louisiana, 1988 (kat. 35)
Newcastle, Polytechnic Gallery, 1989
(kat. 42)

Kat. 82
Jappe Nilssen, 1909
Olje på lerret
193.5 x 94.5 cm
Signert nede til venstre: E. *Munch* og øverst
til høyre: E. *Munch 1908* (sic)
Munch-museet, M 8
(Adoptert av EB Corporation)
(Ill. side 175)
UTSTILLINGER
Kristiania, Dioramalokalet, mars-april 1910
(kat. 32)
Kristiania, Dioramalokalet, april-? 1911
(kat. 78)
München, Thannhauser, februar 1912
(kat. 6)
Köln, Sonderbund, mai-september 1912
(kat. 550)
Kristiania, Kunstforeningen, februar-? 1913
(kat. 44)
Stockholm, Konstnärshuset, september-?
1913 (kat. 7)
Berlin, Gurlitt, februar 1914 (kat. 10)
Frankfurt, Kunstverein, januar-? 1914
?San Francisco, Panama-Pacific
International Exposition, februar-desember
1915 (kat. 81) eller:
?København, Charlottenborg, november-
desember 1915 (kat. 281)
Bergen, Kunstforeningen, februar-1916
(kat. 50)
Stockholm, Liljevalchs, mars-april 1917
(kat. 149)
Göteborg, Konsthallen, mars-? 1923
(kat. 175)
Berlin, Nationalgalerie, mars-mai 1927
(kat. 131)
Oslo, Nasjonalgalleriet, juni-juli 1927
(kat. 187)
Amsterdam, Stedelijk, mai-juni 1937
(kat. 23)
Stockholm, Konstakademien, mars-? 1937
(kat. 23)
Stockholm, Liljevalchs, 1947 (kat. 69)
Göteborg, Konstmuseum, 1947 (kat. 68)
Malmö, Konsthallen, 1975 (kat. 32)
London, National Portrait Gallery, 1978
(kat. 47)
Essen/Zürich, 1987 (kat. 79)

Kat. 83
Jappe Nilssen sittende, 1909
Olje på preparert lerret
94 x 103 cm
Signert nede til høyre: E. *Munch*
Munch-museet, M 440
(Ill. side 174)
UTSTILLINGER

Kristiania, Dioramalokalet, mars-april 1910
(kat. 34b)
Kristiania, Dioramalokalet, april-? 1911
(kat. 78)
München, Thannhauser, februar 1912
(kat. 10)
Kristiania, Kunstforeningen, februar-? 1913
(kat. 56)
Stockholm, Konstnärshuset, september
1913 (kat. 15)
Berlin, Gurlitt, februar 1914 (kat. 40)
?San Francisco, Panama-Pacific
International Exposition, februar-desember
1915 (kat. 81) eller:
?København, Charlottenborg, november-
desember 1915 (kat. 281)
Stockholm, Liljevalchs, mars-april 1917
(kat. 149)
Munch-museet, «Munch og fotografi»,
1987

Kat. 84
Ludvig Ravensberg, 1909
Olje på lerret
174 x 77 cm
Signert oppe til høyre: E. *Munch 1908*
Munch-museet, M 355
(Ill. side 177)
UTSTILLINGER
Kristiania, Dioramalokalet, mars-april 1910
(kat. 7)
Kristiania, Dioramalokalet, april-? 1911
(kat. 88)
Kristiania, Kunstforeningen, februar-? 1913
(kat. 51)
Oslo, Nasjonalgalleriet, 1945
Munch-museet, «Munch og fotografi»,
1987

Kat. 85
Jens Thiis, 1909
Olje på lerret
203 x 102 cm
Signert øverst til venstre: E. *Munch 1909*
Munch-museet, M 390
(Ill. side 181)
UTSTILLINGER
Berlin, Cassirer, september-oktober 1907
(kat. 103)
Århus, Aarhus kunstmuseum, 1975
(kat. 168)
Humlebæk, Louisiana, 1976 (kat. 36)

Kat. 86
Christian Gierløff, 1909
Olje på lerret
207 x 100.5 cm
Göteborgs Konstmuseum
(Ill. side 176)
UTSTILLINGER
Kristiania, Dioramalokalet, mars-april 1910
(kat. 29)
Helsingfors, Ateneum Taidemuseo, februar-
mars 1911 (kat. 94)
Kristiania, Dioramalokalet, april-? 1911
Hagen, Museum Folkwang, våren 1912
(kat. 161)
Wien, Künstlerbund Hagen, januar-februar
1912 (kat. 179)
Köln, Sonderbund, mai-september 1912
(kat. 545)
Kristiania, Kunstnerforbundet, mars-april
1912
Kristiania, Kunstforeningen, februar-? 1913
(kat. 46)
Stockholm, Konstnärshuset, september
1913 (kat. 4)
Oslo, Nasjonalgalleriet, juni-juli 1927
(kat. 188)
Stockholm, Nationalmuseum, 1944
(kat. 24)
Gøteborg, Konstmuseum, «Edvard Munch.
Minnesutställning», 1944 (kat. 24)

Kat. 87
Torvald Stang, 1909
Olje på lerret
200 x 96.5 cm
Signert øverst til høyre: *E. Munch 1909*
Munch-museet, M 359
(Ill. side 178)
UTSTILLINGER
Kristiania, Dioramalokalet, mars-april 1910
(kat. 27)
München, Thannhauser, februar 1912
(kat. 9)
Köln, Sonderbund, mai-september 1912
(kat. 547)
Kristiania, Kunstforeningen, februar-? 1913
(kat. 48)
Stockholm, Konstnärshuset, september
1913 (kat. 3)
København, Charlottenborg, november-
desember 1915 (kat. 273)
Bergen, Kunstforeningen, februar 1916
(kat. 49)
Berlin, Nationalgalerie, mars-mai 1927
(kat. 130)
Stockholm, Liljevalchs, 1947 (kat. 70)
Göteborg, Konstmuseum, 1947 (kat. 69)
Chicago/St. Louis/Colorado Springs/

Detroit/Boston/Los Angeles/
Minneapolis/New York/Washington/
San Francisco, 1950
(kat. 47)
Brighton/Glasgow/London, 1951 (kat. 46)
Haag, Gemeentemuseum, 1951-52 (kat. 47)
Paris, Petit Palais, 1952 (kat. 44)
Venezia, Biennalen, 1954 (kat. 30)
München/Köln, Haus der Kunst, 1954-55
(kat. 75)
København, Kunstforeningen, 1955
(kat. 48)
Odense, Fyns Stiftsmuseum, 1955 (kat. 48)
New York, Guggenheim, 1965-66 (kat. 51)
München/London/Paris, 1973-74 (kat. 60)
Essen/Zürich, 1987 (kat. 80)

Kat. 88
Torvald Stang og Edvard Munch, 1910-11
Olje på lerret
100 x 125 cm
Signert nede til venstre: *E. Munch*
Munch-museet, M 139
(Ill. side 179)
UTSTILLINGER
Kristiania, Dioramalokalet, april-? 1911
(kat. 82)
Stockholm, Konstnärshuset, september
1913 (kat. 38)
Berlin, Gurlitt, februar 1914 (kat. 6)
København, Raadhushallen, 1946 (kat. 68)
Stockholm, Liljevalchs, 1947 (kat. 83)
Göteborg, Konstmuseum, 1947 (kat. 82)
Munch-museet, «Edvard Munch.
Selvportretter», 1963-64 (kat. 358)

Kat. 89
Ida Dorothea Roede, 1910
Olje på lerret
248 x 90 cm
Signert nede til høyre: *Munch*
Lillehammer Bys Malerisamling
(Ill. side 180)
UTSTILLINGER
Oslo, Kunstnernes Hus, 1958-59 (kat. 57)
Schaffhausen, Museum zu Allerheiligen,
1968 (kat. 67)
Munch-museet, «Munch og fotografi»,
1987

Kat. 90
Christian og Hjørdis Gierløff, 1913
Olje på lerret
155.5 x 174.5 cm
Signert øverst til høyre: *Edv. Munch*
Munch-museet, M 5
(Ill. side 197)
UTSTILLINGER

Kristiania, Blomqvist, oktober-? 1915
(kat. 3)
Bergen, Kunstforeningen, februar 1916
(kat. 3)
Stockholm, Liljevalchs, mars-april 1917
(kat. 153)
København, Georg Kleis, november-? 1917
(kat. 15)
Göteborg, Valand, april-? 1918
Göteborg, Konsthallen, mars-? 1923
(kat. 180)
Oslo, Nasjonalgalleriet, juni-juli 1927
(kat. 189)
Trondheim, Kunstforeningen, mai-oktober
1930
Amsterdam, Stedelijk, mai-juni, 1937
(kat. 24)
Köln, Wallraf-Richartz-Museum, 1962
(kat. G 141)

Kat. 91
Käte Perls, 1913
Olje på lerret
116 x 132 cm
Signert øverst til høyre: *E. Munch*
Munch-museet, M 279
(Ill. side 204)
UTSTILLINGER
Kristiania, Blomqvist, oktober-? 1915
(kat. 35/36)
Bergen, Kunstforeningen, februar 1916
(kat. 29/30)
Stockholm, Liljevalchs, mars-april 1917
(kat. 152)
København, Kleis, november-? 1917
(kat. 10)
Moss, Galleri F 15, 1974 (kat. 24)

Kat. 92
Käte Perls, 1913
Olje på lerret
120.5 x 116 cm
Signert øverst til høyre: *E. Munch*
Öffentliche Kunstsammlung Basel
(Ill. side 205)
UTSTILLINGER
Köln/Hamburg/Lübeck, 1951 (kat. 28)
Zürich, Kunsthaus, 1952 (kat. 54)
München/Köln, Haus der Kunst, 1954-55
(kat. 83)
Schaffhausen, Museum zu Allerheiligen,
1968 (kat. 74)
Basel, Kunstmuseum, «Edvard Munch. Sein
Werk in Schweizer Sammlungen», 1985
(kat. 21)

Kat. 93
Käte og Hugo Perls, 1913
Olje på lerret
68 x 90 cm
Signert øverst til høyre: *E. Munch*
Munch-museet, M 259
(Ill. side 202)
UTSTILLINGER
Stockholm, Konstnärshuset, september
1913 (kat. 38)
Kristiania, Blomqvist, oktober-? 1915
(kat. 37)
Bergen, Kunstforeningen, februar 1916
(kat. 31)
Zürich, Kunsthaus, 1922 (kat. 43)
Stockholm, Liljevalchs, 1947 (kat. 110)
Göteborg, Konstmuseum, 1947 (kat. 111)
Frankfurt am Main, Steinernes Haus,
1962-63 (kat. 47)
Moss, Galleri F15, 1974 (kat. 25)

Kat. 94
Käte og Hugo Perls, 1913
Olje på lerret
68 x 89.5 cm
Signert øverst til høyre: *E. Munch*
Galleri Bellman, Oslo
(Ill. side 203)
UTSTILLINGER
Kristiania, Blomqvist, oktober-? 1915
(kat. 37)
Bergen, Kunstforeningen, februar 1916
(kat. 31)
Hamburg, Commeter, juni-juli 1921 (kat. 6)
Frankfurt am Main, Steinernes Haus,
1962-63 (kat. 47)
München, Thannhauser, februar 1912
Oslo, Galleri Bellman, 1982 (kat. 10)
Stockholm, Galleri Bellman, 1984 (kat. 68)

Kat. 95
Elsa Glaser, 1913
Olje på lerret
120 x 85 cm
Munch-museet, M 556
(Ill. side 201)
UTSTILLINGER
Berlin, Gurlitt, februar 1914 (kat. 28)
Moss, Galleri F 15, 1974 (kat. 27)

Kat. 96
Elsa Glaser, 1913
Olje på lerret
120 x 85 cm
Signert øverst til høyre: *E. Munch 1913* og
nede til venstre: *E Munch*
Kunsthaus Zürich
(Ill. side 200)

UTSTILLINGER
Düsseldorf, Galerie Flechtheim, mars-april
1914 (kat. 5)
Zürich, Kunsthaus, «Ausstellung Edvard
Munch im Zürcher Kunsthaus», juni-august
1922 (kat. 45)
Bern, Kunsthalle, september-? 1922
(kat. 40)
Basel, Kunsthalle, oktober 1922 (kat. 38)
Berlin, Akademie der Künste, mai 1923
Mannheim, Kunsthalle, november-januar
1926-27 (kat. 43)
Berlin, Nationalgalerie, mars-mai 1927
(kat. 155)
Oslo, Nasjonalgalleriet, juni-juli 1927 (kat.
204)
Hannover, Kestner-Gesellschaft, oktober
1929
Chemnitz, Kunsthütte, november-desember
1929 (kat. 42)
Leipzig, Kunstverein, desember-januar
1929-30 (kat. 37)
Bielefeld, Kunsthaus, mars-april 1931
(kat. 8)
Zürich, Kunsthaus, «Edvard Munch», 1952
(kat. 55)
Torino, Palazzo Madama, 1954 (kat. 18)
Winterthur, Kunstmuseum, 1954 (kat. 16)
München/Köln, Haus der Kunst, 1954-55
(kat. 82)
München, Städtische Galerie im Lebenhaus,
1962 (kat. 68)
Basel, Kunstmuseum, 1985 (kat. 19)

Kat. 97
Irmgard Steinbart, 1913
Olje på lerret
183 x 91 cm
Munch-museet, M 415
(Ill. side 207)
UTSTILLINGER
Kristiania, Blomqvist, februar 1918 (kat. 8)
Berlin, Nationalgalerie, mars-mai 1927
(kat. 166)
Oslo, Nasjonalgalleriet, juni-juli 1927
(kat. 213)

Kat. 98
Leopold Wondt, 1916
Olje på lerret
177 x 109 cm
Munch-museet, M 702
(Ill. side 212)
UTSTILLINGER
København, Raadhushallen, 1946 (kat. 64)

Kat. 99
Kai Møller, ant. 1916
Olje på preparert lerret
129 x 109.5cm
Munch-museet, M 432
(Ill. side 213)

Kat. 100
Kai Møller, ant. 1916
Olje på lerret
133 x 113 cm
Signert øverst til høyre: *E. Munch 1916*(?)
Felleskjøpet Østlandet, Oslo
(Ill. side 213)
UTSTILLINGER
Kristiania, Blomqvist, oktober 1919
(kat. 33)

Kat. 101
Hieronymus Heyerdahl, 1917
Olje på lerret
200 x 110 cm
Munch-museet, M 71
(Ill. side 211)
UTSTILLINGER
Kristiania, Blomqvist, februar 1918
(kat. 14, 15 el. 16)
Göteborg, Valand, april-? 1918

Kat. 102
Hieronymus Heyerdahl, 1917
Olje på lerret
100 x 72 cm
Signert nede til venstre: *Edv. Munch*
Helge Steensen, Asker
(Ill. side 208)
UTSTILLINGER
Kristiania, Blomqvist, februar 1918
(kat. 14, 15 el. 16)

Kat. 103
Hieronymus Heyerdahl, 1917
Olje på lerret
74 x 60 cm
Signert nede til høyre: *E. Munch 191?*
Rådhuset, Oslo
(Ill. side 209)
UTSTILLINGER
Kristiania, Blomqvist, februar 1918
(kat. 14, 15 el. 16)
Göteborg, Valand, april-? 1918

Kat. 104
Thorvald Løchen, 1917
Olje på lerret
199 x 119 cm
Munch-museet, M 710
(Ill. side 215)

Kat. 105
Thorvald Løchen, 1917
Olje på lerret
125.5 x 84.5 cm
Munch-museet, M 458
(Ill. side 214)
UTSTILLINGER
Kristiania, Blomqvist, februar 1918
(kat. 11 el. 12)

Kat. 106
Else Mustad, 1918
Olje på lerret
194.5 x 104.5 cm
Munch-museet, M 369
(Ill. side 216)
UTSTILLINGER
Kristiania, Blomqvist, oktober 1919
(kat. 24)
Kristiania, Blomqvist, januar-? 1921
(kat. 20)
Zürich, Kunsthaus, juni-august 1922
(kat. 66)
Göteborg, Konsthallen, mars-? 1923
(kat. 184)
Oslo, Nasjonalgalleriet, juni-juli 1927
(kat. 238)
København, Raadhushallen, 1946 (kat. 74)
Stockholm, Liljevalchs, 1947 (kat. 118)
Göteborg, Konstmuseum, 1947 (kat. 119)

Kat. 107
Else Mustad, 1918
Olje og kull på lerret
180 x 100 cm
Munch-museet, M 852
(Ill. side 216)

Kat. 108
Karen Dedekam og Ingeborg Roede, 1919
Olje på lerret
179 x 129 cm
Munch-museet, M 352
(Ill. side 217)
UTSTILLINGER
Kristiania, Blomqvist, oktober 1919
(kat. 17)
Berlin, Nationalgalerie, mars-mai 1927
(kat. 186)
Oslo, Nasjonalgalleriet, juni-juli 1927
(kat. 243)

Kat. 109
Anton Brünings, 1919
Olje på lerret
94.5 x 74 cm
Munch-museet, M 525
(Ill. side 218)

Kat. 110
Anton Brünings, 1919
Olje på lerret
113 x 84.5 cm
Munch-museet, M 140
(Ill. side 218)

Kat. 111
Anton Brünings, 1919
Olje på lerret
100 x 72 cm
Signert nede til høyre: *E. Munch*
A/S De-No-Fa og Lilleborg Fabriker,
Fredrikstad
(Ill. side 219)

Kat. 112
Inger Barth, 1921
Olje på lerret
130 x 100 cm
Signert øverst til høyre: *Edv. Munch 1921*
Rolf E. Stenersens gave til Oslo by, A 75
(Ill. side 233)
UTSTILLINGER
Oslo, Sogn studentby, 1952
Oslo, Kunstnerforbundet, 1958 (kat. 34)
Bern, Kunstmuseum, 1958 (kat. 79)
Amsterdam, Stedelijk, 1962 (kat. 104)
Oslo, Nasjonalgalleriet, 1962 (kat. 100)
København, Louisiana, 1964 (kat. 16)
Munch-museet, «Rolf E. Stenersens gave til
Oslo by», 1973-74

Kat. 113
Wilhelm Wartmann, 1922
Olje på lerret
190 x 111 cm
Munch-museet, M 358
(Ill. side 234)
UTSTILLINGER
Mannheim, Kunsthalle, november-januar
1926-27 (kat. 56)
Berlin, Nationalgalerie, mars-mai 1927
(kat. 188)
Oslo, Nasjonalgalleriet, juni-juli 1927
(kat. 245)
København, Raadhushallen, 1946 (kat. 73)
Stockholm, Liljevalchs, 1947 (kat. 119)
Göteborg, Konstmuseum, 1947 (kat. 120)

Kat. 114
Wilhelm Wartmann, 1923
Olje og kritt på lerret
85 x 60 cm
Munch-museet, M 730
(Ill. side 235)

Kat. 115
Wilhelm Wartmann, 1923
Olje på lerret
200 x 110 cm
Signert nede til høyre: *Edvard Munch 1923*
Kunsthaus Zürich, Schenkung Alfred
Rütschi
(Ill. side 235)
UTSTILLINGER
Zürich, Kunsthaus, «Edvard Munch», 1952
Schaffhausen, Museum zu Allerheiligen,
1968 (kat. 89)
Winterthur, Kunstmuseum, 1975 (kat. 262)
Basel, Kunstmuseum, 1985 (kat. 25)

Kat. 116
Heinrich Hudtwalcker, 1925
Olje på lerret
122 x 146.5 cm
Munch-museet, M 386
(Ill. side 237)
UTSTILLINGER
Oslo, Nasjonalgalleriet, juni-juli 1927
(kat. 270)

Kat. 117
Heinrich Hudtwalcker, 1925
Olje på lerret
119.5 x 138 cm
Signert øverst til venstre: *Edv. Munch 1925*
Per A. Arneberg, Bermuda
(Ill. side 236)
UTSTILLINGER
Mannheim, Kunsthalle, november-januar
1926-27 (kat. 67)
Berlin, Nationalgalerie, mars-mai 1927
(kat. 199)
Hamburg, Kunstverein, august-? 1927
(kat. 273)
Frankfurt am Main, Steinernes Haus,
1963-63 (kat. 57)

Kat. 118
Rolf E. Stenersen, 1925-1926
Olje på preparert lerret
110 x 90 cm
Munch-museet, M 434
(Ill. side 241)
UTSTILLINGER
Mannheim, Kunsthalle, november-januar
1926-27 (kat. 59)
Berlin, Nationalgalerie, mars-mai 1927
(kat. 189)
Oslo, Nasjonalgalleriet, juni-juli 1927
(kat. 246)
Munch-museet, «Rolf E. Stenersens gave til
Oslo by», 1973-1974
Bergen, Festspillene, 1978

Oslo Kunstforening, 1991
Bergen, Bergen Billedgalleri, 1993 (kat. 46)

Kat. 119
Rolf E. Stenersen, 1925-1926
Olje på lerret
56 x 48 cm
Signert nede til høyre: E. Munch
Sten Stenersen, Oslo
(Ill. side 240)
UTSTILLINGER
Oslo, Nasjonalgalleriet, juni-juli 1927
(kat. 245 a)
Oslo, Kunstforeningen, mai 1934
Oslo, Kunstnernes Hus, april-mai 1936
Kragerø, Kunstforeningen, juli-august 1936
(kat. 30)
Stavanger, Kunstforeningen, august-september 1936 (kat. 30)
Kristiansand, Kunstforeningen, oktober
1936 (kat. 30)
Haugesund, Kunstforeningen, mars 1937
(kat. 30)
Bergen, Kunstforeningen, oktober-november 1937 (kat. 30)
Amsterdam, Stedelijk, mai-juni 1937
(kat. 57)

Kat. 120
Lucien Dedichen, 1925-1926
Olje på lerret
100 x 68 cm
Signert øverst til høyre: Edv. Munch
Privat eie
(Ill. side 242)
UTSTILLINGER
Oslo, Kunstnernes Hus, 1951 (kat. 100)
Oslo, Kunstnerforbundet, 1958 (kat. 41)

Kat. 121
Lucien Dedichen og Jappe Nilssen,
1925-1926
Olje på lerret
80.5 x 65 cm
Munch-museet, M 335
(Ill. side 242)

Kat. 122
Lucien Dedichen og Jappe Nilssen,
1925-1926
Olje på lerret
159.5 x 134.5 cm
Signert øverst til høyre: Edv. Munch
Munch-museet, M 370
(Ill. side 243)
UTSTILLINGER
Mannheim, Kunsthalle, november-januar
1926-27 (kat. 64)

Berlin, Nationalgalerie, mars-mai 1927
(kat. 206)
Oslo, Nasjonalgalleriet, juni-juli 1927
(kat. 262)
London, London Gallery Ltd., oktober-november 1936
Amsterdam, Stedelijk, mai-juni 1937
(kat. 55)
Oslo, Nasjonalgalleriet, 1945
København, Raadhushallen, 1946 (kat. 80)
Stockholm, Liljevalchs, 1947 (kat. 134)
Göteborg, Konstmuseum, 1947 (kat. 136)

Kat. 123
Oslo-boheme I, 1925-1926
**Jappe Nilssen, Rolf Stenersen og Birgitte
Prestøe**
Olje på lerret
72 x 100 cm
Munch-museet, M 484
(Ill. side 240)
UTSTILLINGER
Trondheim, Kunstforeningen, mai-oktober
1930 (kat. 396)
Munch-museet, «Edvard Munch og hans
modeller. 1912-1943», 1988-89 (kat. 374)

Kat. 124
Maria Agatha Hudtwalcker, ant. 1927
Olje på lerret
115 x 93 cm
Munch-museet, M 275
(Ill. side 244)
UTSTILLINGER
Bielefeld, Kunsthaus, mars-april 1931
(kat. 17/18)
?Berlin, Flechtheim, april-mai 1931
(kat. 16)
Zürich, Kunsthaus, februar-mars 1932
(kat. 34)
Oslo, Blomqvist, januar-? 1932

Kat. 125
Portrett av en ukjent kvinne, 1925-1927
Olje på lerret
79 x 69 cm
Munch-museet, M 108
(Ill. side 238)

Kat. 126
Fredrik Stang, 1927?
Olje på lerret
95 x 110 cm
Munch-museet, M 486
(Ill. side 239)

Kat. 127
Otto Blehr, 1927-1930
Olje på lerret
190 x 100 cm
Signert øverst til høyre: E. Munch
Stortinget
(Ill. side 246)

Kat. 128
Otto Blehr, 1927-1930
Olje på lerret
189 x 109 cm
Signert øverst til høyre: E. Munch
Munch-museet, M 701
(Ill. side 247)
UTSTILLINGER
Munch-museet, «Munch og fotografi»,
1987
Humlebæk, Louisiana, 1988 (kat. 49)
Newcastle, Polytechnic Gallery, 1989 (kat. 52)

Kat. 129
Fritz H. Frölich, 1931
Olje på papp
87.5 x 65 cm
Munch-museet, M 471
(Ill. side 261)
UTSTILLINGER
Munch-museet, «Munch og fotografi»,
1987
Humlebæk, Louisiana, 1988 (kat. 67)
Newcastle, Polytechnic Gallery, 1989
(kat. 63)

Kat. 130
Fritz H. Frölich, 1931
Olje på lerret
82 x 72 cm
Knut H. K. Frölich, Stavern
(Ill. side 263)

Kat. 131
Maggie Torkildsen, 1932
Olje på lerret og fargekritt
119 x 57 cm
Signert øverst til høyre: E. Munch 1932
Privat eie
(Ill. side 271)

Kat. 132
Maggie Torkildsen, 1932
Olje på lerret
119 x 60 cm
Munch-museet, M 492
(Ill. side 270)
UTSTILLINGER
Oslo, Holst Halvorsen, september 1938
(kat. 1)

Bergen, Rasmus Meyers samlinger, 1967
(kat. 10)

Kat. 133
Eberhard Grisebach, 1932
Olje på lerret
117 x 100 cm
Munch-museet, M 178
(Ill. side 169)

Kat. 134
Eberhard Grisebach, 1932
Olje på lerret
202 x 109.5 cm
Munch-museet, M 796
(Ill. side 268)

Kat. 135
Eberhard Grisebach, 1932
Olje på lerret
197 x 101 cm
Munch-museet, M 797
(Ill. side 268)

Kat. 136
Fausts spaltning, 1932
Eberhard Grisebach
Olje på lerret
100 x 117 cm
Munch-museet, M 553
(Ill. side 269)
UTSTILLINGER
Oslo, Holst Halvorsen, september 1938
(kat. 3a)
Oslo, Nasjonalgalleriet, høsten 1940
(kat. 323)
Lillehammer, Lillehammer Bys
Malerisamling, 1985 (kat. 12)
Munch-museet, «Munch og fotografi»,
1987
Humlebæk, Louisiana, 1988 (kat. 53)
Munch-museet, «Edvard Munch og hans
modeller. 1912-1943», 1988-89 (kat. 422)
Newcastle, Polytechnic Gallery, 1989
(kat. 68)
Stuttgart, Galerie der Stadt, 1992 (kat. 90)
Sapporo/Nagoya/Tokyo/Iwaki/Kobe/
Fukuoka, 1992 (kat. 90)

Kat. 137
Hanna Brieschke, 1932
Olje på lerret
205 x 105 cm
Munch-museet, M 972
(Ill. side 268)

Kat. 138
Henriette Olsen, 1932
Olje på lerret
204 x 94 cm
Munch-museet, M 782
(Ill. side 273)
UTSTILLINGER
København, Kunstforeningen, 1955 (kat. 62)
Odense, Fyns Stiftsmuseum, 1955 (kat. 62)
München/London/Paris, 1973-74 (kat. 82)

Kat. 139
Henriette Olsen, 1932
Olje på lerret
187 x 62 cm
Signert øverst til venstre: *E. Munch 1932*
Privat eie
(Ill. side 272)
UTSTILLINGER
Oslo, Kunstnernes Hus, 1951 (kat. 104)
Zürich, Kunsthaus, 1952 (kat. 76)
Venezia, Biennalen, 1954 (kat. 42)
München/Köln, Haus der Kunst, 1954-55
(kat. 101)
København/Odense, 1955 (kat. 62)
Frankfurt am Main, Steinernes Haus,
1962-63 (kat. 60)
Kiel, Kunsthalle, 1979 (kat. 30)

Kat. 140
Henriette Olsen, 1932
Olje og fargekritt på lerret
200.5 x 94.5 cm
Signert øverst til høyre: *E. Munch 1931* (sic)
Privat eie
(Ill. side 272)
UTSTILLINGER
Kiel, Kunsthalle, 1979 (kat. 29)

Kat. 141
Karl Wefring, 1934
Olje på lerret
89.5 x 82 cm
Munch-museet, M 461
(Ill. side 274)

Kat. 142
Karl Wefring, 1934
Olje på lerret
50 x 62 cm
Signert øverst til høyre: *E. Munch 34*
Munch-museet, M 992
(Ill. side 274)

Kat. 143
Annie Stenersen, 1934
Olje på lerret (?)
80 x 65 cm
Signert øverst til høyre: *Edv. Munch 1934?*
Privat eie

(Ill. side 276)
UTSTILLINGER
Oslo, Kunstnernes hus, april-mai 1936
(kat. 33, 36 i RES-kat)
Kragerø, Kunstforeningen, juli-august 1936
(kat. 32)
Stavanger, Kunstforeningen, august-
september 1936 (kat. 32)
Kristiansand, Kunstforeningen, oktober
1936 (kat. 32)
Haugesund, Kunstforeningen, 1937
(kat. 32)
Oslo, Rådhuset, 1950-52 (kat. 121)

Kat. 144
Annie Stenersen, 1934
Olje på lerret
80 x 60 cm
Munch-museet, M 116
(Ill. side 277)

Kat. 145
Johan Martin og Sten Stenersen, 1935
Olje på lerret
78 x 66 cm
Munch-museet, M 209
(Ill. side 279)

Kat.146
Johan Martin og Sten Stenersen, 1935
Olje på lerret
75 x 43 cm
Signert øverst til høyre: *E. Munch
Sten Stenersen, Oslo*
(Ill. side 278)
UTSTILLINGER
Oslo, Kunstforeningen, mai-? 1934
Oslo, Kunstnernes Hus, april-mai 1936
(kat. 35)
Kragerø, Kunstforeningen, juli-august 1936
(kat. 34)
Stavanger, Kunstforeningen, august-
september 1936 (kat. 34)
Kristiansand, Kunstforeningen, oktober
1936 (kat. 34)
Haugesund, Kunstforeningen,1937 (kat. 34)
Stockholm, Konstakademien, mars-? 1937
(kat. 64)
Amsterdam, Stedelijk, mai-juni 1937
(kat. 65)
Bergen, Kunstforeningen, oktober-
november 1937 (kat. 34)
København, Kunstforeningen, 1946
(kat. 46)
Stockholm, Riksförbundet för bildande
konst, 1946-47 (kat. 43)
Oslo, Kunstnernes Hus, 1948 (kat. 77)

Kat.147
Ebba Ridderstad, 1935
Olje på eketreplate
55 x 45.4 cm
Signert nede til venstre: *Edv. Munch*
Privat eie
(Ill. side 281)
UTSTILLINGER
Bern, Kornfeld, 1984 (kat. 83)

Kat. 148
Ebba Ridderstad, 1935
Olje på lerret
100 x 73 cm
Munch-museet, M 322
(Ill. side 280)

Kat. 149
Ebba Ridderstad og Marika Pauli, 1935
Olje på lerret
42 x 85 cm
Munch-museet, M 616
(Ill. side 280)

Kat. 150
Nicolai Rygg, 1937-8
Olje på lerret
94 x 80 cm
Signert nede til høyre: *E. Munch 2.2.1938*
Norges Bank, Oslo
(Ill. side 282)

Kat. 151
Henrik Bull, 1939
Olje på preparert lerret
140 x 120 cm
Munch-museet, M 10
(Ill. side 283)
UTSTILLINGER
Stockholm, Liljevalchs, 1947 (kat. 142)
Göteborg, Konstmuseum, 1947 (kat. 143)
Oslo, Kunstnernes Hus, 1951 (kat. 105))

Kat. 152
Rolf Hansen, 1943
Olje på lerret
109 x 80 cm
Munch-museet, M 565
(Ill. side 285)
UTSTILLINGER
Munch-museet, «Munch og fotografi»,
1987
Humlebæk, Louisiana, 1988 (kat. 57)
Newcastle, Polytechnic Gallery, 1989
(kat. 71)

Kat. 153
Rolf Hansen, 1943
Olje på lerret
49.5 x 46 cm
Munch-museet, M 1090
(Ill. side 284)
UTSTILLINGER
Lillehammer, Lillehammer Bys
Malerisamling, 1985 (kat. 26)

TEGNINGER

Kat. 154
Aasta Carlsen, 1888-1889
Blyant
426 x 267 mm
Munch-museet, T 731
(Ill. side 42)

Kat. 155
Karl Jensen-Hjell, 1885
Tusj og penn
163 x 267 mm
Munch-museet, T 711
(Ill. side 34)

Kat. 156
August Strindberg og Frida Uhl, 1893
Fargekritt og kullstift
321 x 479 mm
Munch-museet, T 466
(Ill. side 67)

Kat. 157
Når vi døde vågner, ant. 1909
Ingse Vibe
Tusjpensel og lavering
500 x 650 mm
Munch-museet, T 748
(Ill. side 110)

Kat. 158
Elisabeth Förster-Nietzsche, ant. 1904
Pastell og fettstift
490 x 320 mm
Munch-museet, T 652
(Ill. side 147)

Kat. 159
Friedrich Nietzsche, 1905-1906
Blyant
214 x 280 mm
Munch-museet, T 593

Kat. 160
Friedrich Nietzsche, 1906
Kull, pastell og tempera
2000 x 1300 mm
Munch-museet, T 2555
(Ill. side 145)

Kat. 161
Friedrich Nietzsche, 1905-1906
Tusj
275 x 215 mm
Munch-museet, T 1657

Kat. 162
Helge Rode, 1908
Tusj
205 x 262 mm
Munch-museet, T 750
(Ill. side 172)

Kat. 163
Ottilie Schiefler, ca. 1905
Akvarell og pastell
500 x 390 mm
Munch-museet, T 660

Kat. 164
Christian og Hjørdis Gierløff, 1913
Tusj
210 x 272 mm
Munch-museet, T 756

Kat. 165
Annie Stenersen, 1934
Blyant, fettstift og akvarell
610 x 490 mm
Munch-museet, T 697
(Ill. side 277)

Kat. 166
Johan Martin og Sten Stenersen, 1935
Olje, fettstift og blyant på lerret. Bemalt på
begge sider
755 x 519 mm
Munch-museet, T 700
(Ill. side 278)

Kat. 167
Johan Martin og Sten Stenersen, 1935
Blekk og akvarell
292 x 255 mm
Munch-museet, T 598
(Ill. side 279)

Kat. 168
Kristian Emil Schreiner, ca. 1932¨
Montasje av to tegninger; gouache, kull og
olje og to håndkolorerte litografier
145 x 140 cm
Munch-museet, T 566 og 565, G 553-1 og
552-6.
(Ill. side 266)

Kat. 169
Fritz H. Frölich, 1931
Gouache, tempera og fettstift
861 x 704 mm
Munch-museet, T 703
(Ill. side 262)

Kat. 170
Erik Pedersen, 1943
Fargefettstift
210 x 298 mm
Munch-museet, T 723
(Ill. side 286)

Kat. 171
Erik Pedersen, 1943
Blekk
257 x 160 mm
Munch-museet, T 2396
(Ill. side 286)

Kat. 172
Erik Pedersen, 1943
Blekk
201 x 214 mm
Munch-museet, T 754
(Ill. side 172)

Kat. 173
Rolf Hansen, 1943
Fargestift
200 x 162 mm
Munch-museet, T 2274
(Ill. side 284)

Kat. 174
Rolf Hansens hender, 1943
Fargestift
164 x 207 mm
Munch-museet, T 2400
(Ill. side 284)

Kat. 175
Rolf Hansen, 1943
Blekk
276 x 217 mm
Munch-museet, T 755
(Ill. side 285)

GRAFIKK
RADERINGER

Kat. 176
Richard Mengelberg, 1894
Radering
138 x 101 mm
Signert nede til høyre: *Edv Munch*
Munch-museet, G 1-7. Sch. 1
(Ill. side 82)

Kat. 177
Emmy Seidel, 1895
Radering
207 x 147 mm
Signert nede til høyre: *E Munch 95*
Munch-museet, G 23-4. Sch. 24
(Ill. side 74)

Kat. 178
Dr. Hermann Seidel, 1895
Radering
319 x 218 mm
Munch-museet, G 25-4. Sch. 26
(Ill. side 74)

Kat. 179
Dr. Max Asch, 1895
Radering
253 x 177 mm
Munch-museet, G 26-32. Sch. 27
(Ill. side 75)

Kat. 180
Hans Eberhard von Bodenhausen, 1895
Radering
243 x 194 mm
Munch-museet, G 22-1. Sch. 23
(Ill. side 74)

Kat. 181
Ingeborg Heiberg, 1895
Radering
374 x 275 mm
Signert nede til høyre: *E Munch 22*
Munch-museet, G 28-6. Sch. 38
(Ill. side 82)

Kat. 182
Knut Hamsun, 1896
Radering
178 x 182 mm
Signert nede til høyre: *E. Munch*
Munch-museet, G 40-1. Sch. 52
(Ill. side 102)

Kat. 183
Sigbjørn Obstfelder, 1897
Radering
156 x 116 mm
Signert nede til høyre: *Edv Munch*
Munch-museet, G 48-6. Sch. 88
(Ill. side 103)

Kat. 184
Stéphane Mallarmé, 1897
Radering
175 x 143 mm
Munch-museet, G 164-11
(Ill. side 102)

Kat. 185
Tulla Larsen, 1898
Radering
110 x 83 mm
Signert nede til høyre: *E. M. 98*
Munch-museet, G 720-1
(Ill. side 104)

Kat. 186
Helge Rode, 1898
Radering. Håndkolorert.
265 x 194 mm
Signert nede til høyre: *Edv Munch*
Rolf E. Stenersens gave til Oslo by. Sch. 103
(Ill. side 172)

Kat. 187
Maria Linde, 1902
Radering
338 x 245 mm
Signert nede til høyre: *Edv Munch*
Munch-museet, G 79-2. Sch. 177
(Ill. side 118)

Kat. 188
«Mutterglück», 1902
Maria Linde
Radering
365 x 253 mm
Signert nede til høyre: *Edv Munch*
Munch-museet, G 81-2. Sch. 181
(Ill. side 118)

Kat. 189
Dr. Lindes fire sønner, 1902
Radering
245 x 340 mm
Signert nede til høyre: *Edv Munch*
Munch-museet, G 80A-3
(Ill. side 116)

Kat. 190
Theodor Linde, 1902
Radering
277 x 199 mm
Signert nede til høyre: *Edv Munch*
Munch-museet, G 82-2. Sch. 182
(Ill. side 116)

Kat. 191
Max Linde, 1902
Radering
323 x 223 mm
Signert nede til høyre: *Edv Munch*
Munch-museet, G 79a-1. Sch. 178
(Ill. side 118)

Kat. 192
Max Linde, 1902
Radering
273 x 215 mm
Signert nede til høyre: *Edv Munch*
Munch-museet, G 80-2. Sch. 179
(Ill. side 118)

Kat. 193
Albert Kollmann, 1902
Radering
195 x 148 mm
Munch-museet, G 69-9. Sch. 159
(Ill. side 112)

Kat. 194
Ingse Vibe, 1903
Radering
473 x 445 mm
Munch-museet, G 59-3
(Ill. side 110)

Kat. 195
Gustav Schiefler, 1905-1906
Radering
320 x 182 mm
Signert nede til høyre: *Edv Munch*
Munch-museet, G 112-6
(Ill. side 152)

Kat. 196
Ottilie Schiefler, 1907
Radering
230 x 154 mm
Signert nede til høyre: *Edv Munch*
Munch-museet, G 125-7. Sch. 264
(Ill. side 152)

Kat. 197
Hjørdis Gierløff, 1913-1914
Radering
238 x 160 m
Signert nede til høyre: *E Munch 1914*
Munch-museet, G 136-3. Sch. 391
(Ill. side 199)

Kat. 198
Christian Gierløff, 1913
Radering
192 x 142 mm
Signert nede til høyre: *E Munch*
Munch-museet, G 135-5. Sch. 390
(Ill. side 198)

Kat. 199
Åge Christian Gierløff, 1916
Radering
95 x 65 mm
Signert nede til høyre: *Edv Munch*
Munch-museet, G 157-11. Sch. 445
(Ill. side 199)

LITOGRAFIER

Kat. 200
Harry Graf Kessler, 1895
Litografi
245 x 190 mm
Signert nede til venstre: *E. Munch*
Munch-museet, G 190-1. Sch. 29
(Ill. side 148)

Kat. 201
Harry Graf Kessler, 1895
Litografi
310 x 182 mm
Signert nede til høyre: *E Munch 1895*
Munch-museet, G 191-1. Sch. 30
(Ill. side 148)

Kat. 202
Selvportrett med knokkelarm, 1895
Litografi
453 x 321 mm
Signert nede til høyre: *Edv. Munch*
Munch-museet, G 192-62. Sch. 31
(Ill. side 75)

Kat. 203
Gunnar Heiberg, 1896
Litografi
485 x 420 mm
Munch-museet, G 217-9. Sch. 75
(Ill. side 66)

Kat. 204
August Strindberg, 1896
Litografi
446 x 316 mm
Signert nede til høyre: *E Munch 1896*
Munch-museet, G 219B-72
(Ill. side 68)

Kat. 205
Hans Jæger, 1896
Litografi
460 x 331 mm
Signert nede til høyre: *E Munch*
Munch-museet, G 218-2. Sch. 76
(Ill. side 103)

Kat. 206
Stéphane Mallarmé, 1896
Litografi
525 x 300 mm
Signert nede til høyre: *E Munch*
Munch-museet. G 221-6. Sch. 79
(Ill. side 102)

Kat. 207
Sigbjørn Obstfelder, 1896
Litografi
370 x 285 mm
Signert nede til høyre: *Edv Munch*
Munch-museet, G 220-6. Sch. 78
(Ill. side 103)

Kat. 208
Sigbjørn Obstfelder, 1896
Litografi
410 x 280 mm
Munch-museet, G 818-1. Sch. 78a
(Ill. side 103)

Kat. 209
Stanislaw Przybyszewski, 1898
Litografi. Håndkolorert.
545 x 458 mm
Munch-museet, G 231-9. Sch. 105
(Ill. side 77)

Kat. 210
Holger Drachmann, 1901-1902
Litografi
486 x 436 mm
Munch-museet, G 240-13. Sch. 141
(Ill. side 68)

Kat. 211
Henrik Ibsen, 1902
Litografi. Håndkolorert
433 x 595 mm
Munch-museet, G 244-2. Sch. 171
(Ill. side 105)

Kat. 212
Maria Linde, 1902
Litografi
630 x 300 mm
Munch-museet, G 247-5. Sch. 192
(Ill. side 118)

Kat. 213
Anna og Walter Leistikow, 1902
Litografi
523 x 866 mm
Munch-museet, G 243-15. Sch. 170
(Ill. side 108)

Kat. 214
Marta Sandal, 1902
Litografi
633 x 424 mm
Signert nede til høyre: *E Munch*
Munch-museet, G 245-4. Sch. 172
(Ill. side 108)

Kat. 215
Fiolinkonserten, 1903
Eva Mudocci og Bella Edwards
Litografi
473 x 545 mm
Munch-museet, G 254-16. Sch. 211
(Ill. side 109)

Kat. 216
Brosjen, 1903
Eva Mudocci
Litografi
601 x 463 mm
Munch-museet, G 255-39. Sch. 212
(Ill. side 109)

Kat. 217
Albert Kollmann, 1906
Litografi
435 x 340 mm
Signert nede til høyre: *Edv Munch*
Munch-museet, G 260-5. Sch. 244
(Ill. side 115)

Kat. 218
Henry van de Velde, 1906
Litografi
262 x 173 mm
Munch-museet, G 262-19. Sch. 246
(Ill. side 146)

Kat. 219
Friedrich Nietzsche, 1906
Litografi
615 x 465 mm
Munch-museet, G 263-2. Sch. 247
(Ill. side 145)

Kat. 220
Fru Schwarz, 1906
Litografi
270 x 245 mm
Signert nede til høyre: *E Munch*
Munch-museet, G 265-12. Sch. 252
(Ill. side 146)

Kat. 221
Andreas Schwarz, 1906
Litografi
291 x 222 mm
Signert nede til høyre: *Edv Munch*
Munch-museet, G 264-34. Sch. 251
(Ill. side 146)

Kat. 222
Daniel Jacobson, 1908-1909
Litografi. Håndkolorert.
564 x 338 mm
Munch-museet, G 269-1. Sch. 273
(Ill. side 169)

Kat. 223
Edith Rode, 1908-1909
Litografi
450 x 335 mm
Munch-museet, G 275-6. Sch. 280
(Ill. side 172)

Kat. 224
Helge Rode, 1908-1909
Litografi
375 x 262 mm
Signert nede til høyre: *Edv Munch*
Munch-museet, G 274-6. Sch. 279
(Ill. side 172)

Kat. 225
Albrecht Schmidt, 1908-1909
Litografi
374 x 262 mm
Signert nede til høyre: *Edv Munch*
Munch-museet, G 276-7. Sch. 281
(Ill. side 173)

Kat. 226
Emanuel Goldstein, 1908-1909
Litografi
285 x 238 mm
Signert nede til høyre: *Edv Munch*
Munch-museet, G 271-3. Sch. 275
(Ill. side 173)

Kat. 227
Emanuel Goldstein, 1908-1909
Litografi
380 x 453 mm
I midten til høyre i steinen: *I Jungelen* og
nede til høyre i steinen: *Panteren Goldstein
spiser på et tankelår.*
Munch-museet, G 273a-6. Sch. 278
(Ill. side 173)

Kat. 228
Christian Sinding, 1912
Litografi
275 x 218 mm
Signert nede til høyre: *Edv Munch*
Munch-museet, G 339-2. Sch. 359
(Ill. side 206)

Kat. 229
Torvald Stang, 1912
Litografi
350 x 335 mm
Munch-museet, G 342-3. Sch. 362
(Ill. side 179)

Kat. 230
Tor Hedberg, 1912
Litografi
305 x 240 mm
Signert nede til høyre: *E Munch*
Munch-museet, 340-4. Sch. 360
(Ill. side 180)

Kat. 231
Wolfgang Gurlitt, 1912
Litografi
460 x 601 mm
Munch-museet, G 343-3
(Ill. side. 180)

Kat. 232
Cally Monrad, 1912
Litografi
390 x 270 mm
Munch-museet, G 400-2. Sch. 466
(Ill. side 206)

Kat. 233
Jens Thiis, 1913
Litografi
295 x 225 mm
Signert nede til høyre: *Edv Munch*
Munch-museet, G 371-15. Sch. 410
(Ill. side 181)

Kat. 234
Hjørdis Gierløff, 1914
Litografi
614 x 445 mm
Munch-museet, G 375-7. Sch. 423

Kat. 235
Arnstein Arneberg, 1916-1917
Litografi
285 x 235 mm
Munch-museet, G 399-3. Sch. 465
(Ill. side 210)

Kat. 236
Hieronymus Heyerdahl, 1916-1917
Litografi
310 x 231 mm
Munch-museet, G 474-8
(Ill. side 210)

Kat. 237
Hieronymus Heyerdahl, 1916-1917
Litografi
513 x 350 mm
Signert nede til høyre: *Edv Munch*
Munch-museet, G 398-2. Sch. 464
(Ill. side 209)

Kat. 238
Richard Strauss, 1917
Litografi
315 x 215 mm
Signert nede til høyre: *Edv Munch*
Munch-museet, G 396-4. Sch. 460
(Ill. side 206)

Kat. 239
Haldan Nobel Roede, 1919
Litografi
379 x 274 mm
Munch-museet, G 477-8
(Ill. side 216)

Kat. 240
Vilhelm Krag, 1920
Litografi
430 x 335 mm
Signert nede til høyre: *E Munch*
Munch-museet, G 406-8
(Ill. side 245)

Kat. 241
Inger Barth, 1920
Litografi
753 x 1000 mm
Munch-museet, G 434-2. Sch. 505
(Ill. side 222)

Kat. 242
Arve Arvesen, 1920?
Litografi
572 x 895 mm
Munch-museet, G 823-6
(Ill. side 245)

Kat. 243
Louise og Else Heyerdahl, 1920
Litografi
468 x 590 mm
Signert nede til høyre: *E Munch*
Munch-museet, G 408-3. Sch. 474
(Ill. side 210)

Kat. 244
Frederick Delius, 1920
Litografi
540 x 430 mm
Signert nede til høyre: *Edv Munch*
Munch-museet, G 407-5. Sch. 473
(Ill. side 245)

Kat. 245
Otto Blehr, 1926
Litografi
348 x 251 mm
Munch-museet, G 489-4
(Ill. side 247)

Kat. 246
Ludwig Justi, 1926-1927
Litografi
315 x 195 mm
Munch-museet, G 453-4
(Ill. side 245)

Kat. 247
Fredrik Stang, 1927
Litografi
332 x 223 mm
Munch-museet, G 455-5
(Ill. side 239)

Kat. 248
Frimann Koren, 1927
Litografi
370 x 255 mm
Munch-museet, G 451-5
(Ill. side 245)

Kat. 249
Kristian Emil Schreiner, 1928-1930
Litografi
450 x 280 mm
Munch-museet, G 549-3
(Ill. side 264)

Kat. 250
Kristian Emil Schreiner, 1928-1930
Litografi
308 x 173 mm
Signert nede til høyre: *Edv Munch* og lenger
ned: *Anatomen Schreiner*
Munch-museet, G 550-1
(Ill. side 264)

Kat. 251
Kristian Emil Schreiner, 1928-1930
Litografi
760 x 572 mm
Signert nede til høyre: *Edv Munch* og lenger
ned: *Der Anatom*
Munch-museet, G 551-2
(Ill. side 267)

Kat. 252
Kristian Emil Schreiner, 1928-1930
Litografi
604 x 51 mm
Munch-museet, G 554-15
(Ill. side 264)

Kat. 253
Kristian Emil Schreiner, 1928-1930
Litografi
900 x 720 mm
Munch-museet, G 553-2
(Ill. side 265)

Kat. 254
Kristian Emil Schreiner, 1928-1930
Litografi
445 x 580 mm
Munch-museet, G 552-3

Kat. 255
Kristian Emil Schreiner, 1928-1930
Litografi. Håndkolorert
445 x 600 mm
Munch-museet, G 552-1
(Ill. side 264)

Kat. 256
Annie Stenersen, 1934
Litografi
359 x 223 mm
Munch-museet, G 484-3
(Ill. side 277)

Kat. 257
Henrik Bull, ca. 1939
Litografi
335 x 338 mm
Munch-museet, G 490-21
(Ill. side 257)

TRESNITT

Kat. 258
Marcel Réja, 1896
Tresnitt
400 x 323 mm
Munch-museet, G 691-4
(Ill. side 102)

Kat. 259
Jappe Nilssen, 1910
Tresnitt
319 x 240 mm
Signert nede til høyre: *E Munch Trykket selv*
Munch-museet, G 626-6. Sch. 351
(Ill. side 174)

Kat. 260
Kongsemnerne, 1917
Christian og Hjørdis Gierløff
Tresnitt
328 x 408 mm
Signert nede til høyre: *Edv Munch*
Munch-museet, G 658-2
(Ill. side 198)

Kat. 261
Rolf E. Stenersen, 1935
Tresnitt
408 x 328 mm
Munch-museet, G 689-2

Kat. 262
Rolf E. Stenersen, 1935
Tresnitt. Håndkolorert
408 x 328 mm
Munch-museet, G 689-6
(Ill. side 275)

Kat. 263
Kristian Emil Schreiner, 1928-1930
Tresnitt
280 x 205 mm
Munch-museet, G 705-1
(Ill. side 267)

Kat. 264
Kristian Emil Schreiner, 1928-1930
Tresnitt
745 x 350 mm
Munch-museet, G 704-22
(Ill. side 267)

Kat. 265
Fritz H. Frölich, 1931
Tresnitt
546 x 458 mm
Munch-museet, G 683-7
(Ill. side 262)

Kat. 266
Fritz H. Frölich, 1931
Tresnitt på lerret
546 x 458 mm
Munch-museet, G 683-1
(Ill. side 262)

Litteratur

BISANZ, Hans, "Edvard Munch og portrettkunsten i Wien", *Oslo kommunes kunstsamlinger. Årbok 1963*, s. 68-101. [Resymé på tysk.]

BECKER, H., *E. Munch in Bielefeld. Bericht über zwei Ausstellungen 1907 und 1931*, Bielefeld 1962

BOE, Roy A., *Edvard Munch: His life and Work from 1880 to 1920*. 2 vol. Dissertation Dr. ph. New York University, 1971.

BRENNA, Arne, "Hans Jæger og Edvard Munch, I og II", *Nordisk Tidskrift*, 1976, s. 89-115, 188-215

BÜTTNER, Erich, se:Jens Thiis, *Edvard Munch. Mit einem Nachwort von Erich Büttner*, Berlin 1934.

BØE, Alf, *Edvard Munch*. [Eng., tysk, fransk, spansk, japansk utg.: 1989.]

BØE, Alf, *Edvard Munch*, Oslo 1992, (Norske malere.) [Eng. utg. 1992.]

BÖTTGER, Herbert, "Edvard Munch und dr. Max Linde", *Bayerische Therapeutische Berichte*, Leverkusen 1963, s. 99-102.

CARSTENSEN, Richard, "Edvard Munchs Kinderbilder", *Der Wagen, Ein Lübeckisches Jahrbuch*, Lübeck 1980, s. 44-62.

COLDITZ, Herman, *Kjærka. Et atelier-interiør*, København 1888. [Nansen i romanen skal være Edv. Munch.]

DEDICHEN, Jens, *Tulla Larsen og Edvard Munch*, Oslo 1981.

DEKNATEL, Frederick B., *Edvard Munch*, New York 1950.

DEN, Max, *Die Malerei im XIX Jahrhundert*, Band 1, Berlin 1923, s. 428.

EGGUM, Arne, "Det gröna rummet", *Edvard Munch*. Utställningskat. Liljevalchs & Kulturhuset, Stockholm 1977, s. 62-82

EGGUM, Arne, *Frederick Delius og Edvard Munch*. Utstillingskat. Munch- museet, Oslo 1979.

EGGUM, Arne, "Edvard Munchs tidlige barneportretter", *Kunst og Kultur*, 1980, s. 241-256.

EGGUM, Arne, *Der Linde-Fries. Edvard Munch und sein erster deutscher Mäzen, Dr. Max Linde*. Der Senat der Hansestadt Lübeck - Amt für Kultur, Veröffentlichung XX, Lübeck 1982.

EGGUM, Arne, *Edvard Munch. Malerier – skisser – studier*, Oslo 1983. (Fransk utg. 1983. Eng. og italiensk utg. 1984. Tysk utg. 1986. Japansk utg. 1991).

EGGUM, Arne, "Über Munch und die Schweiz", *Edvard Munch*. Austellungskat. Museum Folkwang, Essen/Kunst der Haus, Zürich, 1987, s. 351-359.

EGGUM, Arne, *Munch og fotografi*, Oslo 1987. (Eng. utg. 1989. Tysk utg. 1991)

EGGUM, Arne, *Edvard Munch og hans modeller*, 1912-1943. Utstillingskat. Oslo, Munch-museet, 1988.

EGGUM, Arne, *Edvard Munch/Gustav Schiefler. Briefwechsel*. Bearbeitet von Arne Eggum et al. B. l: *1902-1914*. Hamburg 1987. B.2: *1935/1943*. Hamburg 1990.

EGGUM, Arne, *Edvard Munch. Livsfrisen fra maleri til grafikk*, Oslo 1990.

FLOTOW, Herbert von, hrsg., *Albert Kollmann. Ein Leben für die Kunst*, Beiträge von Walter Rathenau, Curt Glaser, Edvard Munch, Ernst Barlach, m.fl., Berlin 1921.

FRIEDENBERGER, Hans, "Gelegentlich einer Ausstellung Munchscher Werke im Kunstsalon Gurlitt in Berlin", *Der Cicerone*, feb. 1914, s. 123-126.

GAUGUIN, Pola, *Edvard Munch*. Oslo 1933.

GIERLØFF, Christian, *Edvard Munch selv*, Oslo 1953.

GLASER, Curt, *Edvard Munch*, Berlin 1917.

HAUPTMANN, Ivo, "Erinnerungen an Edvard Munch, *Oslo kommunes kunstsamlinger. Årbok 1963*, s. 131-135.

HEILBUT, Emil, "Die Sammlung Linde in Lübeck", *Kunst und Künstler*, Berlin, okt. 1903, mai, 1904.

HEILBUT, Emil, "Einige neue Bildnisse von Edvard Munch", *Kunst und Künstler*, 1904, s. 489-492.

HEISE, Carl Georg, "Edvard Munch und seine Beziehungen zu Lübeck", *Der Wagen, Ein Lübeckisches Jahrbuch*, Lübeck 1927.

HEISE, Carl Georg, *Die Vier Söhne des Dr. Max Linde*, Stuttgart 1962.

HEISE, Carl Georg, "Der Augenarzt und der Maler", *Merian*, Hamburg, juni 1964, s. 28-33.

HELLER, Reinhold, "Strømpefabrikanten, van de Velde og Edvard Munch", *Kunst og Kultur*, 1968, s. 89-104.

HELLER, Reinhold, *Edvard Munch's Life Frieze. Its Beginnings and Origins*. Dissertation Dr. ph., Indiana University, 1969.

HELLER, Reinhold *Munch. His Life and Work.*,London 1984.

HJORT, Øystein, "Munch og Obstfelder. En norsk halfemserparallel", *Louisiana Revy*, okt. 1975, s. 33-36.

HODIN, J. P, "August Strindberg om Edvard Munch", *Konstrevy*, 1940, s. 199- 202.

HODIN, J. P *Edvard Munch*, London 1972, 1985.

HOUGEN, Pål, *Edvard Munch og Henrik Ibsen*. Utstillingskat. Bergen, Vestlandske Kunstindustrimuseum, 1975. (Tysk utg.: *Munch und Ibsen.*, Kunsthaus Zürich, 1976. Eng. utg.: *Edvard Munch and Henrik Ibsen*. St. Olaf College, Northfield, Minnesota, 1978.)

HØFLINGER, Yvonne, Bildnis Frau Elsa Glaser, 1913, *Edvard Munch im Kunsthaus Zürich*, Kunsthaus Zürich 1977, s. 69-76.

HØIFØDT, Frank, "Livets dans", *Kunst og Kultur*, 1990, h, 3, s. 166-181.

JAWORSKA, Wladyslawa "Munch and Przybyszewski", *Polish Perspectives*, 1972, h. 12, s. 61-72. (På tysk i: *Edvard Munch. Probleme - Forschungen - Thesen*, s. 47-68.)

JENSEN, Jens Christian, *Edvard Munch. Gemälde und Zeichnungen aus einer norwegischer Privatsammlung*. Ausstellungskat. Kunsthalle zu Kiel, 1979.

JUSTI, Ludwig, I: *Edvard Munch. Ausstellungskat. Nationalgalerie*, Berlin, 1927, s. 3-9.

Katalog der Meister des 20. Jahrhunderts in der Hamburger Kunsthalle, 1969, s. 29.

KISCH-ARNDT, Ruth, "A Portrait of Felix Auerbach by Munch", *The Burlington Magazine*, London, mars 1964, s. 131-133.

KRAUSE-ZIMMER, Helga, "Edvard Munch im Hause Linde", *Die Drei*, Stuttgart 1979, s. 713-719.

LANGAARD, Ingrid,*Edvard Munch. Modningsår*, Oslo 1960.

LANGAARD, Johan H, "Fem malerier av Edvard Munch", *Kunstmuseets Aarsskrift*, København 1947, s. 81.98.

LANGAARD, Johan H, "Om Edvard Munchs bekjentskap med August Strindberg", *Vinduet*, 1948, h. 8., s. 595-601.

LANGAARD, Johan H., *Edvard Munch. Fra år til år. En håndbok*. [Av] Johan. H. Langaard [og] Reidar Revold, Oslo 1961.

LANGAARD, Johan H , *Mesterverker i Munch-muset*. [Av] Johan. H. Langaard [og] Reidar Revold, Oslo 1963.

LATHE, Carla, *The group Zum schvarzen Ferkel. A Study in Early Modernism.* Dissertation Dr.ph., University of East Anglia, Norwich 1972.

LATHE, Carla, *Edvard Munch and his Literary Associates.* Exhibition cat. University of East Anglia, Norwich 1979.

LAURIN, Carl G., *Konsten i Norden,* Stockholm 1930, s. 256.

LEISTIKOW, Walter, (pseud. Walter Selber), "Die Affäre Munch", *Freie Bühne,* Berlin 31.8.1892, s. 1296-1300. (Norsk utg.: *Samtiden,* 1893, s 38-43.)

LINDE, Brita, *Ernest Thiel och hans konstgalleri,* Stockholm 1969.

LINDE, Max, *Edvard Munch und die Kunst der Zukunft,* Berlin 1902.

LINDE, Max, *Edvard Munchs brev. Fra dr. med. Max Linde.* Munch-museets skrifter 3, Oslo1954.

LINDTKE, Gustav, *Edvard Munch - Dr. Max Linde. Briefwechsel 1902 - 1928.* Herausg. von Gustav Lindtke, Senat der Hansestadt Lübeck - Amt für Kultur, Veröffentlichung VII, Lübeck 1974.

LINNESTAD, Bjørn, *Dørnberger. Maler og Musketeer,* Vestby Kunstforening, 1989

LØCHEN, Rolf, "Skikkelser i Bohemetiden", *Byminner,* 1970, h. 1, s. 3-23.

LØCHEN, Rolf, "Nytt om Edvard Munch og hans krets", *Byminner,* 1971, h. 4, s. 5-29.

MEIER-GRAEFE, Julius, [Introduksjon til mappe med 8 raderinger av Munch], Berlin 1895.

MESSEL, Nils, red., *Norske forfatterportretter.* Utstillingskat. Oslo, Nasjonalgalleriet, 1993.

MUNCH, Edvard, "Mein Freund Przybyszewski", *Pologne Litteraire,* Warszawa, Decembre 15, 1928. (Norsk utg.: *Oslo Aftenavis,* 1929, h. 25.)

MUNCH, Inger, *Edvard Munchs brev. Familien.* Et utvalg av Inger Munch. Munch-museets skrifter 1, Oslo 1949.

Edvard Munch im Kunsthaus Zürich, Kunsthaus Zürich, Sammlungsheft 6, Zürich 1977.

Edvard Munch. Probleme - Forschungen - Thesen. Herausg. von Henning Bock und Günther Busch, München 1973.

Edvard Munch som vi kjente ham. Vennene forteller. Av K.E. Schreiner et al., Oslo 1946.

Edvard Munch 1863-1944. Ausstellungskat. Kunsthaus Zürich, Zürich 1978

Edvard Munch. Sein Werk in Schweizer Sammlungen. Ausstellungskat. Kunstmuseum Basel, Basel 1985.

Edvard Munch. Gemälde und Zeichnungen aus einer norwegischen Privatsammlung. Ausstellungskat. Kunsthalle zu Kiel, Kiel 1979.

NERGAARD, Trygve, "Emanuel Goldstein og Edvard Munch", *Louisiana revy,* okt. 1975, s. 16-18.

OBSTFELDER, Sigbjørn, "Edvard Munch. Et forsøg", *Samtiden,* 1896, s. 17-22.

PAUL, Fritz, "Theodor Wollf und die Berliner Boheme des 'Schwarzen Ferkels', Sonderdruck *Skandinavistik,* 1983, h. 1, s. 9-30.

PEDERSEN, Erik, "Det siste arbeidet", *Kunst og Kultur,* 1946, s. 127-132.

PERLS, Hugo, "Erindringer om Edvard Munch", *Kunst og Kultur,* 1962, s. 27- 46.

PRZYBYSZEWSKI, Stanislaw, *Das Werk des Edvard Munch, Vier Beiträge von* Stanislaw Przybyszewski, Dr. Franz Servaes, Willy Pastor, Julius Meier- Graefe, Berlin 1894.

PRZYBYSZEWSKI, Stanislaw, *Erinnerungen an das literarische Berlin,* München 1965.

REVOLD, Reidar, se: Langaard og Revold, 1958, 1960, 1961, 1963.

RITTER, William, *Etudes d'Art étranger,* Paris 1906, s. 81-122.

ROHDE, H.P., "Edvard Munch på klinikk i København", *Kunst og Kultur,* 1963, s. 259-270.

ROSENHAGEN, Hans, "Die XI. Ausstellung der Berliner Sezession, *Die Kunst für Alle,* 1906, h. 19, s. 452.

RYGG, Nicolai, "Noen timer med Edvard Munch", *Kunst og Kultur,* 1946, s. 173-198.

SCHLITTGEN, Hermann, *Erinnerungen,* Berlin 1926.

SCHIEFLER, Gustav, *Verzeichnis des graphischen Werks Edvard Munch.* 2 bind. B. 1: Berlin 1907. B. 2: Berlin 1928. Faksimileutg., Oslo l974.

SCHMIDT-BURKHARDT, Astrit, "Curt Glaser - Skizze eines Munchsammlers", *Zeitschrift für Kunstwissenschaft,* Band 42, 1988, h. 3.

SCHÜRER, Oskar, "Zwei moderne Porträts", *Der Cicerone,* 1923, h. 16, s. 738, 741

SERVAES, Franz, "Von der «Freien» Kunstausstellung", *Die Gegenwart,* B. 43, 1893, s, 398.

SKEDSMO, Tone, *Edvard Munch i Nasjonalgalleriet.* Utgitt av Nasjonalgalleriet, Oslo 1989.

SMITH, John Boulton, "Edvard Munch og Frederick Delius", *Kunst og Kultur,* 1965, s. 137-158.

SMITH, John Boulton, *Frederick Delius and Edvard Munch. Their Friendship and their Correspondence,* London 1983.

STABELL. Waldemar, "Edvard Munch og Eva Mudocci", *Kunst og Kultur,* 1973, s. 209-236.

STANG, Ragna, *Edvard Munch. Mennesket og kunstneren,* Oslo 1977.

STENERSEN, Rolf E., *Edvard Munch. Nærbilde av et geni,* Oslo 1946.

SVENÆUS, Gösta, "Strindberg och Munch i Inferno", *Kunst og Kultur,* 1967, s. 1-30.

SVENÆUS, Gösta, "Munch og Strindberg. Quickborn-episoden, 1898", *Kunst og Kultur,* 1969, s. 13-36.

SVENÆUS, Gösta, "Der heilige Weg, Nietzsche-Fermente in der Kunst Edvard Munchs", *Edvard Munch. Probleme - Forschungen - Thesen,* s. 25-46.

SVENÆUS, Gösta, *Edvard Munch. Im männlichen Gehirn ,* I, II, Lund 1973.

THIIS, Jens, *Edvard Munch og hans samtid. Slekten, livet og kunsten,* Oslo 1933.

TIMM, Werner, "Zum Bildnis Walter Rathenau von Edvard Munch", *Forschungen und Berichte,* Band 7, Berlin 1965, s. 58-61

TORJUSEN, Bente, *Edvard Munch og den tsjekkiske kunst.* Utstillingskat. Munch-museet, Oslo 1971.

WAHL, Volker, "Edvard Munchs Thüringer Aufenthalt", i: Volker Wahl, *Jena als Kunststadt. Begegnungen mit der modernen Kunst in der thüringischen Universitätsstadt zwischen 1900 und 1933,* Leipzig 1988.

WARTMANN, Wilhelm, "Albert Kollmann. Ein Freund von Edvard Munch", *Werk,* 1944, s. 138-144.

WICHSTRØM, Anne, "Asta Nørregaard og den unge Munch", *Kunst og Kultur,* 1982, s. 66-77.

WILLOCH, Sigurd, *Edvard Munchs raderinger,* med forord av Johan H. Langaard, Munchmuseets skrifter, 2, Oslo 1950.

Register over de portretterte

DELIUS, Frederick
(1862-1934)
Engelsk komponist,
s. 227, *245*

DIETZ (TORKILDSEN), Minchen (Minna
Margaretha Katharina)
(1871-1951)
Tysk sangerinne, gift med Jacob
Torkildsen,
s. 60, *60*

DRACHMANN, Holger
(1846-1908)
Dansk forfatter,
s. 50, 51, 52, 54, *68, 69*

DREWSEN, Sten
(1877-1943)
Dansk forfatter, journalist,
s. 94, *112*, 122

DØRNBERGER, Charlotte Marie (Meisse)
(1868-1913)
Søster av Karl Dørnberger, gift med
forfatteren Jacob Hilditsch,
s. 18, 19, *40*

DØRNBERGER, Karl Johannes Andreas
Adam
(1864-1940)
Maler, bror av Charlotte Dørnberger,
s. 22, 23, *44*, 49, 54

EDWARDS, Bella (Isabella)
(1866-1954)
Dansk konsertpianistinne, spilte sammen
med Eva Mudocci,
s. 91, *91, 109*

ESCHE, Erdmute
(1903-1990)
Tysk, datter av Hanni og Herbert Esche,
gift Luchsinger,
s. 125, 126, *141, 143*

ESCHE, Hanni
(1879-1911)
Tysk, gift med Herbert Esche,
s. 125, 127, 128, *142*

ESCHE, Hans Herbert
(1900-1976)
Tysk, sønn av Hanni og Herbert Esche,
s. 125, 126, *141, 143*

ESCHE, Herbert
(1874-1962)
Tysk industrileder og kunstsamler, gift
med Hanni Esche,
s. 125, 126, 127, *127*, 128, *140*

FONTHEIM (HARDEN), Selma f. Isaac
(1863-1932)
Tysk, gift 1. gang med en kjøpmann
Fontheim, 2. gang med journalist
Maximillian Harden,
s. 60, *61, 79*

FRÖLICH, Fritz Heinrich
(1872-1961)
Ingeniør, direktør for Nitedals
Tændstikfabrikk,
s. 249, 250, *250, 261, 262, 263*

FÖRSTER-NIETZSCHE, Elisabeth
(1846-1935)
Tysk, søster av Friedrich Nietzsche.
Brorens biograf,
s. 127, 128, 129, *129*, 132, 133, 134,
147

GIERLØFF, Christian Peder Grønbeck
(1879-1962)
Forfatter og journalist, gift med Hjørdis
Gierløff,
s. 155, 159, 160, *161*, 163, 164, 165,
176, 186, 187, *187*, 191, *197, 198, 228*

GIERLØFF, Hjørdis f. Nielsen
(1889-1957)
Gift med Christian Gierløff,
s. 186, 187, *187, 197, 198, 199*

GIERLØFF, Åge Christian
(1914-1921)
Sønn av Hjørdis og Christian Gierløff,
s. 187, *199*

GLASER, Curt
(1879-1943)
Tysk kunsthistoriker og kunstsamler, gift
med Elsa Glaser,
s. 94, 95, 96, 123, 185, 186, *186*, 221

GLASER, Elsa, f. Kolker
(1878-1932)
Gift med Curt Glaser og medforfatter til
mange av hans skrifter,
s. 185, 186, *186, 200, 201*

GOLDSTEIN, Emanuel
(1862-1921)
Dansk dikter, symbolist. Pseudonym:
Hugo Falk,
s. 49, 155, 156, 157, 158, *173*

GRIMSGAARD, Wilhelm Le Fèvre
(1868-1937)
Lege,
s. 93, *94*

GRISEBACH, Eberhard,
(1880-1945)
Tysk filosof, professor i Jena,
s. *169*, 251, 252, *252*, 253, *253*, 268,
269

GURLITT, Wolfgang
(1888-1965)
Tysk kunsthandler og forlegger i Berlin,
s. *180*, 190

HAMBRO, Bernt Anker Bødtker
(1862-1889)
Jurist,
s. 21, *45*

HAMSUN, Knut
(1859-1952)
Forfatter,
s. 86, *102*

HANSEN, Rolf
(1898- dødsår ukjent)
Kunsthandler, innehaver av Galleri
Moderne Kunst,
s. 259, *284, 285*

HAZELAND, John
(1838-1889)
Engelsk oversetter og kulturdebattør i
Kristiania,
s. 25, 26, *26*

HEDBERG, Tor Harald
(1862-1931)
Svensk forfatter og kritiker, direktør for
Dramatiska teatern,
s. 124, *180*, 165

HEIBERG, Gunnar Edvard Rode
(1857-1929)
Forfatter og journalist,
s. 49, 50, 52, 66, 86, 249

LINDE, Hermann Gottfried
(1894-1972)
Tysk, sønn av Marie og Max Linde,
s. 97, 98, *116*, *117*, 121, 125

LINDE, Lothar
(1899-1979)
Tysk, sønn av Marie og Max Linde,
s. 97, 98, *116*, *117*, 121, 125

LINDE, Marie Elisabeth f. Holthusen
(1873-1940)
Tysk, gift med Max Linde,
s. 96, 98, *118*

LINDE, Max(imillian)
(1862-1940)
Tysk øyenlege og kunstmesen, gift med
Marie Linde,
s. 97, 98, 99, *118*, *119*, 122, 125, 127,
128, 185, 187

LINDE, Theodor
(1896-1947)
Tysk, sønn av Marie og Max Linde,
s. 96, 97, 98, *116*, *117*, 121, 125

LINTHOE, Otto
(1843-1927)
Offiser, kaptein og senere oberstløitnant,
s. 8

LUND, Henrik
(1879-1935)
Maler,
s. 125, *137*

LÜTKEN, Thor
(1863-1913)
Overrettssakfører, senere
høyesterettsadvokat,
s. 55, 56, 58, 72

LØCHEN, Thorvald
(1861-1943)
Amtmann og fylkesmann,
s. 193, *193*, 194, *214*, *215*

MALLARMÉ, Stéphane
(1842-1898)
Fransk dikter,
s. 85, 86, *102*

MEIER-GRAEFE, Julius
(1867-1935)
Tysk kunstkritiker og forfatter,
s. 53, 57, *57*, 58, 130, 224, 231

MENGELBERG, Nora
(Fødsels- og dødsår ukjent)
Tysk, datter av Richard Mengelberg,
s. 61, *80*

MENGELBERG, Richard
(Fødselsår ukjent -1932)
Tysk forretningsmann og kunstelsker,
s. 61, *82*

MEYER, Eli
(1891-1960)
Datter av Ludvig Meyer, gift med Helge
Krog,
s. 62, *81*

MEYER, Karl
(1888-1960)
Sønn av Ludvig Meyer,
s. 62, *81*

MEYER, Ludvig
(1861-1938)
Politiker og høyesterettsadvokat,
s. 55, *73*, 135, 164, 256

MEYER, Ludvig
barn,
s. 62, *81*, 256

MEYER, Rolf
(1889-1898)
Sønn av Ludvig Meyer,
s. 62, *81*

MICHELSEN, Johan Collett
(1862-1901)
Jurist,
s. 21, *45*

MONRAD, Cally (Ragnhild Caroline)
(1879-1950)
Sangerinne,
s. 190, *206*

MUDOCCI, (Muddock) Eva (Evangeline)
(1883-1953)
Engelsk konsertfiolinistinne, spilte
sammen med Bella Edwards,
s. 91, *91*, *109*

MUNCH, Christian
(1817-1889)
Korpslege, Edvard Munchs far,
s. 13, 16, 17, *30*, *39*, 56

MUNCH, Inger Marie
(1868-1952)
Edvard Munchs søster,
s. *15*, 25, *47*, *53*, 56, 164, 254

MUNCH, Laura Cathrine
(1867-1926)
Edvard Munchs søster,
s. 13, 25, *29*, *31*, *46*, 56, 254

MUNCH, Peter Andreas
(1865-1895)
Lege, Edvard Munchs bror,
s. 17, *39*, 50, 254

MUSTAD, Else Johanne f. Rolfsen
(1887-1973)
Datter av forfatteren John Nordahl
Rolfsen, gift med fabrikkeier Wilhelm
Mustad,
s. 193, 194, *216*

MØLLER, Kai Bisgaard
(1859-1940)
Godseier, stortingsmann, preses i
Selskabet for Norges Vel,
ordfører i Thorsnes, hovedstifter av
Felleskjøpet, gift med sin kusine Katti
Anker Møller,
s. 192, 193, *213*

NIETZSCHE, Friedrich
(1844-1900)
Tysk filosof, bror av Elisabeth Förster-
Nietzsche,
s. 125, 127, 128, 129, *129*, 133, 134,
135, *144*, *145*, 163, *183*

NILSSEN, Jappe
(1870-1931)
Forfatter og kunstkritiker,
s. 24, 49, *65*, *66*, 91, 126, 158, 159,
159, 160, 163, 164, 165, 166, *174*, *175*,
186, 194, 226, 227, *227*, 229, 231, 240,
242, 243

NØRREGAARD, Aase (Aasta) f. Carlsen
(1869-1908)
Malerinne, gift med Harald Nørregaard,
s. 18, 19, 20, *20*, *42*, 61, 89, 90, *90*, 91,
106, *107*, 121

NØRREGAARD, Harald
(1864-1938)
Høyesterettsadvokat, gift 1. gang med
Aase f. Carlsen, 2. gang med Marit Liv f.
Tellier,
s. 89, *90*, 155, 158, 190, *190*

SCHWERIN, Botho Graf
(1866-1917)
Tysk,
s. 57, *57*, 58, 59, *79*

SEIDEL, Emmy
(Fødselsår- og dødsår ukjent)
Tysk, gift med Herrmann Seidel,
s. 56, *74*

SEIDEL, Herrmann
(1855-1895)
Tysk lege og professor i medisin, gift
med Emmy Seidel,
s. 56, *74*

SINDING, Christian
(1856-1941)
Komponist,
s. 91, 190, *206*

SINGDAHLSEN, Andreas
(1855-1947)
Maler,
s. 13, 14, 18, *33*

STANG, Fredrik
(1867-1941)
Professor i rettsvitenskap, formann i
Høyre og justisminister,
s. 225, 226, *239*

STANG, Hans Georg Jacob
(1858-1907)
Offiser og forsvarsminister. Bror av
Klemens og Torvald Stang,
s. 17, *17*

STANG, Klemens
(1863-1907)
Høyesterettsadvokat. Bror av Georg og
Torvald Stang,
s. 16, *37*

STANG, Torvald
(1865-1914)
Overrettssakfører. Bror av Klemens og
Georg Stang,
s. 20, *20*, 161, 165, 166, *178*, *179*

STEINBART, Irmgard
(Fødsels- og dødsår ukjent)
Tysk,
s. 189, *189*, 190, *207*

STENERSEN, Annie (Inger Johanne) f.
Martinsen
(1900-1985)
Gift med Rolf Stenersen,
s. 255, 256, *276*, *277*

STENERSEN, Johan Martin
(1925-   )
Sønn av Annie og Rolf Stenersen,
s. 256, *278*, *279*

STENERSEN, Rolf
(1899-1978)
Norsk forretningsmann, aksjemegler,
forfatter og kunstsamler, gift med Annie
Stenersen,
s. 156, 225, 226, *226*, 227, *240*, *241*,
255, 256, 257, *275*

STENERSEN, Sten
(1928-)
Sønn av Annie og Rolf Stenersen,
s. 256, *278*, *279*

STRAUSS, Richard
(1864-1949)
Tysk komponist,
s. 190, *206*

STRINDBERG, August
(1849-1912)
Svensk forfatter,
s. 50, 51, 53, 54, 59, 67, *68*, 85, 86, 90

SØRENSEN, Jørgen
(1861-1894)
Maler,
s. 16, 17, *17*

THAULOW, Alexandra f. Lasson
(1862-1955)
Gift med maleren Fritz Thaulow,
s. 52, *53*

THIEL, Ernest
(1859-1947)
Svensk finansmann og kunstmesen, gift
med Signe Thiel,
s. 95, 127, 128, *128*, 133, 134, *134*,
157, 162, 185, 229

THIIS, Jens Peter
(1870-1942)
Kunsthistoriker og direktør for
Nasjonalgalleriet i Oslo,
s. 87, 91, 155, 160, 161, 162, 163, *181*,
185, 227

TORGERSEN, Thorvald
(1862-1943)
Maler,
s. 17, 18, *38*

TORKILDSEN, Maggie f. Giertsen
(1899-1971)
Gift med skipsreder Erling Torkildsen,
s. 253, *270*

UHL, Frida
(Fødsels- og dødsår ukjent)
Østerrisk journalist, gift med August
Strindberg,
s. 67, 85, 90

VELDE, Henry van de
(1863-1957)
Belgisk maler, arkitekt og designer,
s. 121, 125, 126, *126*, 127, 128, 130,
132, *146*, 250

VELDE, Henry van de
barn,
s. 128, *128*

VIBE, Ingse (Ingeborg Majory)
(1882-1945)
Skuespillerinne, gift med grosserer Heini
Müller,
s. 92, *93*, *110*

WARBURG, Ellen (Helene Julie)
(1877-1943)
Tysk lege, gift med juristen Edgar
Burchard, død i Auschwitz,
s. 123, 124, 127, *139*, 190

WARTMANN, Jacob Wilhelm
(1882-1970)
Sveitsisk kunsthistoriker og direktør for
Kunsthaus Zürich,
s. 221, 222, 223, *223*, 230, *234*, *235*

WEFRING, Karl Wilhelm
(1867-1938)
Lege og politiker,
s. 254, *254*, 255, *274*,

WONDT, Leopold
(1889- dødsår ukjent)
Dansk forretningsmann og
teaterentusiast,
s. 192, *192*, *212*

Følgende har adoptert bilder fra Munch-museets
samlinger som vises på utstillingen

Fina Exploration u.a.s.
Ved kaffebordet, 1883
Christian Munch og Karen Bjølstad (kat. 4)

L. Gill-Johannessen AS
Portrett av Ingse Vibe, 1903 (kat. 49)

Normarc AS
Christian Munch i sofaen, 1881 (kat. 2)

EB Corporation
Portrett av Jappe Nilssen, 1909 (kat. 82)

Takk

Vi takker alle som har bidratt til realisering av utstillingen gjennom generøse utlån. I tillegg til utlånere i inn- og utland som ønsker å være anonyme, takkes spesielt

Per A. Arneberg, Bermuda
Art Fuji Co. Ltd, Tokyo
A/S Denofa og Lilleborg Fabriker, Fredrikstad
Knut H.K. Frölich, Stavern
Galleri Bellman, Oslo
Fredrik Einarsson Lütken, generalkonsul, Barcelona
Helge Steensen, Asker
Sten Stenersen, Oslo
Felleskjøpet Østlandet, Oslo
Norges Bank, Oslo
Rådhuset, Oslo
Stortinget, Oslo

Vår takk går også til de ansvarlige for følgende museer og samlinger:

Danmark
Statens Museum for Kunst, København

Finland
Ateneum Taidemuseo, Helsinki

Norge
Baroniet Rosendal
Bergen Billedgalleri/Rasmus Meyers Samlinger
Christianssands Billedgalleri
Lillehammer Bys Malerisamling
Trondhjems Kunstforening

Spania
Fundación Colección Thyssen-Bornemisza, Madrid

Sveits
Kunsthaus Zürich
Kunstmuseum Basel

Sverige
Göteborgs Konstmuseum
Moderna Museet, Stockholm

Tyskland
Hamburger Kunsthalle, Hamburg
Märkisches Museum, Berlin
Museum der Bildenden Künste, Leipzig
Museum für Kunst und Kulturgeschichte der Hansestadt Lübeck
Staatliche Galerie Moritzburg, Halle
Staatliche Museen zu Berlin, Nationalgalerie

Østerrike
Österreichische Galerie, Wien

Foto:

Jörg. P. Anders, Berlin
Bergen Billedgalleri/Rasmus Meyers Samlinger
Martin Bühler, Basel
Ebbe Carlsson, Göteborg
Christiansands Billedgalleri
Fotostudio Otto, Wien
Fundación Colección Thyssen-Bornemisza, Madrid
Hamburger Kunsthalle, Fotowerkstatt , Elke Walford
Pål Hoff, Bergen
Matti Huuhka. Jussi Tiainen, Helsinki
Kunsthaus Zürich
Lillehammer Bys Malerisamling
Munch-museet, Svein Andersen, Sidsel de Jong
Moderna Museet, Stockholm
Museum der Bildenden Künste, Leipzig
Museum für Kunst und Kulturgeschichte der Hansestadt Lübeck
Märkisches Museum, Berlin
Nasjonalgalleriet, J. Lathion
Hans Petersen, København
Staatliche Galaerie Moritzburg, Halle
Trondhjems Kunstforening

Boken er satt med Sabon 11/12 pkt.,
reprodusert og trykket hos
Tangen Grafiske Senter AS, Drammen.
Innbinding: Refsum Bokbinderi